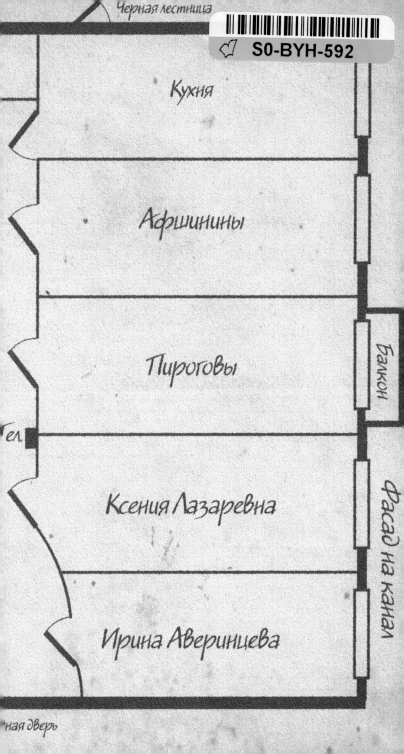

Черная лестница

Кухня

Афшинины

Пироговы

Балкон

Ксения Лазаревна

Фасад на канал

Ирина Аверинцева

Тел.

ная дверь

ДАРЬЯ ДЕЗОМБРЕ

ТЕНИ СТАРОЙ КВАРТИРЫ

Москва

2017

УДК 821.161.1-312.4
ББК 84(2Рос=Рус)6-44
Д26

Оформление серии *А. Саукова*

Под редакцией *О. Рубис*

Дезомбре, Дарья.

Д26   Тени старой квартиры : роман / Дарья Дезомбре. — Москва : Издательство «Э», 2017. — 416 с. — (Интеллектуальный детективный роман Д. Дезомбре).

ISBN 978-5-699-91582-8

Виолончелистка с мировым именем Ксения Аверинцева покупает квартиру с видом на канал Грибоедова. Узнав об этом, ее бабка умирает от сердечного приступа. По роковому совпадению, она жила в той старой квартире и была подозреваемой по так и не раскрытому делу. Но Ксения не может поверить, что ее бабушка – убийца. Она просит Марию Каравай о помощи, и та соглашается. Постепенно разгадывая секреты жителей коммуналки, Маша с Ксенией приближаются к главной тайне, смертельно опасной и для ныне живущих. История, начавшаяся как любительское архивное расследование, превращается в остросюжетный триллер. Скрываясь в лабиринтах питерских дворов и на старых фортах близ Кронштадта от преследующего ее убийцы, Мария Каравай пытается по крупицам отыскать затерянную во времени информацию...

УДК 821.161.1-312.4
ББК 84(2Рос=Рус)6-44

ISBN 978-5-699-91582-8

Федоре

Все хваленое настоящее — лишь момент, тут же становящийся прошлым, а вернуть сегодняшнее утро ничуть не легче, чем эпоху Пунических или Наполеоновских войн. И, как это ни парадоксально, именно современность мнима, а история — реальна.

Лев Гумилев

Было ли вправду все это? И, если да, на кой будоражить теперь этих бывших вещей покой, вспоминая подробности, подгоняя сосну к сосне, имитируя — часто удачно — тот свет во сне?

Иосиф Бродский

Список обитателей коммуналки
в 1959—1960-м годах:

Аверинцева Ирина, 22 года, химик, недавняя выпускница Технологического института.

Хелемская Ксения Лазаревна, 70 лет, старушка из «бывших», до революции владелица квартиры, нынешней коммуналки. Научный редактор.

Бенидзе, Лала Звиадовна, 33 года, портниха в ателье «Смерть мужьям» на Невском проспекте и Заза Отарович, 37 лет, оперный певец Кировского театра. Их дочь: Тамара, 15 лет.

Пироговы, Алексей Ермолаевич, 38 лет, мясник, Галина Егоровна, 35 лет, продавщица мясного магазина. Их дети: Валера, 7 лет, Леночка, 6 лет.

Лоскудова Людмила Николаевна, 37 лет, «разведенка», вахтерша ТЭЦ, ее дети: Алексей, 16 лет, и Колька, 8 лет.

Коняевы, Андрей Геннадьевич, врач, 45 лет, Вера Семеновна, учительница, 43 года. Внебрачный сын Андрея Геннадьевича Миша, 17 лет.

Аршинины, Анатолий Сергеевич, 46 лет, проводник ж/д, Зина, 23 года, воспитательница детского сада. Их дочь Аллочка, 4 года.

НАЧАЛО

Нехорошая квартира.
За десять дней до описываемых событий

Говорят, когда вы понимаете, что вот именно сейчас, сию минуту, счастливы, значит, ваша молодость прошла. Ибо в молодости счастье так же естественно, как дыхание. Лишь потом мы начинаем ставить зарубки на памяти. Ксения как раз сделала такую зарубку: вот, уходя стремительно вниз, тонут в закатном солнце «в багрец и золото одетые» канадские леса. А вот то же солнце плещется в бокале шампанского, что держит перед ней улыбчивая стюардесса. В салоне бизнес-класса пахнет кожей и сложными, дорогими духами, рядом уткнулся в газету мужчина с модной щетиной. Впрочем, думает Ксюша, может быть, дело вовсе не в прошедшей молодости, а в том, что бокал шампанского — уже второй? Или еще такой вариант: это и правда — первое выпавшее ей счастье. Нет, не выпавшее даже, привалившее — валом, после молодости, утекшей сквозь пальцы, измученные виолончельными струнами, как пальцы пряхи — грубой нитью. Сгинула молодость, не оставив ничего, даже ярких воспоминаний. Ведь нельзя же считать достойными памяти те вяло переходящие в годы часы, что она провела в замкнутом пространстве в обнимку с инструментом?

Чтобы затем все произошло так быстро: и выигранный международный конкурс, и месье Менакер — благообразный, совсем седой, склонившийся над ее измученной невралгией кистью руки с поцелуем и омочивший ее теплой слезой. «Вы заставили меня плакать, мисс. Ах, как давно я уже не плакал, слушая виолончель, как же я вам благодарен!» И — вуаля! — на следующее утро она уже сидит, сама на себя не похожа — со слоем матирующей пудры на лице, прямые скучные волосы в свежей завивке — в канадской студии Иси Мюзик. Сидит и лепечет что-то про путь виолончелиста, кремнистую тропу. А рядом стоит царский подарок: одолженный Канадским национальным банком Страдивари, который теперь, когда она стала большим музыкантом, в ее полном распоряжении. И сейчас, в салоне бизнес-класса, баюкающего ее в воздушных потоках, ей кажется, что вот оно — счастье, эта нежная залитая закатным солнцем ладонь, несущая ее домой, в Питер. Ксения выдохнула, будто легкие грозили не справиться с такой радостью, и глотнула на вздохе шампанского.

— Первый раз в Канаде? — услышала она мужской голос и обернулась.

На нее с улыбкой смотрел сосед: двухдневная щетина, мятая футболка, серые спортивные штаны. Домашний вид. Она смущенно улыбнулась: он, наверное, и чувствует себя тут как дома. Вон, даже в тапки уже переобулся.

— Да. В первый. — Наверное, здесь принято знакомиться с соседями по шикарным креслам. Как было принято знакомиться в плацкартных вагонах поездов дальнего следования и рассказывать попутчикам всю свою жизнь. А может, просто состоятельные люди очень доброжелательны?

— Бизнес? Что-нибудь, связанное с ресторанами. Угадал? — мужчина улыбнулся еще шире.

— Почему с ресторанами? — удивилась Ксения.

— Вы просто с таким удовольствием пили шампанское. Будто в нем понимаете. Я вот — нет.

— Я тоже нет, — Ксения пожала плечами. — Просто такое хорошее пью тоже — в первый раз. — И добавила: — Я виолончелистка.

Как будто ее профессия сразу снимала вопросы о понимании в шампанском. Впрочем, так оно и было.

— Как интересно! — мужчина взглянул на нее сквозь взлетающие вверх пузырьки шампанского в бокале. — Вы — моя первая знакомая виолончелистка. Виталий, — он протянул ей руку.

Ксения неловко пожала ее между креслами:

— Ксения.

— А у меня банальная профессия, — он сделал внушительную паузу. — Тружусь на благо Отечества в Газпроме.

Ксения чуть дрогнула губами. Она могла бы сделать ответное признание: ах, он тоже первый ее знакомый газпромовец, но правда заключалась в том, что она никогда не стремилась знакомиться с мужчинами, каким-то образом связанными с полезными ископаемыми. Из всей вереницы «сырьевиков» ей гипотетически могли быть интересны только те, кто находился в начале этой пищевой цепи: геологи там или нефтяники. Но никак не этот ухоженный и довольный собой гражданин, с которым Ксении сразу стало скучно. Это в ней было от бабки — легкое пренебрежение к людям и не физического, и не интеллектуального труда. Так, дрейфующее офисное животное высшего звена. «Надо выпить еще шампанского, — подумала Ксения. — Мне с ним еще лететь и лететь». Она откинула голову в кудрях, еще хранящих следы вчерашней телевизионной укладки, и слегка захлебнулась шампанским. В ответ Виталий похлопал ее по спине, потом вызвал стюардессу с дополнительным пледом и еще парой бокалов. И так постепенно (шампанского, еще шампанского!) и правда стал Ксении весьма симпатичен.

Утром, проснувшись перед самой посадкой в Пулково, она в некотором смущении обнаружила свою голову на плече у «Газпрома» и, поправив сбившийся плед, вспомнила, что рассказывала за ужином — утка в соусе хойсин, суп из запеченных помидоров, — что теперь очень богата. Месье Менакер, самый главный музыкальный филантроп североамериканского континента, не выдававший свою премию уже несколько лет подряд — такую тоску на него наводила игра конкурсантов, — передал весь накопившийся премиальный фонд ей, Ксении. А плюс к тому она теперь имеет право играть на гениальном инструменте цвета вересково-го меда — авторства Антонио Страдивари. Страд — как с ложным панибратством зовут эти уникальные струнные ее коллеги-музыканты. На нем играл еще виртуоз Бернард Гринхаус! — похвасталась «Газпрому» Ксения, подчищая соус хойсин корочкой пшеничной булки.

— Он один, наверное, миллионов на десять потянет, — посерьезнел «Газпром» лицом в легкой щетине (это вам уже не музыкальные ля-ля, это уже ля-моны) и скосил глаза на дальнее кресло, в котором по-царски путешествовал в своем дорогущем футляре Страд — страховая компания оплачивала ему билеты в бизнес-классе. Сдавать такой ценности инструмент в багаж было строжайше запрещено. Ксения же легкомысленно отмахнулась пшеничной булочкой.

— Разве в этом дело?! — И она взялась разглагольствовать о тайне страдивариевской древесины: болтали, что Антонио использовал остатки Ноева ковчега, но глупости — просто ель и клен. Ель — ядровая. Янтарная смола подсушена за прошедшие триста лет, но она здесь, и ее хвойный аромат, высвобождаясь вместе со звуком, летит туда, куда только и могут достать острые еловые верхушки в альпийских предгорьях. Это для верхней, звонкой деки. Клен — для нижней, прочной. Звук — солидный, густой, как кленовый сироп, течет внутри виолончели, резонирует от тайных, невидных глазу изгибов... А поверху, над легкой смолой и тяжелой патокой, — слой волшебного лака (рецептура утеряна!), такого тугого и упругого, что он, как живой, затягивает на инструменте любую рану — всякую царапину, вмятинку, скол.

— А что вы хотите делать с премией? — перебил ее заскучавший на поэтических отступлениях «Газпром». — Вложитесь в ценные бумаги? Или в недвижимость?

Ксения замерла с бокалом в руке, почти нежно взглянула на соседа: ну, конечно! Она еще сама не успела подумать, что делать с внезапно свалившейся на нее бешеной суммой, но ведь, да-да, ей надо вложиться в недвижимость!

— Я куплю квартиру, — сказала она. — Я куплю большую квартиру с видом на воду.

* * *

В зале прилета она потерянной птичкой оглядывалась по сторонам. Снова вынула из кармана мобильный: эсэмэска, посланная во время пересадки во Франкфурте, дошла до адресата. В сообщении она подтверждала: рейс не опаздывает, жди. Но никто ее не ждал, а набрав пару раз Петин номер, она наткнулась на равнодушный женский голос: аппарат абонента выключен. Ксения вздохнула. Ничего, не маленькая, сама доедет. Вяло поторговавшись с приставучим таксистом — в конце концов, она ему не туристка! — Ксения села в забрызганную грязью машину и откинулась на сиденье. Боже, ей еще пилить через весь город! И сама не заметила, как заснула.

А проснулась от вечного, посконного:

— Ну, твою же мать!

Ксения распахнула глаза. Выглянула в окно: такси пыталось пробраться из переулка на набережную канала Грибоедова, но и переулок, и набережная были под завязку забиты машинами.

— Зачем вы поехали через центр? — вздохнула она.

— Сейчас все стоит, — ворчливо возразил таксист.

Ксения без слов пожала плечами — может быть, он и прав. Сама она всю жизнь передвигалась на метро. Там в час пик было тоже тесновато, но путь от дома до консерватории занимал чуть больше получаса. А тут, за те пятнадцать минут, что она сонной совой пялилась в окно, не произошло ни-че-го. Лишь горели сквозь мельчайшую морось красные тормозные огни, да вился седой дымок из выхлопных труб. Тусклое питерское утро. Эстетика перенаселенного города.

От нечего делать Ксения стала рассматривать здание напротив: угловой дом через канал с кофейней на первом этаже. А выше — еще четыре, с большими окнами-эркерами. На последнем — с надписью «ПРОДАЖА» и номером телефона — полукруглый балкончик, окаймленный изысканной железной вязью эпохи модерна. Как раз подходящего размера, чтобы выставить на него столик с двумя стульями и пить утром — кофе, а вечером — вино. Или, к примеру, в июне, когда на город опустится прохлада молочной белой ночи, сесть в обнимку со своим Страдом и играть для полуночных пьяниц, праздношатающихся туристов и бомжей с Сенной баховскую сюиту номер один. А вот куранту или прелюдию? — Ксения на секунду задумалась, вынимая из кармана мобильник, и набрала номер, указанный на плакате.

— Слушаю! — мужской голос был бодр. Неестественно бодр для такого пасмурного утра.

— Здравствуйте, — Ксения перехватила внезапно вспотевшими пальцами телефон. — Я звоню вам по поводу квартиры на канале Грибоедова.

— 180 квадратов, — отрапортовал голос. И добавил, чуть смущенно, стоимость. Ксения по привычке вздрогнула, но, поймав в зеркале любопытствующий взгляд таксиста, уверенно кивнула самой себе: все в порядке, спасибо месье Менакеру. Ей хватит.

— Когда я могу ее посмотреть?

— Да хоть сейчас, — риелтор стал весел и напорист. — Я только что проводил покупателей, собирался уезжать, но если вы недалеко...

— Я в пробке, совсем рядом. Только у меня чемодан...

— Ничего, — хохотнул риелтор. — Я спущусь и помогу.

Ксения быстро расплатилась с недовольным таксистом — дамочка сама не знает, куда едет, — и строго сказала себе: это будет первая из многих квартир, которые она отсмотрит. Но пыталась она говорить с собой внушительно, по-взрослому: метраж подходит, место — идеальное для работы, на высоте не так шумно...

Риелтор — совсем молоденький мальчик, узенький, с носом-уточкой — уже придерживал дверь ногой. Протянув руку для чемодана, пропустил ее вперед. Ксения вошла, да так и застыла: тут все было иным, чем в ее панельной девятиэтажке на проспекте Большевиков. Лестница с пологими ступенями вела прямо к лифту, а затем, повернув влево, волнообразно его огибала. Взгляд, следуя за изгибом, утыкался в растительного орнамента лепнину высокого потолка. Тот же растительный узор, но уже в металле, украшал дверь лифта. Не без труда вместившись в него вместе с чемоданом и Страдом и несколько смутившись внезапной близости, они с лязгом («Лифт — антикварный», — пояснил, нервно хохотнув, риелтор) вознеслись вверх, на четвертый этаж.

Дверь квартиры была деревянной, выкрашенной облупившейся коричневой краской. Слева и справа, на высоте плеч, торчали проволочками наружу разнокалиберные звонки. Риелтор открыл дверь длинным ключом, вошел, протащив за собой чемодан. Ксения, обнимая Страд, шагнула следом. В квартире пахло свежей краской, но стены стояли в грязных оборванных обоях, а потолки — в трещинах и подтеках.

— Новые хозяева затеяли было ремонт, а потом передумали заморачиваться. Живут в Москве, в Питере квартиру купили так, ради прикола, — прокомментировал риелтор. А Ксения смотрела вверх: вкруг убогой лампочки Ильича по плафону шел все тот же мотив: переплетающиеся между собой листья и стебли. Речные кувшинки? Водяные лилии?

— Раньше во всем доме были коммуналки. Эту квартиру выкупили последней. — Ксения шла за ним из комнаты в комнату. Везде царило запустение неухоженного и нелюбимого последними обитателями жилья, но сквозь него, как стебли тех самых кувшинок сквозь толщу воды, пробивалась красота некогда «приличной» квартиры. В холле, заложенный кирпичом, царил камин из бордового с прожилками мрамора. Над каминной полкой танцевала заключенная в медальон алебастровая Терпсихора.

— Камин можно реанимировать, — прокомментировал риелтор. — Этаж последний, почистите дымоход — и вперед. В блокаду, говорят, его использовали.

— Кто говорит? — рассеянно спросила Ксения, выглядывая из того самого огромного окна, что привлекло ее внимание с улицы, — отсюда заваленный строительным мусором и небрежно скрученными, заляпанными краской листами полиэтилена балкончик выглядел не так презентабельно.

— Так жильцы бывшие! Пьяницы все как один, но уезжать отказывались. Вид им, видите ли, нравился, — парень хмыкнул, разом отказав всем пьяницам в чувстве прекрасного.

Ксения подняла взгляд от строительного мусора к куполам Исаакиевского и Казанского соборов. Первый — прямо по курсу, благородного потускневшего золота, окруженный темным, облетевшим к зиме Александровским садом. Второй — справа, в позеленевшей меди. Ниже морем вздымались ржавые железные скаты крыш... Она сможет видеть это каждый вечер, если купит квартиру, подумалось ей, искать свои городские ориентиры, выходить на минутку, чтобы проверить на себе температуру и влажность в этом проклятом зябком климате, где никогда не знаешь, как одеться. И — да, тут много работы, но разве не об этом она мечтала последние пятнадцать лет — о своем жилье, где все будет сделано так, как хочет она, а не мать и бабушка?

— Пару стен можно снести, сделать комнаты попросторнее, — будто подслушав ее мысли, разливался соловьем риелтор. — Паркет мало где сохранился, но там, где есть, он дубовый. Здесь дверь на черную лестницу...

Ксения повернулась к нему, и он резко замолчал, увидев выражение ее лица.

— Я ее беру.

Так и сказала, будто всю жизнь покупала квартиры, как картошку.

КОНЕЦ

Она думала, что уже ничего не боится. Сложно бояться тому, кто все потерял. И всех. Кроме того, когда жизнь катится к логическому завершению, все чаще начинаешь молить судьбу о смерти, если не легкой, то сравнительно быстрой.

Но все случилось так нелепо и так неожиданно, что в первые секунды она даже растерялась. Тело охватил озноб, на лбу выступил пот. А потом заныли руки и ноги, невыносимым стало прикосновение к телу старой изношенной фланели халата — лишь дотронувшись до мягкой ткани, мускулы под болезненно чувствительной кожей конвульсивно сжимались. Вечерний свет нестерпимо резал глаза — дергались веки, голоса играющих у Пироговых детей казались такими пронзительными, что сводило челюсти. Но хуже всего был именно этот внезапный страх, чувство безысходности, накрывшее ее с головой, близкое тому, что она испытала восемнадцать лет назад. И, вспомнив о том ужасе, мгновенно осветив в своей памяти тот далекий зимний день, она поняла, ЧТО должна сделать. Дойти до телефона. Позвонить, рассказать. Но сделать первый шаг не успела — тело выгнулось дугой, запрокинулась голова в жидких седых кудрях, она упала на пол и забилась в конвульсиях. У Аршининых голосом Серкебаева запело радио: «Море шумит грозной волной», — но она ничего не слышала, вены вздулись на морщинистой шее, глаза бессмысленно уставились в потолок. Боже мой, как страшно! Как невыносимо страшно! На секунду она перестала что-либо чувствовать, а потом увидела себя будто со стороны, лежащей на полу посреди своей комнатушки — болел затылок, ныло все тело. Она попыталась сглотнуть, но ничего не вышло. Серкебаев продолжал проникновенно выводить про ветер и песнь моряка. Откуда-то она поняла, что у нее очень мало времени — его нет на крик, переполох у соседей, вызов врача. А есть только на то, чтобы сосредоточиться и постараться добраться до телефона. Добраться и произнести одну фразу — ее будет достаточно. Обхватив тонкой высохшей рукой ножку шифоньера, она слегка приподнялась, затем встала на колени. Потом, опершись на темное дерево стула — единственного сохранившегося после блокады из еще папиного, «мавританского» гарнитура, сумела подняться. Вдруг вспомнилось, что мамочка ее этот гарнитур не жаловала, считала претенциозным и тяжеловесным. Мамочка не знала, что тяжелое дерево окажет ее семидесятилетней дочери услугу: не дрогнет, не сдвинется с места, поможет добраться по стеночке до двери. Веки дергались, она снова почувствовала нарастающую дрожь во всем теле. «Давай», — приказала она себе. Телефон висел на стене в коридоре — совсем рядом. Она толкнула дверь, сделала шаг вперед, но не успела никуда позвонить, а вновь повалилась, сотрясаясь в конвульсиях, на пол. Посинело лицо; не только глотать — дышать казалось невозможным. Остановившимися зрачками она видела огрызок химического карандаша, привязанного бельевой веревкой к телефонному справочнику. Карандаш маятником качался перед ее гаснущим взглядом, и за секунды до того, как уйти, она сумела обхватить его непослушными пальцами.

«И в далеком краю песню эту спою. Нам ее пели у колыбели, баюшки-баю», — громче зазвучал бархатный баритон новоиспеченного народного артиста СССР Ермека Серкебаева. Кто-то вышел в коридор.

— Ксения Лазаревна! Господи, да что ж это! — раздался крик. — Сюда, быстрее! Ира, Алексей Ермолаич, помогите!

Но она его уже не слышала.

МАША

Маша держала Андрееву руку и улыбалась.

— Ты же знаешь, на мне все заживает, как на Раневской! — улыбался в ответ Андрей. Под глазами темные круги, и весь он какой-то бледный — как сказала бы ее мать-медик, «пастозный». Пастозный, но живой. Господи... Глядя на него, приподнятого на подушках, с делано бодрым выражением на лице, Маша чуть не расплакалась от умиления и облегчения.

— Ты ему должен много мяса. Он тебя как-никак спас.

— Да? — хмыкнул Андрей. — А я думал, меня спасла твоя мать.

Маша серьезно кивнула в ответ:

— Да, это была их с Раневской совместная операция.

Машина мать действительно поставила Андрееву госпитализацию на особый контроль. Как бы ни был ироничен Андрей, Маша знала: медицинское братство существует. И в этом тайном ордене ее мать уже давно занимала серьезную ступень. Андрей лечился тут не как доблестный оперативник и удалой ловец маньяков, а как родственник Натальи Сергеевны: его прооперировали, а теперь без конца ставили капельницы и кололи восстанавливающие силы препараты, и возлежал он на белоснежных простынях, которые, без конверта в карман младшему медперсоналу, регулярно меняли.

— Она сказала, — криво усмехнулся Андрей, — что я ее зять.

Маша расхохоталась:

— Просто это много более внушительно звучит. Не переживай, она не потащит тебя прямо из больницы со мной под венец.

Но резко оборвала смех, заметив, как вдруг потемнело лицо Андрея:

— Что? Больно?

Андрей помотал головой и уставился в окно. Маша проследила за его взглядом: голая тополиная верхушка. Маша пожала плечами.

— А как твоя мама? — решила она на всякий случай поменять тему. И сразу поморщилась — тема подвернулась неудачная.

— Привезла апельсинов, — Андрей опять криво усмехнулся. — Увидела, что со мной все в порядке, и уехала обратно. В Москве жить дорого, говорит, да и дела у нее: огород, коты и спортивная ходьба с товарками по средам и пятницам.

Спортивная ходьба?!

— Ясно, — Маша не знала, что и сказать. Она уже давно поняла, что Андрей не был любимым сыном. Но чтобы настолько!

— Заявила, что уверена: ты за мной лучше присмотришь, чем она. И что умывает руки.

Маша покраснела:

— Ты, конечно, объяснил, что за тобой смотрит скорее моя мать?

— Не думаю, что ей интересны такие детали, — хмыкнул Андрей. — Ключевое в этом — «умываю руки».

— Ладно, — важно кивнула Маша. — Постараюсь не осрамиться.

— А я тут вот что хотел тебе предложить... — Андрей вдруг сильно покраснел. — Здесь, конечно, не время и не место...

Пип-пип-пип — донеслось сбоку: экран кардиомонитора заметно оживился.

— Что? — Маша нахмурилась: сердечная кривая демонстрировала явную тахикардию. Она взяла его за руку, бросила обеспокоенный взгляд на дверь: может, позвать медсестру? — Что ты хотел предложить?

— Да так, ничего особенного, — стиснул ей в ответ ладонь Андрей. — Руку, сердце. И прочие органы, если они тебе вдруг понадобятся.

Маша смотрела на него остановившимся взглядом — пара секунд ушла на то, чтобы осознать, что он, собственно, имеет в виду.

— Это предложение? — неловко спросила она, чувствуя себя полной идиоткой.

— Ну да, — нервно пожал плечами Андрей. — Я знаю, лучше, наверное, в ресторане, под звук серенады, или там... в гондоле...

— Нет, не лучше, — Маша наклонилась, поцеловала его в щеку. И попыталась улыбнуться, чувствуя, что вот-вот произойдет непоправимое. — Больница, герой восстанавливается после геройства. Жаль только — я не сестра милосердия. И я... — Она взглянула было на своего героя, не отрывающего от нее лихорадочных глаз, и — не выдержала, отвернулась. — Я не готова, Андрей.

— Не готова, — она увидела, как дернулся его кадык. Андрей жалко улыбнулся. — Так я и думал.

— Дело не в тебе, — начала она и сама почувствовала, как фальшиво это звучит. — Дело во мне.

Маша растерянно замолчала — чем дальше, тем хуже.

— Я понял, — кивнул Андрей. Пальцы, дрогнув, ослабили хватку. Машина рука осталась лежать на простыне, никому не нужная, как дохлая рыба.

— Правда? — взглянула на него Маша. Андрей вновь внимательно смотрел на тополиную верхушку. Ни черта он не понял! Маша вновь вздохнула и решила попробовать еще раз. — Мне казалось, у нас и так э... Все хорошо?..

Андрей молчал.

— Ну что ты молчишь? — она злилась, что не может найти нужных слов, да и вообще оттого, что очутилась в этой ситуации.

— Что тут сказать? — он вновь повернул к ней лицо, и оно было ужасно несчастным. — Ты пытаешься, как обычно, привести аргументы. Выстроить логическую цепочку. Только логика тут ни при чем. Это, кхм, территория чувств.

— Тук-тук-тук! — в дверь просунулась голова Анютина. — К вам ревизор! Чтобы, так сказать, узнать, когда окажетесь в строю!

Полковник вошел, вытирая со лба пот — в полиэтиленовом пакете просвечивали оранжевыми боками апельсины. Он поставил пакет рядом с тумбочкой, покосившись на уже принесенные давеча Андреевой матерью те же плоды. Банальное больничное подношение.

— Ну, как вы тут, мои котики? — по-отечески зажмурился он, не замечая ни Машиного смущения, ни Андреевой мрачной физии. — Не бойтесь, работать сразу не отправлю. Давайте-ка в отпуск, недельки на три, или даже на месяц. Отдохнете, загорите и — к работе.

— Спасибо, — через силу улыбнулся Андрей.

— Ну-ну, не благодарите! И это, кстати, еще не все! Тебе, Яковлев, премия от начальства, в размере месячного оклада. Танцуй! А тебе, — повернулся он к Маше, — и того больше, старший лейтенант Каравай!

И он смачно расцеловал ее в обе щеки. Маша улыбнулась, но, видно, не так, как положено улыбаться особе, представленной к внеочередному званию.

— Хотела, видать, старшего оперуполномоченного? — он подмигнул. А Маша покраснела — ничего она не хотела и уже открыла было рот, чтобы сказать об этом полковнику, как тот замахал на нее пухлой ручкой: — Хотела, хотела, не спорь! И заслужила, звезда ты наша. Но, если б стала старшим опером, с кем бы в команде пришлось работать, сама подумай, а?

Маша беспомощно обернулась на Андрея и увидела, что тот, красный как кумач, смотрит в пол. А осознав, в чем дело, сама опустила глаза, злая на себя, на Андрея и на довольного собой полковника, поставившего, о том и не подозревая, их с Андреем в еще более неловкое положение.

— Я, наверное, пойду, — кивнула Маша начальству и клюнула в щеку зардевшегося Андрея. — Выздоравливай.

Андрей пробормотал что-то неразборчивое, Анютин проводил ее ласково-благосклонным начальницким взором, а она вырвалась в прохладу больничного коридора. Где воздух, казалось, был легок и пах свободой. Свободой от принятия решений. И почти бегом поспешила на улицу.

Зачем только он задал ей этот вопрос?

АНДРЕЙ

Зачем только он задал ей этот вопрос? — думал он, рассеянно слушая полковника, не без труда разместившего свое обширное седалище на больничном стуле.

— Блестящая девка, просто блестящая! Кто бы мог представить, что нам так повезет, а? Думали, очередная блатная. А тут — и знания, и нюх, и хватка какая! За полтора года из соплюхи в такого профессионала выросла... — Он заметил наконец, что Андрей никак не реагирует. — Эй, с тобой все в порядке? Ты, вообще, как себя чувствуешь?

— Вообще — не очень, — честно ответил Андрей.

Полковник нахмурился:

— Что? Поругались?

Андрей с удивлением воззрился на начальство — и когда успел догадаться? Пока дифирамбы пел или о премиях разглагольствовал? Кстати, о премиях.

— Я так понял, вы решили попридержать коней и не давать ей новой должности, чтобы меня не смущать?

Анютин повел пухлым плечом, на секунду задумался... Андрей невесело усмехнулся: что ж, заминка с ответом — это тоже ответ. Он прикрыл глаза и монотонно продолжил:

— Вы не дали ей новую должность, потому что старшим операм положена своя группа, и таким образом мы бы стали на равных. Решили не портить нам отношения соперничеством? Или считаете, что она скоро и эту должность со званием переплюнет, и кирдык тогда придет нашей большой и чистой любви?! Хотели меня поберечь?

— Глупости, — полковник наконец собрался с мыслями. — Не повысил я ее потому, что она действительно перестала бы работать с тобой в тандеме. А мне ваш тандем ценен. Он, если хочешь знать, по-своему уникален.

— А по-моему, он уникален только тем, что в нем есть Мария Каравай, — усмехнулся Андрей, глядя на свои руки, сцепленные над одеялом. — Опытных оперов в угро, слава богу, еще хватает.

— Боишься? — вдруг мягко спросил полковник. И Андрей даже прикрыл глаза — настолько это было в точку.

— Боюсь, — сглотнул он.

— Терпи, — голос полковника чуть дрогнул, и Андрей понял, что тот улыбается. — Хочешь быть с Каравай — терпи. Эта девочка того стоит.

— Я-то потерплю, — повернул к собеседнику бледное лицо Андрей. — А она-то долго станет меня терпеть?

Не ожидая, что тот ответит, он прикрыл глаза, почувствовав вдруг, что смертельно устал от сегодняшних эмоций.

МАША

Маша уже подошла к своему подъезду, а так и не выстроила в голове страстной речи к Андрею. Под заголовком «Почему нам не надо жениться». Она вздохнула. Взглянула на желтый прямоугольник окна: мамина тень двигалась за занавеской. Мама! Вот кто сможет ей помочь — у нее есть опыт в таких делах, да и вообще — мама намного больше женщина, чем Маша. Она тактична, сможет красиво обставить Машин отказ, поговорит с Андреем, и... Маша, зайдя в лифт, на секунду отвлеклась. Нет, с Андреем она поговорит сама, и, каких бы отличных советов ни надавала мама, разговор будет неловким. Зачем?! — задавала она в сотый раз вопрос Андрею. Зачем жениться, если им и так замечательно вместе? Детей они пока заводить не собираются, быт их, при всем его обаянии и наличии половозрелой собаки, не отличается устроенностью... Почему любовь требует каких-то официальных рамок, разве они нужны — на этом-то этапе? Приготовившись задать матери свой сакраментальный вопрос, она открыла дверь... И чуть не полетела на пол, наткнувшись на чемодан, стоящий в прихожей.

— Маша? — откликнулась на грохот из глубины квартиры Наталья.

— Я, — потирая коленку, Маша вошла на кухню и резко остановилась, увидев материно расстроенное лицо. — Что случилось? Только предупреждаю, лимит эмоциональных потрясений у меня на сегодня уже исчерпан...

— Звонила твоя бабка. Умерла Ирина Леонидовна, — мать вздохнула, тяжело опустилась на табуретку. — Послезавтра отпевают. Ничего не говорит — но ты же знаешь, как это. Запах корвалола бежит по телефонным проводам.

Маша опустилась на стул рядом, сразу забыв про коленку. Ирина, близкая бабкина подруга, была уже второй «боевой потерей» — как называла Любочка смерти своих ровесников — за месяц. Пару недель назад машина сбила Раечку — бегущую на очередное свидание веселую вдову, что крутила романы и в восьмидесятилетнем возрасте. Теперь вот — снова похороны.

— Я поеду. Попытаюсь подбодрить, — мать расстроенно пожала плечами. — Она, конечно, держится молодцом, но ты же понимаешь, это как...

— Это как темная дыра: натыкаешься на нее в памяти — и каждый раз больно, — подхватила Маша.

Мать вскинула на нее глаза. Маша грустно улыбнулась в ответ. В их семье темные дыры были не редкостью. Они помолчали.

— Я поеду, — вдруг сказала Маша. — Мне предложили отпуск. Недели три-четыре могу пожить в Питере.

— А как же Андрей?

— Андрей уже почти здоров, — отвернулась Маша. — Скоро выпишут. Только я тебя прошу — съезди на дачку, покорми Раневскую. Он там у соседей, но не уверена, что они его кормят досыта. Он все-таки очень прожорлив.

* * *

Стемнело еще на Южном кладбище. Провожавшие возвращались от свежей могилы по главной аллее, спотыкаясь в ноябрьской грязи. В автобусе, везшем их на поминки аж в район проспекта Большевиков (Любочка, подозревала Маша, такие окраины и за Петербург-то не держала), разговаривали вполголоса. Маша сидела тихо, прижавшись к замершей в скорбном молчании бабке. Любочка была сама на себя не похожа — словно эта смерть лишила ее всегдашней живости, кожа на лице истончилась, став почти пергаментной, ввалились щеки. Маша посматривала на нее с беспокойством, нащупывая в кармане пузырек с сердечными каплями и размышляя, не стоит ли попытаться отговорить бабку от поминок. А вместо этого сойти с автобуса и отвезти Любочку домой, где уложить в постель и дать принять что-нибудь посущественнее корвалола. Но, глядя на скорбно сомкнутый тонкой линией рот, не решалась озвучить свое предложение.

Трехкомнатная квартира на Большевиков, несмотря на занавешенные белыми простынями зеркала и общую, совсем не праздничную атмосферу, оказалась очень уютной. Здесь жили три поколения женщин: сама Ирина, ее дочь Нина и внучка Ксения. Нина, толстушка с опухшим от слез лицом, сновала из кухни в большую комнату, где постепенно, негромко переговариваясь, рассаживались гости. Внучку же Маша нашла на кухне и предложила помощь, отметив, что та не похожа ни на мать, ни на покойную ныне бабушку: высокая, густые темные волосы забраны в гладкий хвост. Крупный нос с тонкой переносицей и глаза за круглыми очками с сильной диоптрией придавали ей сходство с большой доброжелательной птицей. Благодарно кивнув, Ксения передала Маше блюдо с фаршированными помидорами и тарелку бутербродов.

Маша понесла их в комнату, застав за поминальным столом беседу между Любочкой и Тоней, одной из последних «могиканш» — оставшихся в живых бабкиных подруг. Антонина, не изменившая ни своему драматическому макияжу — кровавый рот, подведенные темным глаза, — ни склонности к выпивке, уже налила водки и Любочке. Маша хотела было что-то сказать, но заметила, как порозовели у бабки щеки, и оселась.

— Нам бы с тобой такую смерть, — Антонина взяла с принесенной Машей тарелки бутерброд со шпротами. — Раз — и в дамки! Мечта! И заметь — сердце прихватило не от неприятности какой, которых в нашей старушечьей жизни — ковшом черпай, а от радости! Смерть от счастья — тебе самой-то не завидно?

— А что за радость? — Любочка кивнула подруге, позволив нацедить себе вторую рюмку, и подмигнула Маше, напустившей на себя по этому поводу строгий вид.

— А ты не в курсе? Она мне все уши прожужжала! Ксюшка ее первое место взяла на Монреальской «Золотой скрипке», плюс призовой фонд и игрушка от Страдивари.

— Молодец какая! — кивнула Любочка и, заметив зашедшую в комнату Ксению, поманила ее рукой. — Милая, — сказала Машина бабка, когда Ксения присела рядом на кончик стула, — можешь держать нас за циничных старух, но для тебя жизнь продолжается, а Ирочка наша была счастлива перед смертью, и это счастье обеспечила ей ты!

Она похлопала Ксению по плечу и ласково улыбнулась, но та в ответ вдруг издала горлом хрюкающий звук, взмахнула белоснежными длиннопалыми руками, закрыла лицо и — разрыдалась.

— Девочка моя! — испугалась Любочка, сразу бросившись вытирать текущие между пальцев слезы платочком, который заложила перед похоронами за манжету своей черной «похоронной» кофты. — Прости меня, старую дуру, за бестактность.

Она растерянно взглянула на Машу, и та встала, осторожно приподняла Ксению за плечи:

— Давайте я отведу вас в ванную.

И Ксения послушно пошла, чуть запинаясь на ковровой дорожке.

— Вы не понимаете. Никто не понимает, — глухо сказала она. — Это я ее убила.

КСЕНИЯ

Ксения повесила махровое полотенце, которым только что с силой вытерла заплаканное лицо:

— Простите.

И повернулась к девушке, которая терпеливо ждала окончания ее истерики, сидя на краю ванны. Девушка приходилась внучкой Любови Алексеевне — одной из лучших бабушкиных подруг. Бабушка говорила, что она унаследовала Любочкин талант видеть истинную суть вещей. И еще — что работала в Москве не то следователем, не то еще кем-то в полиции. Чужой, враждебный Ксении мир. Но сама внучка казалась милой: почти одного с ней роста, тоже не красавица, но излучающая спокойное доброжелательство.

— Ничего, — кивнула в ответ на ее извинение девушка. — Я Маша.

— Я в курсе, — соврала, бледно улыбнувшись, Ксения. На самом деле она не знала ее имени. Да и если знала бы — забыла. Она последние дни с трудом передвигала ноги в густой взвеси из чувства собственной вины и тупой боли. Тут не до усилий памяти.

— Это нормально — чувствовать себя виноватой, — девушка неловко улыбнулась в ответ, — но вашей вины тут нет: радость тоже может привести к смещенным сердечным ритмам.

— Вы ничего не знаете, — Ксения тяжело опустилась на край ванны, будто заново оглядев свой быт: прищепки на развешанных над ванной веревках, как птички на проводах, зеркальце шкафчика над раковиной, в котором отражается стенка в бело-желтый кафель. — Дело тут совсем не в радости. Я захотела купить ту чертову квартиру. Ведь слышала же много раз, что она жила в этом переулке в конце пятидесятых, но как-то не придала этому значения — мало ли квартир, переулок-то длинный...

— Вы купили квартиру, в которой жила ваша бабушка?

— И не только она — еще много кто. В коммуналках в послевоенные десятилетия людей было как сельдей в бочке. Но ведь прошло больше полувека, я не понимаю... Я не понимаю, отчего тут было падать с инфарктом?

Она повернулась к Маше, та смотрела на нее со спокойным вниманием.

— Вы уверены, что именно новость о квартире вызвала такую реакцию?

— О! — усмехнулась Ксения. — Тут не ошибешься. Она закричала, что ноги ее там не будет и чтобы я не смела ее покупать.

— А вы?

— А я просто стояла, как дура, и смотрела в остолбенении, пока она не схватилась за сердце, и тут мы вызвали «Скорую», — Ксения вздохнула. — Вы не знаете мою бабушку — она же кремень, скала. Выдержанная. Химик, не лирик. Логика прежде всего. Она меня все детство этим доканывала. А тут... Какой-то фонтан эмоций.

— «Скорая» опоздала?

— Нет, приехала вовремя. Было поздно, пробок никаких. Доехали до больницы. Потом нас с матерью оттуда вытурили — мол, возвращайтесь завтра. В такси мы поругались — ну, у нас это частое явление. — Ксюша машинальным жестом ощупывала фаланги своих длинных, без маникюра и украшений, музыкальных пальцев.

— Мама вас в чем-то обвиняла?

Ксения кивнула:

— Не без этого. Хотя зря она. Мы обе ничего такого страшного не знали о той квартире. Наоборот, бабушка всегда говорила, что жили они в коммуналке крайне дружно. Прямо одна семья. Ну и вот. Я вышла из такси, поймала частника, и как бес в меня вселился — дала ему адрес на канале Грибоедова. Ключей у меня не было, но повезло — вошла вместе с каким-то мужчиной. Он поехал на лифте, а я поднялась пешком. Света на последнем этаже не оказалось. Пришлось нащупывать в темноте ступени, одну за другой — это несложно.

В старых домах они удобные, пологие. Добралась до двери. А там... знаете, эти древние кнопки коммунальных звонков?

Девушка отрицательно покачала головой. Ну конечно, мельком улыбнулась ей Ксения, она же москвичка. В Москве, наверное, такого безобразия в центре уже не осталось.

— Жутковатое для непосвященных зрелище: разных размеров, форм и эпох, в следах краски, вокруг торчат разноцветные скрученные проводки. И рядом обычно такие типа таблички, а то и просто бумажки наклеены — где чей звонок. С 1960-го немало воды утекло, много обитателей сменилось, я не особенно надеялась на успех. — Она бросила взгляд на Машу, но та слушала с интересом. — Включила фонарик на мобильнике, стала отдирать эти позднейшие наслоения: ногтями, ключами от своей квартиры. Со стороны это выглядело очень странно, наверное, — Ксюша усмехнулась. — Приличного вида девушка поздним вечером стоит в темноте рядом с пустой квартирой и сосредоточенно ковыряет вокруг никому уже не принадлежащих звонков. И нашла ее.

— Кого? — девушка смотрела на нее без улыбки.

— Фамилию. Фамилию моей бабушки. Она у нее очень редкая — Аверинцева.

— Красивая фамилия.

— Да. Была, — Ксения пожала плечами. — Она фигурировала на одной из потертых медных табличек. Знаете, раньше кнопки звонков были не у каждого обитателя квартиры, а одна на всех. Приходилось писать фамилию, а напротив — сколько раз звонить. Рядом с фамилией моей бабки были еще шесть фамилий — шесть семей. Вот, я их записала на мобильный, — и Ксения протянула девушке телефон.

— Бенидзе — 3, Пироговы — 2, Аверинцева — 4, Аршинины — 1, Лоскудовы — 5, Коняевы — 6, — прочла та и подняла на Ксению глаза редкого, светло-зеленого колора. — И что вы хотите с этим делать дальше?

— Я хочу найти этих людей, — сглотнула Ксения. — Хочу спросить их, что тогда произошло. Почему пол-столетия спустя моя бабка из-за одного воспоминания об этой чертовой квартире получила инфаркт?

Девушка помолчала.

— Велика вероятность, что все эти люди уже мертвы.

— Да, — кивнула Ксения. — Но я все равно хочу попробовать. А знаете, что произошло после?

Маша молча покачала головой.

— У меня села батарейка на телефоне. А когда я вернулась домой, матери дома не было. Ее срочно вызвали в больницу. Мама... — Ксения вдруг почувствовала, что горло вновь сжимается в спазме. Невыносимо защипало глаза, губы постыдно задрожали. — Мама успела попрощаться с бабушкой, а я нет! Я — нет! Меня не было дома, и мой телефон отключился — слишком долго светила в эту дверь, звонки разглядывала! Я даже не смогла у нее попросить прощения — хоть и сама не знаю, за что! И опять из-за этой чертовой квартиры!

МАША

По дороге домой Маша не переставая думала о «чертовой квартире». Ей было искренне жаль эту лауреатку международных конкурсов — она легко могла примерить ситуацию на себя. Потерять Любочку, да еще и так внезапно. Чувствовать себя виноватой и не иметь возможности даже попрощаться, задать последний вопрос...

— О чем это вы там шушукались в ванной, девочки? — Любочка смотрела на Машу с грустной улыбкой. За окошком такси проплывали новостройки —

им еще предстояло перебраться на свой, левый берег. От окраины — к центру. Любочка, несмотря на тяжелый, заполошный день, выглядела много лучше, чем утром. Они с Антониной, будто две волшебные батарейки, все еще подзаряжали друг друга энергией при встрече. И слава богу.

Маша вкратце рассказала историю покупки старой коммуналки на Грибоедова. Любочка внимательно слушала, глядя перед собой. А выслушав до конца — кивнула.

— Ты что-нибудь об этом знаешь?

— А... — бабка прикрыла глаза. — Никаких деталей. Знаю, что случилась какая-то очень неприятная история. Иру огульно обвинили, она, гордая душа, решила не оправдываться, а просто съехать. Мужу ее, Сергею, он был военный, дали квартиру — а Ирочка как раз ходила беременная Ниной. Нина родилась уже рядом с Фрунзенской, в темной халупе на первом этаже. Потом, уже в девяностых, удалось обменяться на трехкомнатную на проспекте Большевиков. Такая вот нормальная квартирная одиссея советского времени.

— И ты ни с кем из этих людей не знакома? Я имею в виду, из обитателей коммуналки на Грибоедова?

— Увы! Ирочка ни с кем из них не общалась. Что само по себе показательно. Бывшие коммунальные соседи часто, бывает, перезваниваются, встречаются на праздники... Но не в этом конкретном случае.

— Мне хочется ей как-то помочь, — призналась Маша. — Там, среди фамилий, которые она отыскала на двери, есть и редкие. Вполне можно найти через адресный стол.

* * *

— Господи, я ушам своим не поверила! — женщина с тяжелой, с проседью, косой, уложенной короной на голове, держала Ксению за обе руки — будто боялась отпустить. Ей было уже около семидесяти, но огонь в карих глазах, изломом темных губ, царственная осанка — все выдавало в ней, нет, не пенсионерку — южную красавицу.

Ксения смущенно повернулась к Маше:

— В базе данных в Интернете я нашла трех Бенидзе. И просто набрала по очереди все три номера. Попыталась объяснить, кто я.

— А я, когда услышала, что это внучка Ирочки Аверинцевой, зарыдала белугой, еще до того, как узнала о ее смерти. Спасибо тебе, родная, что позвала на девять дней.

За поминальным столом собралось в этот раз уже много меньше народу: Маша с бабкой, все та же Антонина, пара бывших сотрудников Ирины Леонидовны по заводу грампластинок. Рядом с Ниной сидел неясный седеющий тип — то ли бывший ученик, то ли аспирант покойной еще в эпоху ее преподавания в Технологическом институте. Тамара Бенидзе весьма оживляла пейзаж — она совсем не знала Аверинцеву как бабушку, мать, строгого преподавателя. Но помнила ее еще юной девушкой, получившей по распределению от института полуслепой закуток в их коммуналке, часть некогда большой комнаты — барской гостиной.

— Ксения Лазаревна, бывшая хозяйка квартиры, ее очень привечала, — Тамара с мягкой улыбкой переводила взгляд с Нины на Ксению. — У нее же, сироты, и мебели-то никакой не оказалось. Топчан ей отдали Пироговы. А старуха уступила этажерку, да и подкармливала потихоньку, что уж греха таить! Зарплаты ж тогда были копеешные. Знаете, Ксения Лазаревна была добрым духом нашей коммуналки: никакой обиды на судьбу, горечи, или высокомерия — мол, живете в моих бывших хоромах. Нет! Смирение, дружелюбие, такт удивительный... Больше таких людей не делают, вот уж правда — из «бывших». А она ведь и войну в Ленинграде провела — так и не бросила дом. Внучку с дочкой потеряла, но не озлобилась. И ваша мама, — дотронулась она до Нининой руки, — ей, наверное, как дочь была. Правда-правда. Помню, вечером иду в ванную мимо кухни, а там уже чайник вовсю кипит, и Ксения Лазаревна несет его в свою комнатку, чай Ирочке заварить. Покупала пирожное «картошка» в «Севере» на Невском и ждала ее, никогда спать одна не ложилась, переживала, когда та задерживалась. Все говорила, что завещает Ирочке и комнату, и все, что в ней. Хоть по закону тогда завещать было невозможно, не знаю, как уж она хотела все устроить... Вот почему, когда это случилось, мы на Ирочку и подумали.

— Что случилось, Тамара Зазовна? — это встряла, не выдержав, Любочка.

— Ну как же... — смугло порозовела высокими скулами Бенидзе. — Вы не знаете?

Она обвела сидящих за столом вопрошающим взглядом. Все молчали.

— Старушку Ксению Лазаревну убили. Отравили крысиным ядом. Ужасная смерть. И все были дома, понимаете? Все могли. Но только у Ирочки была и возможность, и...

— Мотив, — в наступившей звенящей тишине закончила Маша.

ТАМАРА. 1959 г.

Дорогой, куда поехал?
Дорогая, в Ленинград.
Дорогой, и я с тобою.
Дорогая, очень рад.

Ленинградский фольклор

Мамочка заметно нервничает. Поцеловав ее с утра, я почувствовала аромат персикового масла. Значит, намазалась кремом «Огни Москвы», которым пользуется только в особенных случаях — на выход, больше для создания настроения, чем для красоты. Подождала, пока он впитается в кожу, слегка похлопывая кончиками пальцев. Встряхнула флакончик духов. Дотронулась хрустальной пробкой до запястья, оставив тонкий нежный след — никаких «Красных Московей», как она их называла, настоящие французские духи (заветная бутылочка с бантом выменяна папой у счастливчиков, оттанцевавших в Будапеште). Сложила узел тяжелых волос на голове. Надела платье — не из парадных, но ей очень шло, подчеркивая талию в «рюмочку». На шею — косыночка из крепдешина: красные цветы по белому полю. Шляпка из панбархата с вуалькой. Из того же черного панбархата — воротник широкого пальто с накладными карманами и — завершающий удар, туфельки на небольшом каблучке — холодновато, но не влезать же в боты!

— Решила сразить новых соседей наповал? — усмехается папа, усаживая нас в такси.

— Второго шанса произвести первое впечатление не будет, — оглядывает нас критическим взглядом мама. Мы с папой недотягиваем до ее элегантности, но мамиными усилиями составляем достойный второй план. Папа называет это «галерка». Или «семейные галеры» — по обстоятельствам.

Сегодня мы переезжаем в новую комнату, в новую квартиру — на Грибоедова, совсем недалеко от папиного места работы — Кировского театра. Новую школу мама мне тоже уже присмотрела.

Войдя в парадное, мама благосклонно оглядывает лифт, чуть менее благосклонно — поцарапанные стены.

— Раньше такого на лестницах не было.

— Раньше и небо было посинее, — примирительно говорит отец.

— Раньше дворники закрывали парадные на ключ и дежурили ночами, а теперь все распустились. Никакого контроля.

Мы с папой переглядываемся, он подмигивает: за мамой всегда должно оставаться последнее слово. В любом случае — мне наплевать на лифт.

— А девочки в квартире есть моего возраста? — не выдерживаю я.

Мама поводит плечом:

— Мало тебе будет школьных подружек?

Я опускаю глаза: еще неизвестно, какие они окажутся — эти подружки из новой школы. И будут ли?

Дверь открывает полная женщина с темными усами над верхней губой, в папильотках и халате. Мама с незнакомкой внимательно оглядывают друг друга, и по тому, как мама выпрямляет и без того прямую спину, я понимаю: счет 1—0 в мамину пользу. Стратегия удалась. Перевожу взгляд на папино лицо — очень серьезное, а глаза — смеются.

— Лали Звиадовна, а это — мой муж, Заза Отарович. Дочь, Тамара, — мама умеет представляться так, как будто за ее именем-отчеством следует королевский титул. Я чувствую себя неуютно, исподтишка оглядывая квартиру: большая прихожая с камином, дальше — уходящий в полутьму коридор с множеством дверей. У дверей стоят тумбочки, калошницы. Справа висит телефон, над ним — велосипед. Где-то в глубине бубнит мужским голосом радио: «...а к 1965 году увеличение общего объема выпуска продукции. За семилетие на предприятиях города предстоит выпустить только паровых, газовых и гидравлических турбин...»

— Вытирайте ноги хорошенько. Пока ваши грузчики едут, покажу вам тут... Меня Галина Егоровна зовут. Пирогова. — И проходит вперед, перебирая толстыми ногами в тапках на лосевой подошве. Указывает на телефон: — Плата — по числу проживающих, независимо от количества переговоров.

Мама кивает — мол, в курсе. Одобрительно оглядывает просторную прихожую — сейчас часто даже из коридора умудряются комнатушку выгадать.

— Это, — показывает Пирогова на первую дверь направо, — комната Ксении Лазаревны. Там же — Иришина, проходная. Здесь мы живем, — она распахивает двойные створки следующей двери.

За столом у окна сидят упитанный рыжеватый мальчик лет десяти и девочка — светлые крысиные косички уложены жидкой корзиночкой, по виду первоклашка — и едят суп.

— Ленка, Валерка, поздоровайтесь, — приказывает Галина Егоровна.

— Здрасте, — гнусаво говорит мальчик.

— Добрый день, — мама вежливо улыбается, но улыбка застывает, наткнувшись на ковер с оленями. Мама их ненавидит.

— Телевизор, — неправильно истолковав ее взгляд, с гордостью поясняет Пирогова. — Мы в квартире единственные с ним... — она поднимает вопросительный взгляд на маму, и мама вскидывает голову.

— А мы решили пока не брать. Времени вечерами мало — поговорить, журнал почитать, вот уже и спать пора.

Счет, похоже, сравнялся: 1—1.

— Ясно, — усмехается Пирогова, поправив халат на большой груди. — Ну, если найдете время, приходите.

А мама вдруг вздрагивает — девочка с жидкими косичками оказывается рядом, хватает ее за руку. Кончик тоненького носика чуть дергается, как у лисички, глазки с бесцветными ресницами блаженно прикрыты:

— Вкусно.

Мама испуганно дергает рукой. Пирогова краснеет:

— Ленка, а ну иди уроки делай!

И на вопросительный взгляд мамы поясняет:

— Больно она у меня до запахов охочая. А у вас духи редкие, наверное?

Мама сдержанно кивает.

— Грез, «Кабошар». Новый парижский аромат.

Это момент маминого торжества — она даже благосклонно смотрит на девочку, отошедшую на пару шагов, но продолжавшую буравить ее серыми глазками. Это уже даже не 2—1, а окончательная победа. Не зря папа на них всю зарплату ухнул!

А Пирогова, кивнув с деланой небрежностью — мол, подумаешь, французские духи, — закрывает дверь и показывает квартиру дальше.

— Здесь комната Анатолия Сергеича с Зиной, познакомитесь. Славные люди.

Мы идем полутемным коридором, завешанным тазами, стиральными досками, цинковыми ванночками, лыжами и велосипедами. За комнатой неизвестных Аршининых оказывается кухня, где стоит — курит в форточку спиной к нам — крупный мужчина в пижаме х/б в полоску. Это он слушает радио. Внимательно, как сводку с фронтов.

— Муж мой, — с гордой нежностью указывает на него Пирогова, — Алексей Ермолаич. Кухню потом покажу. Тут, — она нажимает кнопку выключателя в конце коридора, — наша ванная комната. Стирать можно, но не в ванне. На кухне — в порядке исключения, только когда ванная занята, и по мелочи.

Папа присвистывает — ванная комната облицована красивым белым кафелем.

— Супруг мой, золотые руки, печку на кухне разобрал. Чего зря место-то занимает? А кафель использовал. Теперь у нас тут дворец. Мелким ремонтом в местах общего пользования тоже он занимается. На общественных началах, — Пирогова и не подозревает, что наносит сейчас удар по моему папе. Я боязливо гляжу на маму — но она будто не услышала. — Но тогда я пропускаю свою очередь на уборку. В туалете соблюдаем гигиену — там у нас памятка есть. Собаки-кошки у вас имеются?

Мама качает головой.

— Вот и отлично. Не люблю животину в доме. Дальше, слева по коридору — Лоскудовых комнатка и Коняевых. Ваша, значит, первая, сразу за прихожей.

— А девочки моего возраста есть? — не выдерживаю я.

— Нет. Кроме Лешки, все помладше тебя будут. У меня вот двое, у Аршининых — Аллочка, совсем малышка. Да у Лоскудовой — два пацана. Младший, Колька, с моим Леркой погодка.

— Много народу, — улыбается мой папа. Когда папа улыбается, все улыбаются в ответ. Вот и эта, Галина Егоровна, не выдерживает: впервые расплывается в улыбке — заиграли сдобные ямочки на щеках, блеснула в глубине рта железная коронка.

— Тю! Разве ж то много? Нонче, бывает, и по сорок человек в одну жилплощадь набито. До войны-то да, людей так не вселяли. Да и контингент (она произнесла «континхент», мамины губы дрогнули) совсем другой был. Сейчас-то все с деревень своих понаехали, — и она махнула большой рукой.

Отец серьезно кивает. Мать же, чтобы спрятать улыбку, опускает глаза и вдруг садится на корточки, подметя широким подолом пол. Смотрит снизу вверх на изумленную Пирогову:

— Это же дуб?

— А леший его знает! — пожимает та плечами.

— Это дуб, — мама поднимается, брезгливо отряхнув пальцы. Галина Егоровна застывает лицом. Мы с папой переглядываемся: не станет же она с ходу критиковать чистоту квартиры?

— Благородное дерево, — вежливо улыбается папа.

— Вот именно, — мама вздыхает. — А его тут моют по-деревенски — с водой и мылом.

Пирогова краснеет, но ответить ничего не успевает, в дверь звонят: громко, требовательно.

— А вот и грузчики, — облегченно вздохнув, говорит папа. И правда.

Грузчики заносят буфет, книжный шкаф и письменный стол, из кухни на звук выходит Пирогов — бритый налысо, но с рыжеватыми усами щеточкой. Предлагает сразу быть на «ты», хлопает папу огромной лапищей по плечу: прости, друг, но отчеств ваших без пол-литры не произнесть! Папа улыбается в ответ — обещает на новоселье как следует выпить на брудершафт, чтобы, значит, больше с отчествами не мудрить.

Мама открывает дверь в комнату, и мы все трое ахаем, такой она кажется просторной и светлой после общежития. Прямо бальная зала. Но потом грузчики вносят мебель, и начинается. Мама без конца заставляет грузчиков с папой и Пироговым все переставлять, чтобы кровать была прикрыта от дверей буфетом, но тогда я с трудом могу протиснуться к письменному столу, а Пирогов покрикивает:

— Права твоя хозяйка, пусть хоть закуток останется, будет чем заняться! — и подмигивает маме, отчего она одновременно напускает на себя серьезный вид и розовеет. Так они двигают тяжелый буфет туда-сюда, пока мама не остается довольна. Пирогов уходит, пожав руку папе, а папа поворачивается к маме и встречается со взглядом Снежной королевы.

— Что? — сразу пугается папа.

— Зачем было его звать перетаскивать мебель? — шипит мама, оттеснив папу в только что с таким трудом отвоеванный закуток. Я вздыхаю: началось. Мама нанервничалась со сборами и переездом. А отдуваемся всегда мы. Сегодня — папа.

— Так он сам свою помощь предложил — неудобно как-то отказывать, — разводит руками папа. Наивный — он еще надеется на мир.

— Думаешь, этот вахлак не успел всего разглядеть?!

— Господи, да кто там смотрит на твои вензеля! — Когда папа нервничает, акцент его становится еще сильнее, чем обычно.

Выходить из комнаты в чужой коридор не хочется. Я смотрю в огромное окно без занавесок: стекла давно не мыты, отчего вид на крыши и двор кажется старой запыленной картиной. Грустной картиной.

— А мы теперь всегда будем его звать — переезд же! Много чего придется приколачивать, вешать! Как противно быть всегда обязанной!

— Да я сам все прибью, — хорохорится папа.

— Знаю я, как ты прибьешь! — мамин шепот становится похож на змеиное шипение, но мне кажется, она кричит. Теперь уже — по-грузински: думают, я не понимаю. — Себе по пальцам! Не мужик, смех один!

Я дергаю за раму — хочется высунуться в окно, чтобы не слышать, не дышать этой ненавистью. Но створки давно не открывали, старая рама ссохлась.

— Я, Амилахвари, — раздается из-за буфета, — вынуждена терпеть...

На этой фамилии, звучащей у нас как заклинание злого волшебника, я не выдерживаю — быстро пересекаю комнату, толкаю дверь в коридор. Там темно. Я делаю шаг вправо и прислоняюсь к стене. Закрываю глаза. Теперь можно сосчитать до двухсот и вернуться обратно. Должно хватить.

Дзи-и-и-нь! Резко зазвонил телефон, я вздрагиваю. Дверь в комнате в глубине коридора открывается:

мальчик в клетчатой рубашке, чуть постарше меня, не включая света, делает пару шагов вперед и берет трубку.

— Алло, — говорит он. — Это он и есть. Нет. Не буду я этим заниматься. И не проси.

КСЕНИЯ

Назавтра мать захотела разобрать бабушкины вещи. Ксения попыталась возразить, мол, она не готова, не лучше ли дождаться сорока дней? Но мать планировала выйти на работу — и настроена была весьма решительно. Делать нечего, Ксения толкнула дверь в бабкину спальню, да так и застыла на пороге: солнце, внезапно вышедшее из-за туч, делало комнату живой, обитаемой. На прикроватной тумбочке с тихим жужжанием горел огонек озонатора: пахло свежестью, накрахмаленным бельем, чуть — нафталином.

— Начинаем, — мать слегка толкнула ее в спину. Слева, аккуратно застеленная зеленым пледом в крупную черную клетку, стояла кровать. Над ней висели книжные полки. Ксения с тоской посмотрела на знакомые с детства корешки. Справа расположился огромный платяной шкаф с раздвижными зеркальными дверцами — подарок матери на бабушкин день рождения. Бабка втайне от дочери его ненавидела — время, когда она хотела любоваться собой в полный рост, по секрету говорила она Ксении, давно прошло.

Мать решительным жестом оттолкнула в сторону створку шкафа: в кажущемся огромным пустом пространстве сиротливо висели бабкины платья, пара костюмов, на полках лежало аккуратно сложенное белье, кофты. Ксения закрыла глаза: она не сможет этого сделать, просто не сможет!

— Надо отложить кое-что, если хочешь сохранить на память. Потом, на сорок дней, отдадим какие-то вещи подругам, а оставшееся отправим в дом престарелых.

Ксения избегала смотреть на мать. Что скрывается за этой деловитостью? Боль? Или она просто хочет как можно быстрее избавиться от бабкиного присутствия в своей жизни? Яркого, но и доминирующего над ними обеими, как всегда доминирует сильный характер над характерами слабыми? Но как бы обернулась их жизнь, не будь ее рядом? Смогла бы мама засадить Ксению за инструмент так, как это сделала бабушка? Бескомпромиссно, с твердой уверенностью — еще до всех этих конкурсов, — что внучка — талантище и ее надо тянуть к вершине, наперекор детскому упрямому сопротивлению и вечной ребячьей лени? А сама Нина — разве не стала химиком только вслед за своей матерью? И та позволила, взяла под крыло, «сделала» из нее кандидата наук. Они обе — бабушкины солдаты, она — их тихий генерал, за всю жизнь занявший со своими вещами едва ли половину пространства этого большущего платяного шкафа. И вот теперь мать, сама приближающаяся к пенсионному возрасту, торопится высвободиться из-под заботливого ига. А она? — спросила себя Ксюша. И грустно усмехнулась: уж она-то, будь такая возможность, жила бы в коконе бабкиной требовательной любви до конца дней своих.

Так они по очереди вынимали и складывали на постели вещи — Ксения удивилась, как мало среди них новых. Большинство же — крепдешиновые платья, тяжелая кофта-букле, брюки из шерсти, — казалось, были здесь вечно, стали частью бабушки, как рука или нога, и потому странно, нереально смотрелись в ее отсутствие. Вечное теперь отсутствие. Тщетно пытаясь складывать одежду с той же аккуратностью, с которой это делала бабушка, Ксения чувствовала, как сдавливает сердце и горло не вышедшее наружу рыдание, и, мельком бросив взгляд на руки матери, заметила, что те дрожат.

— Я бы хотела тебе кое о чем рассказать, — мать со второго раза пыталась застегнуть перламутровую пуговку на блузке. — У меня есть человек.

Ксения обескураженно посмотрела на мать: что она имеет в виду? Мать поймала ее взгляд, сглотнула.

— Мужчина. Уже давно. Юрий Антонович.

— Бабушкин аспирант? — нахмурилась Ксюша, вспомнив тусклого персонажа с мелкими зубами, пришедшего на похороны и почему-то усевшегося рядом с матерью.

— Да. — Так и не закончив застегивать пуговичку, мать отложила блузку в сторону и повернулась к Ксюше. Щеки окрасились в розовый, глаза блестели. Она вдруг показалась Ксении совсем юной, почти девочкой. — Ты же знаешь, как мама могла быть упряма, стоило ей кого-то невзлюбить. Мы с Юрой... уже давно вместе.

— Насколько давно? — Ксения с удивлением почувствовала, что испытывает какую-то детскую ревность к невзрачному типу. Она только что потеряла бабушку, и вот мать говорит, что тоже занята.

— Давно, — уклончиво повела плечами мать. — Но теперь решили жить вместе. Надеюсь, ты не против? У тебя же будет своя квартира в центре, и...

— Ясно, — Ксения закусила губу, — и скоро дом окажется совсем свободен.

— Перестань! Перестань быть так на нее похожа! — Нинино лицо задергалось в обиженной гримасе. — Хватит! Я отдала вам лучшие годы и теперь хочу пожить по-человечески!

И она почти бегом вышла из комнаты. Истерично хлопнула дверь ванной. Ксения опустилась на кровать: вот это да! У матери, оказывается, была своя тайная жизнь. Ксения вздохнула: неужели нельзя было выбрать для столь таинственного романа кого-нибудь попрезентабельней? Впрочем... Может быть, он не так плох, как казалось ее бабке. Бабке, у которой, как выяснилось, тоже был секрет — так... секретик... смертельного толка. Мрачно усмехнувшись, Ксюша отодвинула чуть дрожащее в пазах рассохшейся книжной полки стекло, провела рукой по корешкам книг. Сбоку стояли бабушкины учебники по химии. Она выбрала самый из них обтрепанный «Коллоидная химия. Часть I. Суспензоиды». Дата издания — 1949 г. Суспензоиды... Что бы это могло значить? Почему же раньше она не задавала бабушке вопросов? Теперь Ксюша готова была прочесть все про загадочные суспензоиды, если это могло восстановить призрачную нить, связывающую их с бабкой друг с другом. Она вздохнула, и вместе с этим вздохом, как лист с порывом осеннего ветра, из книжки выпала фотография: старая, черно-белая, с почти стертой надписью тонким карандашом на обороте: «С Новым, 1960 годом, соседи!» Ксения вздрогнула, увидев дату, перевернула фотографию — застолье. Смеющиеся лица, какие-то совсем не из нашей жизни. Впрочем, может быть, дело просто в прическах, в костюмах и платьях? Или в угадывающемся вокруг интерьере 50-х: уголок шифоньера, патефон, ковер с оленем, первый телевизор с трогательной линзой? Стол заставлен яствами: какая-то птица в яблоках (гусь? утка?), водка в графинчике, буженина, изыск черной икры — а рядом вездесущие селедка под луковыми кольцами и квашеная капуста с клюквой.

Улыбаясь, но чувствуя во всем теле странную дрожь, Ксения узнала сначала свою бабку — юную, восторженную: взбитые надо лбом завитки, платье с обтяжным лифом и круглым воротничком делает лицо еще моложе. Потом, рядом с красавцем южного типа, Тамару Бенидзе, совсем еще девочку: коса так же уложена короной на голове, только она еще иссиня-черная. Белая блузка с кружевом, огромные выразительные глаза. Ксения сощурилась, всматриваясь в старую карточку, и вдруг почувствовала, узнав кое-что еще, как похолодели кончики пальцев. Впрочем, а чего другого она ожидала? Они были там. Вились над головами рассевшихся за новогодним столом. Кувшинки. Водяные лилии.

МАША

— Неужели вам не интересно? — Ксения смотрела на нее умоляюще. Перед ними на столе лежала черно-белая фотография обитателей коммуналки. — Ведь произошло преступление!

— Пятьдесят лет назад, — вежливо улыбнулась Маша. — Любое преступление имеет срок давности.

— Эк ты заговорила! — Любочка подлила гостье чаю, подцепила на блюдце прозрачный кружок лимона. — А кто еще совсем недавно копался у голландцев в четырехсотлетней истории?

— Там была связь, — возразила Маша. — Современная кража. И не только[1].

— У нас тоже связь, — строго посмотрела на нее поверх очков Любочка. — С моей ближайшей подругой.

— Ведь ее кто-то подставил. — Ксения задумчиво размешивала витой серебряной ложечкой янтарную

---

[1] Подробно об этом расследовании читайте в романе Д. Дезомбре «Тайна голландских изразцов».

жидкость. — Они все были дома, но убил кто-то один, и он-то прекрасно понимал, что, скорее всего, подумают на мою бабушку.

— Преступление не смогли раскрыть и по свежим следам, — Машу умиляла их горячность. — Представьте себе, каковы наши шансы сейчас! Я понимаю, Ксения пытается таким образом отделаться от чувства вины. Ты тоскуешь по близкой подруге и хочешь отвлечься от ноябрьских будней, но...

Она столкнулась с Любочкиным взглядом и осеклась.

— Ты правда так считаешь? — откинулась на спинку стула бабка. — Все, что мне нужно после Ирочкиной смерти, — это развлечение на старости лет?

Любочка шумно выдохнула.

— Как думаешь, каково это — полвека носить в себе мерзость ложного обвинения? Ира избегала тем, связанных с теми годами, с той коммуналкой. И ежу понятно было, что там спрятана какая-то старая история. Но я не задала ни одного вопроса. Зачем, думала, копаться? Прямо как ты сейчас. И что получается? Получается, не только Ксения чувствует себя виноватой в том, что с ее случайной «помощью» клевета достала-таки ее бабку — через столько лет. Выходит, и я оказалась нечуткой, плохой подругой и могу считать себя косвенно виновной в Ирочкиной смерти. Ведь если бы я дала ей выговориться, заново оценить ситуацию, возможно, все оказалось бы для нее менее болезненным, — бабка вдруг стукнула ладонью по столу, да так, что они с Ксюшей подпрыгнули от неожиданности. — А я отказываюсь нести в себе чувство вины! И не хочу, чтобы эта история портила жизнь теперь уже Ксюше. Потому что виноват кто-то другой. Тот, кто убил, а сам спрятался за Ирочкину спину!

— Хорошо, — вздохнула Маша. — Как ты себе это представляешь? Что откроется нашему взору через столько-то лет? И почему сейчас, если не получилось тогда?

— Эпоха другая, — выдохнув после страстной тирады и почувствовав, что внучка начинает поддаваться на уговоры, бабка позволила себе закурить. Маша неодобрительно смотрела на ее манипуляции с зажигалкой: подарок благодарных студентов. — Тогда все боялись. Но не всегда того же, чего сейчас. Пятьдесят девятый, шестидесятый — как будто уже «оттепель».

— А на самом деле — еще нет? — Маша под шумок убрала со стола сигареты.

— А на самом деле — только пригревать начало, — затянулась Любочка. — Как же! Время больших ожиданий! С одной стороны, власть вроде как поняла, что народу после войны и сталинской тирании надобно дать хоть глоток свободы и радости. Иначе ноги протянем.

— «Жить стало лучше, жить стало веселее»? — улыбнулась Маша.

— Да. Не намного, но когда нам требовалось много для счастья? — хмыкнула Любочка. — Исчезли талоны и очереди эти безумные. Чуть-чуть наладился, стабилизировался быт. И потом, спутник пустили совсем недавно — в октябре 1957-го. И в том же году Москва «взорвалась» фестивалем молодежи и студентов. А это, девушки, скажу я вам, даже не троекратное — десятикратное ура! Сейчас и не представить, что это тогда для нас значило...

Бабка помолчала, глядя на собственное отражение в темном окне: за ним шел дождь. Освещая косые струи воды, лихорадочно качался под порывами ветра с Балтики уличный фонарь. Ксения осторожно глотнула чаю. Маша сидела, подперев кулаком щеку — она обожала, когда бабка уходила в воспоминания.

— А с другой стороны, — Любочка вздохнула, — тридцать седьмой был еще так близко. Считай, как сейчас середина 90-х. Не вернулись еще все узники ГУЛАГа, не сказана вся правда об Отечественной войне. Впрочем, — хмыкнула бабка, — она до сих пор не сказана. А холодная война — в самом разгаре. Человека еще можно было отправить за инакомыслящую прокламацию-листовку в лагеря. Тяжелое время, но я тогда была много оптимистичнее, — она невесело улыбнулась. — Видимо, свойство молодости.

Маша накрыла ее руку своей, хотела было что-то сказать, но Любочка резко отодвинула стул и встала.

— Иди, Марья, и вылови мне этого гада, пусть он уже мертвый. Мертвый — не значит невиноватый.

КСЕНИЯ

— Ну ничего себе! — Петя ходил из комнаты в комнату, выглядывал из пыльных окон. Даже провел пальцем по медальону с Терпсихорой над камином. Прямо по кокетливому алебастровому бедру. — С ума сойти!

— Тебе нравится? — Ксения, улыбаясь, ходила за ним хвостиком, опиралась затылком на дверные косяки. Наконец-то эта квартира станет источником радости! Как давно она хотела, чтобы у их с Петей долгоиграющего романа случился бравурный финал! Черт с ним, с маршем Мендельсона, но иметь свой дом, просторный, теплый, полный детей...

— А Страд куда поставишь? — спросил вдруг, обернувшись к ней, Петя.

И Ксения отшатнулась — не от вопроса, а от выражения его глаз.

— В смысле?

— Ну, наверное, будет какой-нибудь постамент? Рядом — призы, фотографии с президентами? Обычно ставят на каминную полку, но Страд рядом с открытым огнем держать не будешь, так?

Ксения всмотрелась в такое знакомое лицо — круглое, нос картошкой, пухлый, по-детски трогательный рот кривится в попытке усмешки.

— Петя, ты что?.. — растерялась она. — Это же для нас, для наших детей все. Ты съедешь от мамы, потихоньку сделаем ремонт...

— Ах да, — физиономию Пети еще больше перекосила неестественная улыбка. — Еще и в ремонт миллион забабахай! Ты ж теперь миллионерша!

— Перестань! Я что, виновата, что выиграла этот конкурс? Какая разница, кто купит квартиру?

— Какая разница? Какая разница... Ну конечно, никакой! Какая разница — кто солирует, а кто сидит в оркестре, и не первой скрипкой, да и скрипочка, заметим, не Страдивари!

— Петя, — она опустилась на колченогую табуретку, оставленную строителями на входе, — я тебя не узнаю.

— Так, может, ты меня не знаешь? — Он подошел к ней, наклонился, почти касаясь губами. Но целоваться явно не планировал. — Ты думаешь, я хочу от тебя детей? От тебя, страхолюдины?!

Ксения испуганно кивнула.

— А я — не хочу! — в голосе у Пети чувствовалось торжество. — И не люблю тебя, слышишь?! Все! Все кончено!

И он выбежал из квартиры. Хлопнула дверь. Некоторое время она еще слышала перестук шагов — будто задав себе ускорение последними ужасными сло-

вами, он даже на лестнице не мог прекратить своего бега. Ксения посмотрела на свои руки, сложенные замком на коленях, попыталась выдохнуть, но не сумела — рыдание сдавило горло. И она не выдержала: дала волю слезам, глядя в заложенный кирпичами зев мраморного камина, а видела не его, и даже не Петю, а почему-то бабушку, такую живую, еще относительно молодую, лет пятидесяти с небольшим, вмещающую в полных руках свернувшуюся калачиком пятилетнюю внучку без остатка: голова прижата к мягкой груди, ободранные коленки, все в зеленке, — к животу. Баюкающую ее, поглаживая теплой рукой по детским кудрям: тихо, тихо, все будет хорошо... шшш...

И Ксения будто попала в другое измерение — и постепенно перестала шмыгать носом и вздрагивать от рыданий. Расслабила, прислонившись к стене в ободранных обоях, шею и плечи.

И тут услышала его — шепот, доносящийся снаружи за дверью. Сначала невнятное бормотание, а потом будто тихий свист — сссс... — что закончился негромким и жестким, как удар бича: ...ука. А за ним с лестницы донесся еле слышный шелест — будто куча сухих листьев под порывом ночного ветра перевертышем спустилась по ступенькам и стихла этажом ниже.

МАША

Маша не была уверена, что все делает правильно, но эти люди — оба очкарики в растянутых свитерах — сразу показались ей симпатичными. Его звали Игорем, ее — Никой. Ника была школьной подругой Ксении, Игорь — историком, специалистом по «оттепели». И потому в их с Ксюшей визите в небольшую квартирку рядом на Василеостровской не было ничего случайного. После быстрого обмена новостями за последние несколько лет — «Прости меня, я со своей музыкой и правда ни с кем не общаюсь, как раб на галерах» и «Кому ты это рассказываешь — учительнице средней школы? Да я сама еле ноги до постели доволакиваю каждый день» — приступили к основной части. Представили чуть смущенную — да как она вообще дала себя уговорить? — Машу. Рассказали то, что узнали от Тамары Бенидзе. Выложили составленный на поминках список и фотографию, тыкали пальцем по мере продвижения списка: Лали и Заза Бенидзе — родители Тамары, он — оперный певец, тенор, пел в Кировском, ныне Мариинке. Двадцать второго года рождения. Она — портниха из знаменитого ателье на Невском «Смерть мужьям». Год рождения — двадцать шестой. Пироговы, занимавшие самую большую комнату в квартире, по отзывам Тамары, были лет на пять–восемь постарше ее родителей. Работали в одном мясном: он — рубщиком мяса, она — продавщицей. Убиенная Ксения Лазаревна родилась в конце восьмидесятых годов девятнадцатого века. Вдова. Мужа и дочь потеряла на фронтах Великой Отечественной. Внучку — в блокаду. Работала научным корректором в каком-то журнале. Занимала проходную комнату, отделенную фанерной стеной — новоделом, оставшимся с 20-х годов. Дальше, на совсем уж смешной жилплощади, проживала Ирина Леонидовна. Третью комнату по левую сторону коридора, с окнами во двор, занимала «брошенка» Людмила Лоскудова, работала где-то на теплостанции, что ли. Одна поднимала двух сыновей. Потом — бездетные Коняевы, лет пятидесяти. Он — врач. Чем занималась жена, Тамара Зазовна не помнит. И, наконец, последняя дверь рядом с кухней —

Аршинины. Муж изрядно старше жены — тогда это было в новинку, — какой-то путеец, мало бывал дома, всегда в разъездах, Анатолий Сергеевич. Жена Зина и дочка, совсем еще маленькая, лет трех–четырех.

— Итого, — моргнул Игорь и улыбнулся, — есть имена и фамилии, примерный возрастной ценз и адрес проживания.

Ксения кивнула:

— Думаете, этого достаточно?

— Смотря для чего, — ласково погладил собственную намечающуюся лысину Игорь. — Всех тайн можем и не раскопать, но кое-что точно узнаем.

— Я... заплачу́, — с готовностью сказала Ксения. А Маша обменялась понимающими взглядами с Игорем. Они оба чувствовали, что попали в какую-то мутную историю. У Маши была бабушка. У Игоря — Ника, глядящая на него с учительской строгостью и супружеской нежностью: неужели откажет подруге детства? Да и деньги в семье будут не лишними.

— Э... — замялся он. — Давайте-ка я сперва разнюхаю чуть-чуть, пойму, сколько на это надо времени...

— Значит, ты согласен? — Ксения всплеснула руками, и Маша в очередной раз поразилась их сходству с крыльями. — Спасибо, спасибо тебе огромное!

— Что ж, — Маша встала, — а мне пора. Рада, что у нас теперь большая команда.

Она наклонилась, чтобы взять сумку, ненароком сдвинув плечом лежащую на подоконнике тонкую тетрадку.

— Ого! — услышала она голос Ксении. — Ты что это, гадаешь?

Маша подняла взгляд и увидела, как Ника сидит красная как маков цвет, а на нее с иронией смотрит муж.

— Новое увлечение, — пояснил он, кивая на колоду карт, приоткрытую сдвинутой тетрадью. — Вставайте в очередь! В тетрадке — шпаргалка.

— Это же не обычные карты? — пригляделась Маша к лежащей сверху картинке.

— Это Таро, — смущенно пояснила Ника. — Тетка подарила вместе с самоучителем. Очень расслабляет мозги. Ну и вообще... — И добавила, глядя на Машу: — Хотите, погадаю?

— Э... Нет, — тут уже стушевалась Маша. — На суженого мне гадать пока рано, — перед глазами всплыло несчастное лицо Андрея.

— А ты? — Ника повернулась к подруге.

— А у меня тут как раз вчера не стало суженого. Так что зря время потратишь, — улыбнулась, но совсем невесело, Ксения.

— Глупости! — уже схватила в руки карты Ника. — Как раз, когда ничего не ясно, и надо гадать. Давай кратенько. Вытягивай четыре карты.

Маша переглянулась с Игорем — тот подмигнул, а Ксения уже потянулась к колоде. И, особенно не размышляя, вытянула четыре карты.

Маша опустила взгляд в сторону стола с раскладом и вздрогнула: все же в этих, еще средневекового разлива, карточных картинках есть что-то завораживающее и — жуткое.

Шут, повешенный за одну ногу головой вниз.

Лес мечей, вертикально торчащих из мертвого тела. Чья-то фигура в капюшоне, закрывающем лицо, на заднем плане.

А вот тот же персонаж в монашеском одеянии, капюшон откинут, и видны пустые глазницы и оскаленный рот. Опирается на косу. Смерть.

И наконец, охваченная огнем башня, рушащаяся от удара молнии. Два человека, летящие вниз, кричат от ужаса.

Маша сглотнула, перевела глаза на Ксению — та была бледнее простыни. Потом — на потерявшую дар речи Нику. «Похоже, тут даже не нужна шпаргалка, — подумала Маша. — Комбинация «не ах».

— Думаю, это плохая идея, — тихо сказала она, собрав страшные карты. Вынула из Никиных рук колоду и перемешала их с остальными. — Ксения сейчас и так подавлена после смерти бабушки.

— Да, — будто очнулась Ника, спрятав Таро за спину, как провинившаяся первоклашка — дневник с неподходящей оценкой. — Дура я. Тем более вы, музыканты, чувствительное племя. А это все глупости. Бабские забавы.

— И я то же самое говорю, — потрепал Ксению по плечу Игорь. — А то она сама себе нагадает, а потом спать не может. Ворочается. Вот, теперь новую жертву нашла.

Уже в прихожей, пока Игорь галантно подавал расстроенной Ксении пальто, Ника дотронулась до Машиной руки.

— Это же не опасно? — прошептала она, явно сама смущаясь своего вопроса. — Ваше расследование?

— Нисколько, — покачала головой Маша. — Не накручивайте себя.

Ника задумчиво кивнула.

— Вы же позаботитесь о ней? — Ника кривовато улыбнулась: мол, знаю, что вздор, но не попросить не могу.

Маша улыбнулась в ответ:

— Конечно. Не переживайте.

Это было крайне неосторожное обещание.

ЛЕНОЧКА. 1959 г.

У каждого дела
Запах особый:
В булочной пахнет
Тестом и сдобой.
Мимо столярной
Идешь мастерской —
Стружкою пахнет
И свежей доской.
Пахнет маляр
Скипидаром и краской.
Пахнет стекольщик
Оконной замазкой.
Куртка шофера
Пахнет бензином.
Блуза рабочего —
Маслом машинным.
Пахнет кондитер
Орехом мускатным.
Доктор в халате —
Лекарством приятным.

Дж. Родари,
перевод С. Маршака,
собрание сочинений, 1959 г.

Пригаром пахнет в детсаду. Зеленым яблоком от снега. Снег продавливается под полозьями саночек. Они пахнут железом. Окна домов, горящие в темноте, — как глаза. Желтые глаза следят за тобой всю дорогу от детсада до дома. Мокрой шерстью пахнет от овечьего платка, в который мама ее заматывает. Падает тихо-тихо снег. Валит. Лена оборачивается — и не видит больше санного следа, да и материну фигуру впереди заносит белым. Еще чуть-чуть — и она пропадет. Лена вцепляется в санки — однажды она заснула и упала с них. А мать еще долго шла вперед, не заметив, что поклажи нет. Лена ждет не дождется, когда окажется в тепле. Мать обещала слепить из скисшего творога сырники.

Дома теперь радостно: новая жиличка натирает полы воском, и оттого во всей квартире пахнет совсем иначе. Но лучше всего — на кухне. Лучше даже, чем от самой жилички в тот первый раз, когда они увиделись. Па-жит-ник, ча-бер, майо-ран, по слогам повторяет она за улыбающейся жиличкой. Хмели-сунели. Оле-Лукойе. Волшебство.

Все запахи в квартире идут из кухни: кухня — всему голова. Если там кипятят белье, то пахнет тяжелым паром, насосавшимися кипятком мужскими кальсонами. Если варят борщ, Лена с порога может понять — кто. Мама ее кладет чеснок и много мяса. А тетя Коняева — бережет желудок, делает постный. Запахи коридорные — как движение подводных течений. Сложнее. Но Лена чутко поводит тонким носом с шишечкой на конце. Вечные — из туалета, от сундуков в коридоре пахнет нафталином, смазкой — от подвешенных под потолок велосипедов, мазью с привкусом дегтя и смолы — от лыж, разношенной кожей, резиной и войлоком — от румынок, калош и валенок, выстроенных у входа. Каждый из жильцов, лишь откроет дверь, будто выпустит ненароком свою тайну. Запах пота из комнаты Аршининых, запах герани у Лоскудовых, запах земляничного мыла и въевшегося табачного дыма — у Коняевых. А теперь еще из комнаты Бенидзе пахнет волшебной смесью грузинской еды и французских духов. Лена может сидеть под их дверью часами, прикрыв прозрачные веки с бесцветными ресницами и втягивая тонкими ноздрями воздух. Но кроме запахов Лена слышит кое-что еще. Жужжание. Едва различимое, оно дублирует прочие звуки — крики мальчишек со двора, равномерный звук «вжик-вжик» вверх-вниз по ребристой стиральной доске из ванной, «тик-так» старинных ходиков из комнатки старенькой Ксении Лазаревны, дребезжание бокалов у них в буфете, когда по переулку едет грузовик. А этот звук будто идет задами, как зуд невидимых насекомых. «Леночка, да окстись, какие мухи в ноябре?!» — всплескивает руками мама. Руки пахнут рассолом и луком — мама кромсает «оливье» на праздничный стол. Рядом с тем же усердием склонилась над своим шедевром тетя Лали: растирает остро пахнущую свежестью траву — она называет ее тархуном — в уксусе для лобио. Мама вытирает пот со лба. На халате под мышками растеклось по пятну. А тетя Лали... у нее и халат, как платье, — красивый, в разноцветную полоску. И фартук под цвет халату, отделан «вьюнчиком» — яркой тесьмой.

— Если хотите, — продолжает тетя Лали беседу с мамой, — я подгоню вам по фигуре вашу юбку.

— Правда? — мама вскидывает на нее полные надежды глаза. Она уже давно не влезает в свою шерстяную юбку. Папа говорит — разжирела ты, мать!

— Конечно, — тетя Лали улыбается. Толчет чеснок с орехами. — И блузку вашу я бы подновила. Я так с тенниской мужа делаю — одну ложку краски завязываю в тряпочку в четыре слоя. И узелок этот — в таз после ополаскивания кладу, вместе с вещью. Будет как новая.

— Ммм... Пахнет-то как! — в кухню заходит папа. Лена заметила: с тех пор как у них живет тетя Лали, папа больше не ходит по квартире в пижаме. Мама тоже это заметила. И замерла с ножом в руке. Папа смотрит на тетю Лали, потом переводит взгляд на маму.

— Что это ты, мать, неприбранная, как солоха?

Мама краснеет. Вновь склоняется над доской.

— Не на балу, чай, — снова начинает она шинковать лук.

— Идите, идите, — машет с улыбкой на папу руками тетя Лали. — Нечего мужчинам на кухне делать!

И папа — вот странное дело! — глупо улыбается в ответ и уходит. А мама продолжает молча смотреть на полные свои, но ловкие пальцы, крепко прижавшие к доске половинку луковицы.

— Не обращайте внимания, — говорит Лали, добавляет к орехам чеснок. — Мой тоже иногда чего-нибудь такое скажет! А блузка розовая вам очень к лицу будет — это я вам как профессионал говорю...

Лена на секунду перестает слушать их беседу — вновь закрывает глаза, запах чеснока, грецких орехов, лука и тархуна смешивается в волшебное созвучие, у нее даже слезы выступают на глазах от счастья. И сквозь эту пелену слез она замечает в коридоре незнакомую девочку. Девочку в красных ботинках.

КСЕНИЯ

Ксения пила чай осторожно, будто цикуту. Горячий — такой заваривала всегда бабка, не терпела даже чуть остывшей воды. Характеризовала емко: «помои». Эта страсть к кипятку — еще блокадная, конечно. Ксения незаметно вздохнула: а может, дело не в слишком горячем чае, а в мужчине, сидящем напротив? Юрий. Лицо — как сборный плодово-овощной салат: губы как бобы, нос — грушкой. Лысеющая, слишком большая для тщедушного тельца голова. Выцветшие глазки. Что мама в нем нашла? Загадка. Правильно бабушка его не любила. Надо переезжать в квартиру на Грибоедова. Дом, и так опустевший с бабкиным уходом, стал совсем чужим с тех пор, как сегодня днем сюда вселился мамин — кто? Сожитель? Любовник? Неофициальный муж? Ни одно из определений Ксюше не нравилось. Одним своим присутствием он будто выталкивал ее прочь, и мать, явно держащая его под столом за руку — чтобы приободрить? — тоже стала ей неприятна.

— Завтра закажу грузовик, — сказала Ксения, потянувшись к нетронутой до сих пор коробке шоколадных конфет в центре, принесенной Юрием. — Одна из комнат почти закончена, там я и осяду. Буду делать ремонт постепенно.

Юрий улыбнулся, и Ксюша с трудом удержалась, чтобы не отвернуться: зубы были мелкие, как желтоватый горох.

— Отличная идея! — и он с шумом втянул чай. Ксюша вздрогнула, а мать, казалось, ничего не замечала. «Парит в семейном счастье», — неприязненно подумала Ксения. И сразу устыдилась своих мыслей. Разве это мамина вина, что она нашла свое счастье тогда, когда оно кажется Ксении неуместным?

Весь вечер после их с Петей ссоры она сидела перед телефоном — может, самой ему позвонить? Может, у него с мамой неприятности? Мама у Пети — тот еще ипохондрик. А может, в оркестре проблемы, с коллегами? Просто наложилось? А все те слова про нелюбовь — это не всерьез? Не может быть всерьез!

Но вчера в Консе — так все студенты сокращенно называли консерваторию — они столкнулись у дверей, и Ксюша по привычке бросилась к нему: Петька! А он посмотрел на нее, как смотрят на чужую, ненужную тетку.

— Мне кажется, мы уже все обсудили, — сказал холодно, перехватив футляр со скрипкой в другую руку и потянув на себя тяжелую дубовую дверь.

— Что обсудили? — ляпнула Ксюша, хотя уже тогда, в ту же самую секунду, было понятно: беги от него, беги!

— Все кончено, — буднично кивнув кому-то за Ксюшиной спиной, Петя исчез за дверью. А она почувствовала, как кто-то хлопнул ее по плечу: тромбонист и выпивоха Артем.

— Ну, поздравляю, старуха! Проставляться-то будешь в честь лауреатства?

Ксюша кивнула, тупо глядя на дверь, за которой только что исчез Петя.

— Да брось ты, Ксень! — Артем интимно дыхнул ей в ухо вчерашним перегаром. — Завидует он, вот и все.

— Завидует? — развернулась к нему Ксения.

— А что, скажешь, нет? Вон, желтый весь от зависти-то. Да все завидуют, даже я, — подмигнул Ксюше тромбонист. — Но он-то, бедняга, в первом ряду, считай. Легко ли?

Ксюша помрачнела: неужели правда? Она пыталась поставить себя на Петино место. А вдруг она тоже излилась бы жестокой желчью?

— Ты уже нашла кого-нибудь?

Ксюша вздрогнула, вернувшись к чаепитию с матерью и отчимом:

— Что?

— Так дизайнер, наверное, нужен? — Нина вроде как обращалась к ней, но не отрывала любующегося взгляда от Юрия: ни дать ни взять — юная Джульетта. Ксюша почувствовала, как нарывает, рискуя выплеснуться наружу, раздражение.

— Еще не решила, — она резко поднялась из-за стола. Может, она просто завидует? У нее-то с личной жизнью беда. Кстати, о беде: если она не поторопится, то снова рискует встретить Петю где-нибудь в раздевалке Консы. А этого, в дополнение к прочим радостям, хотелось бы избежать.

Перед выходом Ксения особенно тщательно, хоть и неумело, красилась. Обычно в те дни, когда

61

не надо было играть на сцене, она и вовсе обходилась без макияжа, не вставляла в близорукие глаза контактных линз, но сегодня требовался ударный слой краски. Во-первых, чтобы продемонстрировать Пете, что у нее все хорошо. Но главное — всю ночь ее мучили кошмары. Она то просыпалась, вновь услышав тот свист с лестницы, то убегала через бесконечные питерские сквозные дворы от мрачной фигуры в черном плаще с капюшоном. И вдруг, похолодев, видела перед собой старый растрескавшийся асфальт, колеблющийся, как маятник: вправо-влево. Пыталась поднять голову, но ничего не выходило, и понимала, что висит вниз головой, одна нога, вывернутая под неестественным углом, застряла на уровне первого этажа между облупленной стеной и ржавым раструбом водосточной трубы. Абсолютно беззащитна. Она слышала медленные шаги — кто-то подходил к ней, а она ничего не могла сделать, ничего. Сссс... — доносилось до нее, и она рывком садилась на кровати, в холодном поту и с сильно бьющимся сердцем.

И вот теперь, много раньше назначенного часа, ее сильно клонило в сон. Накрашенные глаза и потереть было нельзя. Поэтому она смирилась: натянула связанную бабушкой шапку, застегнула на все пуговицы немодное драповое пальто и вышла под дождь, неся прямо перед собой вырывающийся из рук зонтик — дождь, договорившись с северо-западным ветром, летел в лицо почти под прямым углом.

Из-за дождя, шума ветра в ушах, шелеста шин проезжающих мимо автомобилей она не сразу услышала шаги. Народу на Садовой было мало, но, когда она свернула на канал, проклиная себя за то, что не села на маршрутку — в такую-то погоду! — она уловила их у себя за спиной. Остановившись, чтобы попытаться привести в порядок вывернувшийся наизнанку зонтик, она, скорее на уровне подкорки, отметила, что шаги стихли, и — обернулась. Человек в плаще, родом из ее сна, стоял у чугунных перил, глядя из-под капюшона на смятую частым дождем воду канала. Ксения вздрогнула, но заставила себя смотреть вперед и идти — еще пару метров вперед, а потом в сторону Театральной площади, в относительную безопасность ярче освещенных улиц. И правда, стоило ей повернуть с канала на узкую улочку, как ветер, усмиренный стенами, стих, дождь стал шуметь уже совсем уютно, по-домашнему. Ксении вдруг подумалось, что это наверняка Петя. Петя, ищущий предлога извиниться за свою резкость. Он наизусть знает ее расписание и вот идет, потерянный, за ней по пятам, не решаясь произнести так нужные им обоим слова. Ксению аж в жар бросило, настолько эта мысль показалась ей естественной и много более логичной, чем преследование неизвестного в черном. И, уже улыбаясь навстречу своему ожидаемому счастью и воссоединению с любимым, она развернулась в сторону канала — туда, где уже почти растворились в утренних сумерках завораживающие звенья ограды. Но там никого не оказалось. Никогошеньки.

А случилось все потом, когда она уже поднималась по черной лестнице Консы, прижимая к бедру чехол с бесценным Страдом и брезгливо морщась от запаха курева. Этажом выше репетировали духовые, бесконечно повторяя один и тот же пассаж. Может быть, поэтому она ничего не услышала, а вечно глухая ее интуиция не шепнула ей: обернись! Чья-то рука схватила ее сзади за хлястик пальто, с силой рванула к себе, и, неловко качнувшись в попытке удержать равновесие, Ксюша обморочно полетела спиной вниз, успев заметить черный силуэт на фоне облупившейся серо-голубой краски непарадной лестницы.

КОЛЬКА. 1959 г.

Царь уехал за границу,
А царица в Ленинград.
Царь посеял там пшеницу,
А царица виноград.

Детская считалка

Брату повезло. Раньше школа была раздельная. Пацаны — с пацанами. Девчонки — с девчонками. А сейчас что? В школе — вместе. Во дворе — тоже. Это я чего возмущаюсь-то? Слабину дал. Еще летом. Один в городе из мальчишек остался. Попрыгал с крыши сараев, поиграл сам с собой в разведчика — немцами были и бабки на скамейке, и девчонки на качелях. А потом девчонки предложили играть с ними.

— В секретики? — усмехнулся я свысока. Мы с пацанами часто на них натыкаемся: прикрытые стеклышком картинки из завядших лепестков и линялых фантиков. И уничтожаем, как вражеские объекты.

— В дочки-матери, — переглянулись девочки. И добавили для меня: — И в отцы.

— А как играть-то?

— Ты приходишь с работы, а я тут готовлю обед, — с готовностью начала рассказывать Люська из восьмой квартиры. — Ты, значит, садишься, газету читаешь, а я пока постираю...

— Скукота, — я присел рядом с качелями и взял в руки целлулоидного пупса. Мальчик — девочка? Не понять. — Давайте так: я разведчик, пришел навестить свою семью и спрятать донесение. А тут вдруг в дверь стучат фрицы. Что делать?

Глаза Люськи и Тоньки становятся круглыми, как пятаки.

— А я донесение ррраз! — и прячу в кастрюлю с борщом. А ты — ты же настоящий товарищ — уже закрываешь за мной дверь на черную лестницу. Фрицы тебе: признавайся, иначе мы тебя, как Зою Космодемьянскую!

— А я? — Тонька испуганно прижала к груди пупса.

— А ты — смотрите, мол, мне скрывать нечего, и борщ помешиваешь, поняла?

Девчонки кивнули. Одним словом, мы так целый день играли — я их учил, как надо. Если в очередь играть — то уж и ругаться по-настоящему, если пеленаешь пупса, то уж заматываешь в пеленки секретное донесение. А потом отправляешься в кругосветное путешествие, высаживаешься на Кубе для поддержки кубинской революции... В общем, здорово все вышло.

Но с тех пор, только выйду во двор, — девчонки сразу: Коль, давай поиграем! Пацаны уже смеются: иди, раз зовут! Фантиками с бусинками пошурши. А мы тут рыбалить идем.

Рыбалить, как говорит дядя Леша Пирогов, «это громко сказано». Вода в канале в разводах мазута, одни уклейки и водятся. Мы спускаемся по гранитным ступеням, раскладываем удила. У Витьки в ведре уже кое-что плещется. Интересно, откуда они тут берутся, эти уклейки, — из Невы? А туда приплывают из залива, а в залив из моря... И так мне захотелось увидеть хоть одним глазком это море, что я клев пропустил. Витька — ему уже тринадцать, в ремесленном учится — смеется: о девчонках мечтаешь? Я мотаю головой, чувствую — покраснел: вспомнил о соседке новенькой почему-то. — Ладно, — Витька протягивает мне окурок. — Затянись пару раз.

Окурок грязный, мызганный. Но отказаться — не по-пацански. Я затягиваюсь, глядя на затянутую мутной пленкой гнилую воду и закашливаюсь так, что на глазах слезы.

— В первый раз, что ли? — недоверчиво глядит на меня Витька.

Я киваю, вытираю слезы.

— Давай еще раз. — В Витьке просыпается педагог. — Ты в глубину давай, вдыхай хорошенько...

Я вдохнул, как положено, и тут чувствую: в голове будто карусель закружилась, слабость такая в коленках, того и гляди упаду прямо в канал, к уклейкам.

— Э, ты чего? — доносится до меня, а я уже лечу куда-то вниз. Как через вату долетают голоса пацанов: «Голову, голову держите! Да не так, ложьте, ложьте его сюда!»

А потом и голоса пропадают. Очухиваюсь я уже у нас в комнате. Надо мной склонились три обеспокоенных лица: мамино, брата и папино. Увидев папу, я пытаюсь резко вскочить, но меня опять мутит, того и гляди вытошнит.

— Эк ты, брат, напугал нас, — говорит папа, гладит меня твердой рукой по обритой голове. Я пытаюсь улыбнуться, получается не очень — мама жалко всхлипывает. И уходит — наверное, на кухню. Мы остаемся втроем: я, брат и папка. Молчим. И хочется сказать какие-нибудь волшебные слова, чтобы они перестали себя так вести. Но я их не знаю и делаю вид, что разглядываю шарики на маминой кровати.

В прошлом году мы с Валеркой, соседом, во всей квартире эти шарики свинтили, чтобы ими играть. Набралось штук десять — такие кровати у всех стоят. Шуму поднялось, гаму — оказывается, без них постель начинает дребезжать и раскачиваться во все стороны. Нас поймали, шарики конфисковали и водрузили на место — я на них до сих пор кошусь со смущением. Отец тоже смотрит на меня виновато — но он всегда так на нас смотрит: Лешка как-то мне объяснил (ты уже взрослый парень, должен такие вещи понимать!), что папа нас бросил, ушел к другой женщине и живет с ней на

Петроградке, оттого и виноватится. Лицо у Лешки было во время беседы крайне торжественное, но я мало что понял — в коммуналке на Петроградке мы никогда не были, отец приходил пару раз в месяц в неизменном военном кителе. Совал украдкой леденцы в карман, на день рождения подарил шахматную доску, рассказал про Ботвинника и Спасского, вызвался меня учить... Лешка тогда строго ему сказал, что доска у нас уже есть и что он сам будет меня учить, спасибо. Я расстроился, не только из-за шахмат — дались они мне! А из-за папы, и что Лешка вечно все портит. А сегодня папа с торжественным лицом вынимает из портфеля черную коробочку. Сбоку по-ненашему написано: Lubitel. Сверху: ЛОМО. Я не сразу понимаю, что это, а Леша уже темнеет лицом.

— Вот, сынок, — отец открывает черную крышечку, под ней обнаруживаются две линзы. — Фотоаппарат. Двойной объектив. Ты ведь хотел фотографировать?

Я поправляю очки на носу, киваю. Я хотел. И сейчас хочу. Но чувствую — ничего из папиной затеи не получится. Так оно и выходит.

— Не стоит, — Лешка с отцом объясняется почему-то всегда витиевато. Папа поднимает на него испуганные глаза. — Это дорогая игрушка. А вам деньги нужны на вторую семью. Так что, — Лешка забирает у меня из рук фотоаппарат и аккуратно застегивает футляр, — забирайте.

— Да что ты мне все «выкаешь»? — жалобно спрашивает отец.

— А мне так удобнее, — Леша встает, вроде как дает понять, что пора откланиваться. А тут как раз распахивается дверь — входит мама с подносом: на подносе чайник, рафинад и вазочка. В вазочке — сухарики, мама сама их печет из белого хлеба: вымачивает в молоке, посыпает сахаром — и в духовку. Я их обожаю. А Лешка аж краснеет — то ли от злости, то ли от нашего «угощения».

— Зря старалась, — говорит он. — Отец уже уходит.

И папа и правда суетливо собирается, неуклюже сует руки в рукава старого пальто. Мама растерянно глядит на меня, тяжело ставит поднос на стол.

— Как же так? Уже?

— Уже, — Лешка выдвигает вперед подбородок. Когда он так делает — с ним лучше не спорить. — Его ждут.

Отец жалко кивает и идет к дверям. Я хочу хотя бы обнять его на прощанье. Но Лешка так на меня зыркает, что у меня все внутри опускается, и сам идет за отцом закрывать. Мать вздыхает, качает головой. И тут я не выдерживаю: в носу так защипало, так стало обидно — и что перед мальчишками оконфузился, и что с папкой не поговорил, — что я зарываюсь лицом в мамину подушку и реву.

Хлопает дверь — это вернулся Лешка.

— Зачем ты так, Лешенька? — негромко говорит мать.

Потом мама еще что-то говорит, но я, задыхаясь от рыданий, не отрываю горячего от слез лица от уже насквозь мокрой наволочки. Леша ничего маме не отвечает, а садится рядом со мной на постель, хлопает по плечу:

— Ну-ну, рева-корова, нюни-то не разводи. Купим мы тебе фотоаппарат, зуб даю.

Я хочу ему сказать, что наплевать мне на фотоаппарат — я же близорукий, куда очкарику фотографировать, но от слез ничего не могу произнести.

И тут слышу мамин голос, тихий, умоляющий:

— Лешенька, сынок, не надо. Не влезай в эти дела. Не для тебя это.

МАША

«Просто проклятие какое-то!» — думала Маша, толкая дверь отделения травматологии. — Еще одна больница, опять бесконечные коридоры, люди в белых халатах и люди в халатах байковых (больные). Только на этот раз не Москва, а Питер, не Андрей, а...

Андрей. Маша вздохнула. Она позвонила ему, как только приехала к бабке. Объяснила диспозицию: Любочка, нужно поднять настроение после смерти подруги...

— Ты прямо как мать Тереза. Или Чип энд Дейл, что спешат на помощь, — попытался пошутить Андрей. — Только один подопечный оправился, сразу летишь к другому.

Они помолчали. Конечно, Любочкино самочувствие крайне важно, но уж очень вовремя все произошло. Маша убежала. Спряталась от необходимости принятия решения. Трусиха. Вот и теперь, вместо того чтобы спокойно выложить Андрею все свои опасения, касаемые раннего замужества, стала рассказывать ему про взятое на себя обязательство раскрыть преступление пятидесятилетней давности. Легенды старой коммунальной квартиры. Выходит, вовсе не Чип она и не Дейл, а сказочница. Шахерезада и старуха Изергиль в одном флаконе. А Андрей покорно слушал, не перебивал, хотя и ему было ясно: все это — дымовая завеса. Попытка найти себе занятие, чтобы не надо было возвращаться и идти с ним под венец. А ничего он не возразил, вдруг поняла Маша, по той же простой причине: он тоже трусит. Вот скажет она «нет», и что они с этим «нет» будут делать? А пока... А пока у них у обоих еще есть отпуск. Отпуск, так вовремя предоставленный Анютиным. Иногда, сказала себе Маша, нужно просто время. Сделать несколько шагов в сторону, отвлечься от проблемы и снова вернуться к ней уже со свободной головой. И история с коммуналкой подвернулась весьма кстати.

Около Ксюшиной постели уже сидели Ника с Игорем, на тумбочке стояла бутылка минералки, лежали вездесущие апельсины и пластмассовый лоток с едой. У Маши чуть-чуть отлегло от сердца — сама она ничего не приготовила, а только купила яблок и восточных сладостей — Любочка вспомнила, что Ирина внучка с детства сходит с ума по нуге и шербету.

— Если бы не пыталась спасти Страд, может, и перелома такого не было бы, — с жалкой улыбкой поясняла друзьям Ксения, положив поверх одеяла руку в гипсе. Обездвижена оказалась и правая лодыжка — последняя, слава богу, не сломана, а лишь вывихнута.

— Ну и как, спасла? — Игорь приветственно кивнул Маше.

— Спасла, — провела Ксюша рукой по одеялу, будто сама себя погладила. — А руку свою не спасла. Какая из меня теперь музыкантша? Я ложку-то не смогу в руках держать... Привет! — это Ксения увидела в дверях палаты растерянную Машу. Глаза у нее были красные — видно, всю ночь проплакала. За стеклами очков с сильной диоптрией они казались маленькими, как у кролика. У Маши сердце сжалось от жалости — столько усилий, затраченных на профессию, такой успех в Канаде, блестящие перспективы... И что же получается? Неужели конец?

— Ничего-ничего, — похлопала ее по гипсу Ника. — Еще срастется. Ты молодая, разработаешь руку...

— Срастется-то срастется, — жалко усмехнулась Ксюша. — Но шансов на то, что я смогу играть, немного. И если это сделал Петя...

70

— Что сделал? — подала голос Маша, придвинув второй стул к кровати.

— Я не упала, — посмотрела на нее Ксюша. — Меня столкнули. Столкнул человек, который добрую половину дороги шел за мной по пятам.

— Думаешь, тебя преследовали? — мягко улыбнулась Маша.

— Да. Этот человек стоял под проливным дождем, в сумерках, и делал вид, что смотрит на воду.

— Городской сумасшедший, — мельком переглянулась с Машей Ника. — Зачем кому-то тебя преследовать?

— Я не знаю, — жалобно пожала плечами Ксения.

— Скорее всего, — внушительно сказал Игорь, — это два совершенно не связанных события. Один — неизвестный гражданин, которого ты еле-еле разглядела, сама говоришь — сумерки и ливень. Второй — какая-то торопливая сволочь, которая случайно тебя толкнула на лестнице, а теперь боится признаться в содеянном.

Ника мелко закивала: устами мужчины глаголет логика, а следовательно — истина, а Маша молчала, задумчиво смотрела на Ксению. Ей хотелось порасспрашивать ее поподробнее о незнакомце в сумерках, но виолончелистка выглядела подавленной. И плюс к тому — испуганной. И усугублять этот испуг как раз тогда, когда Игорь сумел ее чуть-чуть успокоить? Маша поймала вопросительный взгляд Ксении и улыбнулась:

— Выздоравливай-ка. А мы с Игорем пойдем завтра в архив, покопаемся там по твоим квартирным делам, потом тебе все расскажем. Да, Игорь?

— Развлекут тебя, — кивнула с готовностью Ника.

А Игорь подмигнул Маше: мол, ввязались мы с тобой! И с видимым облегчением поднялся с казенного стула:

— Что ж, не будем утомлять больную, — он потянул жену за локоть, и Ника, чмокнув подругу в щеку и материнским жестом машинально оправив одеяло, вышла из палаты вслед за супругом и Машей.

* * *

— Ну-с, с чего начнем?

— Скорее, с кого. — Маша провела рукой по голове, смоченной невидимой питерской моросью. Они стояли перед Центральным госархивом. Игорь снял с носа и протер очки в мелкой водяной пыли, вынул из кармана список жильцов.

— Пироговы, — прочел он. — Вкусная фамилия. Наверное, и люди не самые плохие.

ВАЛЕРА. 1959 г.

«Во Дворце пионеров имени А.А. Жданова свыше 11 тысяч детей занимаются в 702 технических, художественных, музыкальных, хоровых и спортивных кружках».

Газета «Ленинградская правда». 1959 г.

«Красивая пара», — сказал папка про «хрузин», как их называет мама — как выплевывает. Худшие у нее «явреи», но грузины ей тоже — не очень. «Грубо выражаясь, мягко говоря», — добавляет про себя Лерка любимое папино выражение.

Лерка смотрит через занавески на новую соседку — как она к мамке в доверие пытается влезть: ему штаны справила, мамке — юбку расширила. Мама у него красивая, папа говорит — «все на месте», большая. Глаза, правда, — пытался он быть объективным, — маленькие. Ну, и усы, конечно. Все мальчишки над ним во дворе потешаются: что, Лерка, как вырастешь, такие же усы будут, как у мамки? Лерка в ответку с ними ни с кем не делится, когда выходит во двор со съестным — мамка то и дело ему то бутерброд сунет, то пирожное. Папка из магазина каждый день за пазухой приносит, называет это «толькодлясвоих», мама — дефицит. «Сорок-сорок сорокни!» — кружат вокруг него вечно голодные пацаны, кожа да кости. Сорокни — значит, поделись. Но Лерка только побыстрее засовывает кусок в рот, вытирает толстые масляные пальцы о растянутую вязаную кофту. Поняв, что им ничего не достанется, дворовые кричат:

«Жиро-мясо-комбинат, пром-сосиски-лимонад!»

И отстают. Но чуть-чуть презирают и отправляют водить: в пятнашки — водить, в прятки — водить, в двенадцать палочек — тоже. Ударит Витька по палочкам — и беги их, собирай! Или в выбивалу — вечно Лерку выбить норовят. Он — простая мишень. Крупная. Или за фрица играть — если в «войнушку». Фрицем быть никто не хочет. А на рыбалку или на чердак полазать никогда не зовут. Один Колька Лоскудов с ним дружит, потому что сосед, деться некуда, — понимает с легкой грустью Лерка. Брат вчерась Кольке фотоаппарат подарил — «Любитель 2». Лерка аж затрясся весь от зависти: у него фотоаппарата не было. А спроси — зачем он тебе сдался? Не ответит. Только знает: ему нужно все самое лучшее.

— Ты ж очкарик, — важно сплевывает Лерка в дворовую пыль — они сидят на лавке рядом с дровяными сараями. — Какой из тебя фотограф?

Колька опускает близорукие глаза. А Лерка, довольный, его добивает:

— В объектив надо видеть все хорошо, а то государство тебя обучит, а ты ослепнешь, вот будет номер!

— Все равно пойду, — глядя в пыль, говорит Колька. — Во Дворце пионеров кружок есть, фотолюбите-
лей. По четвергам занимаются.

— Я с тобой, — вскакивает Лерка.

— Тебе ж это разве интересно?

— Я за компанию, — Лерка смотрит на него выжидающе. Он во Дворце был уже — на кружке по ма-
шиностроению. Но ушел — скучно стало. Пнул ногой
щепку. — Ну чего, идем?

Вот странно как: Невский проспект близок, а они
туда реже бегают, чем в порт на Ваське. Так на Невском что смотреть? Ну, «Елисеевский» с огромен-
ными люстрами из хрусталя, «Всем попробовать
пора бы, как вкусны и нежны крабы» — эти крабы,
«Chatka», тут же в банках, составленных высоченной
пирамидой, и две бочки с черной икрой — гадость
жуткая. Не подойти — дороговизна! Конфеты кара-
мельки — по 700 рублей! Колька, конечно, замирает
с открытым ртом. А Лерка тянет его к переходу — на
другой стороне играет в саду отдыха джаз-банд, написано: под управлением Изи Атласа. Там публика
уже пришла на концерт Райкина. Они с Колькой на
секунду тормозят перед киноафишей: двое — мужчина и женщина — впились друг в друга почему-то
синими губами. И это — кино? Лерка с Колькой
переглядываются: кому такое вообще может быть
интересно? То ли дело — «Судьба человека» Бондарчука! Папка его обещал сводить. Про войну. Тут
он вспомнил, что слышал сегодня ночью, и замед-
лил шаг.

— Ты чего? — удивляется Колька. На секунду Лерке захотелось все рассказать, прямо тут, выплеснуть
тот ужас, который он испытал, услышав знакомый
и одновременно совсем чужой голос, перекрывае-
мый богатырским отцовским храпом. «Шварц айзен адлер, — говорил голос. — Айзен адлер...» Лерка

в темноте покрылся холодным потом, зажмурил глаза. Это было похоже на самую страшную сказку, где красавица внезапно превращается в чудовище. Хотя нет, еще страшнее, потому что какая красавица может быть ближе и дороже, чем своя мама? И с утра, вглядываясь в родное лицо, он пытался понять, не приснилось ли ему все. А если не приснилось, то что с этим делать — куда бежать? К отцу? Или сразу в милицию? Лерка сглотнул, прикрыл глаза — будто спрятался от реальности, чтобы не думать, не решать здесь и сейчас.

— Идем, что ли? — тычет его в бок Колька. Он волнуется, боится опоздать.

Они проходят через торжественный вход в Аничков дворец, долго изучают доску с перечнем кружков — их тут видимо-невидимо. А Колька — даром что очкарик — сразу видит «Фотодело» и дергает Лерку за локоть: поторопись!

* * *

Домой возвращаются в прямо противоположном настроении: Лерка мрачно пинает вдоль набережной жестянку, Колька — сияет, что твой медный грош. Его взяли в кружок! Сказали: близорукость может делу даже помочь — близорукий видит то, что другие не видят, а это, мол, для фотографа самое главное. Длинный, как жердь, руководитель секции показал ребятам несколько фото, попросил выбрать, что нравится. Лерка выбрал цветные фото из «Огонька». А Колька — фигню какую-то: черно-белые лица колхозников, деревню с лошадью в тумане. Длинный тут как обрадуется! Что-то залопотал о перспективе и равновесии, Лерка ничего не понял. И Колька, он уверен, тоже не понял. Но кивал большой головой, как болванчик. А на самого Лерку жердявый после даже не взглянул, и Лерке стало обидно. Не столько из-за фотографий, столько из-за того, что и ему хотелось так же сиять, как Колька...

— Тебе тоже нужно в какой-нибудь кружок записаться! — говорит Колька, будто подслушал его мысли.

— Вот еще, дурака нашел! — начинает Лерка, и вдруг взгляд его падает на киоск «Союзпечати»: на стеклянной стенке выставлены новые марки. — Я марки собирать буду! — заявляет он.

— Филателистом станешь? — уважительно смотрит на него Колька.

И Лерка повторяет, с удовольствием пробуя сложное слово на вкус: фи-ла-те-лист. Да.

КСЕНИЯ

Ксюша заставила себя подняться с постели и выйти хотя бы в больничный коридор. И то сказать: в старой больнице если и было чего красивого, то этот просторный коридор с арочными окнами. Будто в замедленном кино больные по-черепашьи — травма же! — переходили из зоны света в зону тьмы. Ксения тоже вполне бодро постукивала алюминиевыми ходунками, когда...

— Простите, бога ради, вы тут наступили... — Ксения замерла. Мужчина в ярко-синем свитере под горло и зеленых вельветовых брюках встал перед ней на одно колено, голова в роскошных светлых кудрях склонилась к ее ногам, в руках блеснуло что-то металлическое — пинцет? — Вам не сложно будет привстать здоровой ногой на цыпочки?

Ошеломленная, Ксения оперлась на ходунки и с некоторым трудом приподнялась на носки.

— Ву-а-ля! — торжествуя, мужчина встал, держа пинцетом маленький клочок бумаги. — Простите, случайно вылетела...

— Кто вылетел? — Ксения впервые увидела лицо мужчины: густые брови, яркие — под цвет свитера — глаза, улыбка, как у Чеширского Кота. Такие красавцы всю жизнь вызывали у нее исключительно желание спрятаться.

— Бабочки тут не летают, — улыбка стала еще шире. — Это марка, узнаете?

Ксения, чуть покраснев и мысленным взором сразу окинув весь свой гламурный наряд — тапки, вязаные носки, застиранный халат, очки, — покачала головой: нет.

— Так называемая «Черная пенни», она погашена, в средней сохранности. Недорогая. — Ксения пригляделась: на марке была изображена дама в профиль. — Королева Виктория, — прокомментировал незнакомец, — очень приятно. А я — Эдуард.

Ксения хмыкнула:

— Восьмой?

Мужчина расхохотался:

— А вы забавная. Может быть, все-таки представитесь?

— Ксения, — Ксения покраснела еще гуще. — Уж простите — руки подать не могу, — и она качнула рукой в гипсе.

— Понимаю. Это вы меня извините, что побеспокоил в таком состоянии. Хотите, принесу вам что-нибудь из съестного? Я как раз маме иду покупать очередной вафельный торт. Она у меня съедает по одному «Шоколадному принцу» в день и не толстеет.

— Везет, — улыбнулась Ксения. — Но мне ничего не нужно, спасибо.

Эдуард («Боже, какие же претензии к жизни были у любительницы «Шоколадного принца», надеюсь, его отчество хотя бы не Иванович», — усмехнулась про себя Ксюша) кивнул и пошел себе по коридору — яркой экзотической птицей на фоне больничных ворон. Провожая его взглядом, Ксения не могла не признать: изумрудно-зеленый и небесно-синий смотрелись, как ни странно, очень здорово вместе — и вздохнула: есть же мужчины со вкусом! Среди консерваторской братии ей такие никогда не попадались. Да что там — сама Ксения с трудом решалась даже на традиционные цветовые сочетания. Размышляя об этом, она потихоньку доковыляла обратно до своей палаты, уверенная, что самое яркое впечатление на сегодняшний день уже пережила. И ошиблась.

Через полчаса, когда она уже почти прикончила принесенный ей заботливой Никой детектив в мягкой обложке, раздался стук в дверь. Думая, что это медсестра, Ксения сказала: войдите! И сразу пожалела: на пороге стоял давешний Эдуард с букетом цветов. Ксения почти неприлично на него уставилась.

— Сияние стиля, — усмехнулся в ответ Эдуард.

— А?

— Название букета. Шедевр цветочного маркетинга. Любите кустовые розы?

— Э... — Ксения, похоже, могла выражать мысль только звуками.

— Слушайте, там был не слишком большой выбор, — пожал он плечами. — Либо красные розы — но это мне показалось банальным. Либо композиции с лилиями — но от них у вас могла разболеться голова. Либо...

— Спасибо, — наконец смогла выразиться словом, а не междометием Ксения.

Красавец облегченно вздохнул:

— Я, наверное, не в тему. Но мне просто хотелось вас как-то порадовать.

— Спасибо, — повторила Ксюша, глядя на букет. На самом деле розы были прелестные — мелкие, бледно-розовые, очень нежные. Никто из ее друзей не догадался принести ей в больницу цветы. Да что там! Последний букет она получила после концерта в Монреале от месье Менакера, а до этого... — попыталась вспомнить она о каких-нибудь цветочных подношениях от Пети, но так и не вспомнила.

— Ваза, — кивнул тем временем самому себе Эдуард и исчез из палаты, вернувшись пятью минутами позже с трехлитровой банкой. За это время Ксения попыталась причесать — кое-как, пятерней незагипсованной руки — давно не мытые волосы и вставить линзы.

А Эдуард, водрузив банку с цветами на широкий подоконник, не дожидаясь приглашения, запрыгнул на него же и с любопытством оглядел апельсиновые дары на тумбочке рядом и обложку книжки, лежащей на Ксюшином пододеяльнике.

— Вы, наверное, филателист? — светски поинтересовалась Ксения, чтобы скрыть смущение. Что он тут — весь вечер сидеть намерен?

— О, нет, — он по-мальчишески поболтал ногами. — Это хобби. А вообще-то, я дизайнер. Дизайнер по интерьеру.

— Правда? — оживилась Ксения, нащупав тему для беседы. — А я как раз купила квартиру, которой очень нужен ремонт.

Эдуард снова улыбнулся, сверкнули идеально ровные зубы:

— Замечательное совпадение, вы не находите?

МАША

Маша пила чай и поглядывала по сторонам: как это часто бывает у пожилых людей, стены небольшой комнаты украшало множество фотографий.

Вот на фоне входа в церковь из резного камня (птицы да цветы) стоят молодожены — судя по фраку и закрытому наглухо платью на юной испуганной невесте — конец XIX века. Маша привстала, чтобы прочесть надпись каллиграфическим почерком: Тифлис. 1888.

— Это мои дед с бабкой. Амилахвари. Древний, уважаемый род. Мама говорила, ее фамилия встречается в одной из поминальных записей в синодике Крестного монастыря в Иерусалиме, — мягкий низкий голос Тамары Зазовны завораживал.

Она сидела, улыбаясь, в кресле напротив: бархатный халат с кистями, бархатные же узкие тапочки на небольшом каблуке. Королева. Доброжелательная королева. Перед ней на столике накрыто для гостьи королевское же угощение: несколько видов варенья в хрустальных розеточках, домашнее печенье. — Вы ешьте, не обращайте внимания на мою болтовню. Вот — варенье ореховое. Это мне из Тбилиси родня присылает. Знаете, фотография тоже от них. Мои родители боялись хранить такое у себя. Князья — не слишком удачная родня в Советском государстве. Папа-то у меня был из простых, несмотря на «культурную» профессию. Его отец служил садовником у Амилахвари. Мать, я так понимаю, просто «спрятали» в таком неравном браке. А петь в его семье любили все — ну, это у нас, у грузин, частое явление. Вы ешьте, ешьте.

Маша зачерпнула серебряной ложечкой прозрачное оранжевое озерцо. Облепиха?

— Тамара Зазовна, а не осталось ли у вас каких-нибудь фотографий той поры?

— Конечно. Я вам тут приготовила пару альбомов. Видите ли, один из соседских мальчиков — мой любимец, Коля, — обожал фотографировать. Так у нас сложилась даже такая традиция: в Новый год или на

7 Ноября он нам дарил свои карточки. Вот, — она потянулась и достала пухлый альбом: потертая бархатная обложка трогательно перевязана коричневым школьным бантом. Тамара пролистнула первые страницы, передала Маше. Сама пересела на диван рядом. Маша осторожно взяла альбом в руки: на первом развороте слева — супруга, справа — супруг.

— Какой ваш отец знойный красавец! — с улыбкой сказала она.

Тамара Зазовна кивнула:

— Мама тоже была интересная, умела себя подать. Но папа — правда был очень хорош. Это помогало в профессии — я имею в виду на сцене. Красивых оперных певцов не так много, а если к внешности добавить чарующий голос... — Она перевернула страницу: — А вот и все наши жильцы.

Тамара Зазовна замолчала, вглядываясь в лица.

— Мы сегодня смотрели в архиве документы по семье Пироговых, — Маша дотронулась до лица Пирогова: нос уточкой, маленькие хитроватые глазки, добродушно улыбается, демонстрируя многочисленные коронки в рту.

— Тоже красавец, — усмехнулась Бенидзе. — Только в своем роде.

— Это вы о хищениях госсобственности? — подняла глаза Маша.

— Откуда вы знаете?

— Через несколько лет после убийства Ксении Лазаревны его отстранили от работы в родном мясном магазине, осудили условно. Дело, я так поняла, было негромкое, больше воспитательного плана. Хищения оказались мелкие, он, как это тогда называлось, был банальным «несуном», а не злостным расхитителем.

— Вот именно что — банальным, — вздохнула Тамара Зазовна. — Мы же понимали, зачем человеку работать мясником. Но все его покрывали, потому что ели — на праздники — и язык, и балык, и вырезку. Мама моя готовила из этого изобилия на общий стол. Мы, можно сказать, благодаря им, Пироговым-то, и выживали. Поэтому он у нас был «квартуполномоченным», да и вообще... — Тут Тамара Зазовна чуть потемнела лицом. — Он же, как вы уже, наверное, знаете, крестьянский сын. Практичный, рукастый.

— А Пирогова?

— Галина Егоровна? Она, конечно, была не в восторге от щедрости мужа, но в этом тоже просматривался несложный расчет: прикармливая всю нашу коммуналку, они надеялись на ответную лояльность. И получали ее: например, Людмила Николаевна Лоскудова, мама Коли и Алеши, присматривала за детьми, моя мать вне очереди драила места общего пользования и всех обшивала, доктор Коняев лечил нас, его жена — учительница — часто помогала делать уроки.

— Звучит, как идеальное общество, коммуна в действии? — улыбнулась Маша.

— В некотором роде так оно и было, — кивнула Тамара Зазовна. — Знаете, что говорил наш Пирогов, вставая с рюмкой водки на всех застольях? Что даже если по социалистическому плану строительства им предложат отдельную квартиру, он от нее откажется — так хорошо ему у нас в коммуналке живется!

— Но вы его не любите, — сказала Маша скорее утвердительно, чем задавая вопрос. И сама удивилась — почему использовала настоящее время? Кого сейчас уже не любить покойника?

Тамара Зазовна отвернулась:

— Не люблю, — глухо ответила она, тоже не отделяя себя за давностью лет от прежнего чувства. И добавила строго: — Но это уже мои личные причины, к убийству Ксении Лазаревны отношения не имеющие.

Маша решила не настаивать:

— Значит, хищения социалистической собственности вряд ли могли быть причиной для преступления?

Бенидзе замахала руками:

— Боже упаси!

Маша перевернула еще несколько страниц альбома.

— Не одолжите мне его на некоторое время?

— Конечно, берите.

— И еще. Мальчик, который много фотографировал...

— Коля?

Маша кивнула:

— Вы, случайно, не знаете его координаты? Я бы хотела с ним встретиться.

Тамара Зазовна побледнела:

— Боюсь, не получится, Маша. Он погиб. И уже давно.

* * *

Какая тишина... Удивительное место — за поселком, в сосновом бору. Дорога, минуя кладбищенские ворота, петляет дальше через лес и выходит к озеру. Золотое место Ленобласти, осененное дачными радостями еще с конца девятнадцатого века: бонтонные прогулки, крокет, домашний летний театр, в хорошую погоду — вид на Кронштадт. Само кладбище — маленькое совсем, только для избранных: академики, занимавшие здесь ведомственные дачи, один большой поэт, один большой музыкант. Немногочисленный, но солидный некрополь. И — среди прочих серьезных плит — маленькая стела. Николай Лоскудов. Коля. 1951—1960.

Человек, с которым Маша договорилась тут о встрече, стоял под мокрым снегом с непокрытой головой — длинный черный зонт, как штандарт побежденной армии, упирается в кладбищенскую глину. Высокий старик в синей куртке с отороченным мехом капюшоном, голова чисто выбрита, острый подбородок опущен в клетчатый шерстяной шарф. Крупный хрящеватый нос, кустистые брови над выцветшими серыми глазами.

— Здравствуй, Тамарочка, — произнес он первым, увидев Тамару Зазовну.

— Алеша? — откликнулась Бенидзе, вглядываясь в высокого старика, и у Маши сжалось сердце: в этой перекличке между пожилыми людьми она услышала зов юности. Она поддерживала Тамару Зазовну под руку и почувствовала, как дрогнула ее ладонь в перчатке. Алексей Иванович молча смотрел, как они подходят — чуть склонив голову на плечо и вглядываясь в лицо своей бывшей соседки.

— Совсем не изменилась, Томочка, — сказал он через легкую паузу, осторожно ее обняв.

— Конечно, нет, — рассмеялась Бенидзе, и Маша удивленно на нее взглянула: этот смуглый румянец, блестящие от сдержанной слезы глаза... А Тамара Зазовна тряхнула головой: — Всего-то полвека прошло.

— Да кто их считает? — с улыбкой пожал плечами старик, повернулся к Маше и протянул руку: — Здравствуйте. Лоскудов.

— Мария. Каравай, — протянула она ладонь в ответ, но на секунду замешкалась: кожа Лоскудова была вся в странных пятнах — экзема?

— Не обращайте внимания! — Алексей Иванович спрятал руку обратно в перчатку. — Наследственная проблема, это не заразно, чисто косметический дискомфорт. Так что у вас за вопрос?

— Я хотела поговорить с вами о бывших соседях. — Снег, нападавший на рукав пуховика за те несколько минут, что они стояли перед могилой, соскользнул мини-лавиной вниз.

Старик пожал плечами и раскрыл наконец над ними свой внушительный зонт.

— Боюсь, интересующая вас эпоха пришлась как раз на мою раннюю юность. А в этом возрасте взрослые нас не очень волнуют. Мы все — в проблемах нашего собственного мироздания. Подростковые комплексы и идеалы, друзья, первая любовь...

Тут Маша вновь почувствовала движение руки в перчатке и украдкой взглянула на Тамару Зазовну. «Не может быть! — сказала она себе. И тут же себя одернула: — Почему же не может?»

Ведь ясно как день, что Тамара Бенидзе была, а возможно и до сих пор, влюблена в Алексея Лоскудова. А он в нее, увы, нет.

АЛЕША. 1959 г.

> Мой залетка в Ленинграде
> И меня туда зовет.
> Моя буйная головушка
> И здесь не пропадет!
>
> *Ленинградский фольклор*

Каждое утро, занимая очередь в ванную, я размышляю над тем, с чем можно сравнить нашу квартиру. Доисторический строй? Огонек газовых плит горит, как костерок в пещере, висящие над коммунальными столами сковородки исполняют роль тамтамов, а вывешенное сушиться над огнем белье — звериных шкур? Или все-таки Древняя Греция, где кухня — это агора, место общения, обмена новостями, эдакая театральная сцена для наших коммунальных драм? Тогда голос Левитана из репродуктора — как голос божества, указывающего светлый путь. А может, и вовсе

Средневековье? Общий коридор — не что иное, как главная улочка средневекового городка, пересечение двух полуголых персонажей в ванной — встреча у фонтана, а пьяные потасовки на кухне (у нас такого нет, слава богу!) — тот же рыцарский турнир?

Но сколько бы я ни иронизировал, толку мало. Меня тошнит и от своего, и от чужого быта. Я перегружен лишней для меня информацией: знаю наизусть все соседское исподнее, знаю, что сегодня Пирогов своровал на ужин, я слышу свистящий шепот, которым Лали Звиадовна умаляет то немногое, что осталось от достоинства ее мужа. Мне жалко Тому, слоняющуюся по квартире с больными глазами — она так любит отца, но не в силах его защитить. Мне хочется отключить все органы чувств, закрыться, как моллюск, забиться в угол между рабочим столом и кроватью. Неделю назад, уходя, отец, оправдываясь, проговорился, что давно не дает матери денег. Я замер. Он-то был уверен, что я в курсе и оттого так с ним неласков. А правда в том, что мать ничего мне не рассказывала. И тогда — на что мы живем? Ведь ее зарплаты — сутки через трое на теплоэлектростанции — может хватить разве что на мерзлую картошку. У меня не хватило духу задать ей вопрос. Ведь пока я, здоровый парень, ей ничем помочь не могу. Да еще нужно изыскивать средства, чтобы отдавать Ксении Лазаревне деньги за Колькин фотоаппарат. Честно говоря, фарцовая компания давно вокруг меня ходит — есть у меня глупый, никому не нужный талант: я к языкам способный. Ну и вообще — память хорошая. Выяснилось случайно. В позапрошлом году ездили с ребятами на перекладных на Всемирный фестиваль молодежи и студентов — прозевать такое было нельзя, даже мама сдалась, отпустила. Трое суток почти не спали, болтались по столице, общались с интернациональной молодежью. Выяснилось, что американцы совсем не похожи на карикатуры в «Крокодиле»: простые ребята, большинство — в синих штанах и футболках. И главное — говорят совсем иначе, чем наша учительница по английскому по прозвищу Белка. Так вот, не поверите, через два дня я шпрехал так, что меня даже наши милиционеры принимали за иностранца. Да, слов я знал мало, и это пришлось исправлять по приезде: постучался в комнатку к той же старорежимной старушке, нашей Ксении Лазаревне. Попросил у нее давно примеченные романы Вальтера Скотта — еще дореволюционного издания. Она не отказала, только велела обернуть в бумагу — ну а как иначе? И давала по одному тому: сначала «Айвенго», потом — «Роб Рой» и «Черный карлик». Читать было тяжко, даже взятый в школьной библиотеке словарь — и тот не знал всех слов. Но потихоньку дело пошло — и бедная Белка стала меня побаиваться: я пару раз поправил ее на уроке. Вышло шикарно. Теперь можно было браться за дело.

С приятелями-фарцовщиками мы познакомились там же, в Москве — они регулярно звонили, звали на «сейшены». Но я решил сначала осмотреться в одиночку. Пошатался пару раз вокруг «Американки» — бара в «Астории», постоял на набережной возле «Утюга Коммунизма» — крейсера «Авроры», съел пирожков с печенью рядом со «Щелью» — баром «Метрополя». Даже сходил туда-сюда по «Броду» — месту выгула всей стиляжной публики. Ребята в узких штанах, галстуках вызывающих цветов и ботинках «на манной каше» меня не заинтересовали совсем. Не то чтобы я не получал удовольствия от священного ужаса, с которым их провожали глазами прохожие, одетые в неизменный серый и коричневый цвета производства фабрики «Большевичка». Или не смеялся, когда видел «хвостик» из таких разноцветных попугаев, из смеха пристроившихся за старушкой с авоськой. Суть игры сводилась к следующему: каждый, кто встречал такую «очередь», должен быть встать в конец и повторять старушечий маршрут и жесты. И вот за бабкой тянулась целая змея из хохочущей молодежи. Старушка скоро начинала чувствовать неладное — слишком странно смотрели на нее идущие навстречу пешеходы. Но стоило ей остановиться и обернуться, как вся гоп-компания тоже замирала как вкопанная, и разогнать их, даже с помощью клюки, не было никакой возможности. Да, это смотрелось забавно, но искренне держать их за людей из другого мира было бы так же странно, как воображать нашу коммуналку местом средневековых ристалищ. Это просто ряженые, и, как бы ни отращивали они себе коков, как бы ни скалились на оторопевших приезжих провинциалов, глаза у них были... Советские у них были глаза. А вот те, другие, настоящие «фирмачи», подъезжавшие и отъезжавшие на своих туристических автобусах к Эрмитажу и «Авроре», в них было то, от чего у меня щемило сердце. В чем тут дело? — пытался понять я. В том, как громко и непринужденно они смеются, как часто улыбаются всем без причины? В ярких вспышках фотокамер? Или в черных очках, которые у нас считаются чуть ли не символом порока? А может быть, в том, что их старухи, в отличие от наших, доживающих свою непростую жизнь с обреченными и трагическими лицами, носят розовое и голубое и выпрыгивают из автобуса, как маленькие девочки, которых вывезли покататься на аттракционах, — с таким же восторженным выражением лица?

Я много думал об этом и однажды, в очередной раз стоя в коммунальной нашей очереди с полотенцем через плечо, понял: дело в свободе. Они — Libertas Populi — свободные люди, свободные граждане, как говорили в Средневековье. И еще я понял, что тоже так хочу. Я хочу быть свободным — не снаружи, одеваясь в яркие тряпки. Внутри. Я выращу это в себе, чего бы оно ни стоило. И первым шагом на пути к свободе оказалось принятие решения. Я вышел в полутемный коридор, набрал номер и сказал: «Я согласен». Я объяснил, что я готов делать, а что — нет. И тут увидел в проеме двери — ее. Ксению Лазаревну. Она стояла и внимательно слушала. А потом улыбнулась и тихо закрыла дверь с той стороны.

КСЕНИЯ

День за днем Ксюша задавала себе один и тот же вопрос: что Эдик в ней, «страхолюдине», как обозвал ее Петя, нашел? Удивление этим фактом не проходило, напротив, становилось хроническим, как насморк у питерцев. Но это было приятное удивление; кроме того, Ксюша не могла не признать: больничные знакомства обладают особой душевностью. Во-первых, больной человек слаб, скучает от бездействия и, как следствие, открыт впечатлениям. Во-вторых, тот, кто протягивает ему руку помощи, изначально демонстрирует себя с лучшей стороны. Одно дело — встретить девушку в декольтированном туалете и на каблуках на гала-вечере, и совсем другое — развлекать ее, лежащую с сальными волосами и в мятом халате, в больничной палате. Из этой точки можно двигать отношения только вверх. Ксения уже предвосхищала, как, наконец, встретится с ним не в выцветшем балахоне, не в этом старом спортивном костюме, который пришлось разрезать, чтобы влезла перевязанная нога, а в любой более пристойной одежде. Впрочем, Эдика, казалось, ее наряд совершенно не смущает. С той, первой, встречи он носил ей цветы и конфеты, выгуливал — очень светски — по больничному коридору. И бесконечно менял свитера и брюки, жонглируя цветами, по-итальянски яркими и жизнерадостными. Вот и сегодня тоже — Ксения покосилась на его желтые, канареечного цвета штаны в крупный рубчик и улыбнулась. Профессия обязывает. Он, наверное, и квартиры такие делает — цветные, но уютные.

— Я дизайнер недорогой. Был бы простор для фантазии, — он улыбнулся, не отрывая взгляда от дороги — взялся отвезти ее домой после выписки. — Давай сначала посмотрим на твою квартиру, а там уж решим по деньгам.

— Тебе понравится, — пообещала Ксюша с едва сдерживаемой гордостью. Может быть, сама она похожа сейчас на дочь свинопаса, но ее квартира, ее гордость, должна, просто обязана подправить ее имидж.

И она — подправила. Ксения ковыляла за Эдиком из комнаты в комнату, как прежде за Петей, но как же с ним все было иначе! Солнечный, солнечный человек! — думала она, видя, как он, по-мальчишески счастливо улыбаясь, проводит рукой по камину: обязательно, обязательно вернуть к жизни! Бросается к балкону: вот это вид! Да за один такой вид нужно было брать квартиру! А эти лилии по потолку — их надо восстановить везде, как стихотворную строку, повторяющуюся из комнаты в комнату и твердящую о любви и счастье! Какая она молодчина, что не растерялась, а сразу приобрела эдакое сокровище! Он рассмеялся, оглядываясь на нее и нисколько не смущаясь собственного красноречия, а Ксения, улыбаясь в ответ, думала, что вот, никогда она еще не встречала такого мужчину: щедрого на похвалу, не боящегося, как Петя, слезть со своего пьедестала!

— Значит, возьмешься? — спросила она, продолжая улыбаться.

— Еще как! Если ты позволишь, конечно, — он подошел, склонился над ее заточенной в гипс рукой с шутливым поцелуем.

— Еще как позволю, если ты меня не разоришь.

— Никогда! Как можно разорить женщину с таким вкусом, да она — подарок любому дизайнеру. Но! Я требую предоплаты, — солнечный зайчик скользнул по его лицу, он зажмурился.

— Сколько? — Она любовалась им, пока он не распахнул один смеющийся глаз.

— А, ерунда. Я уверен, ты справишься с такой дырой в бюджете, — и он вдруг быстро наклонился и поцеловал ее.

Ксения была настолько не подготовлена к произошедшему, что даже не успела, как пишут в романах, «раскрыть губы навстречу поцелую», и даже напротив, от неожиданности сомкнула их еще крепче. И тут, будто в унисон с внезапной дрожью во всем теле, раздался звонок входной двери, и Эдик, улыбаясь, отступил в тень, сделав шаг назад.

На пороге стояли Маша с Игорем. У Игоря в руках был полиэтиленовый пакет из ближайшего супермаркета, не иначе как Ника дала мужу список покупок. Маша держала перед собой букет из зеленовато-белых, совсем не раскрытых тюльпанов, но, лишь увидев Ксюшино раскрасневшееся лицо, смущенно опустила их плотно сомкнутыми бутонами вниз.

— Мы не вовремя? — спросила она тихо вместо приветствия. Но Игорь уже шагнул вперед:

— Как это не вовремя, мы же договорились!

Ксюша растерянно кивнула: и правда, договорились, только вот заставший ее врасплох поцелуй... А Игорь уже громогласно поздравлял ее с выздоровлением.

— Умница, ела много кальция, — он прошел вперед. — Ника поручила купить тебе творога, фруктов и... — И тут он осекся, увидев в комнате, в центре солнечного квадрата, Эдика — абсолютно непринужденного, светского, в этих его ярко-желтых, прямо-таки сияющих брюках.

— И — добрый день, — закончил за него Эдик, протягивая руку для рукопожатия. — Я Эдуард, буду тут дизайнером. Пока холодильника для творога еще нет, но, насколько я понял планы хозяйки (а Ксения снова порозовела — она успела немало порассказать Эдику в больнице о своих планах), он скоро появится.

— Э... — растерянно обернулся на Машу и Ксению Игорь. — Очень приятно. Игорь. Муж подруги. Ну, и тут тоже, кхм, помогаю... — он еще больше стушевался. — По одному делу.

Маша спасла его от неловкости, тоже подойдя знакомиться: очень приятно; вот она, как глупо, решила подарить выздоровевшей букет, а тут же не только холодильника, но ведь и вазы-то, наверное, нет. Однако они с Эдиком быстро придумали, что можно закрыть в страшноватой, еще коммунальной эпохи ванной слив и, напустив туда озерцо холодной воды, спасти цветы от увядания.

— Да, — объяснял всем троим Эдик через несколько минут, когда они расселись на широком подоконнике в самой большой комнате, — конечно, это не лучший вариант — ремонтировать и жить в той же квартире. Но! Даже тут есть свои плюсы: учет и контроль надо всем происходящим, участие в увлекательном процессе превращения замызганной коммуналки в чудный новый мир.

Эдик сверкал глазами, жестикулировал, Ксения с удовольствием отметила, насколько он увлек своими дизайнерскими планами и строгую московскую

Машу, и совершенно далекого от стиля историка Игоря: восстановленный дубовый паркет, игра с белым цветом — но всегда разным, от легко-кремового до цвета слоновой кости в отделке стен, расширенное за счет чулана и части кухни пространство ванной комнаты, в которой окажется окно...

Ксения все больше понимала, что ей повезло, ужасно повезло, какое-то волшебное стечение обстоятельств, словно счастливая волна, несшая ее с момента получения приза в Монреале и оборвавшаяся с бабкиной смертью, снова набирала силу, и он — этот мужчина со смеющимися глазами и в ярких брюках — был ее символом, радостной меткой.

— Что ж, — сказал Эдик и с мальчишеской легкостью спрыгнул с подоконника, — пора и честь знать. Вы же, наверное, поговорить пришли, а я вам совсем голову задурил своими дизайнерскими байками.

И посмотрел на Ксюшу так, что она сразу поняла, о чем он подумал, и вновь порозовела, аки майская роза.

— Не провожай меня, — остановил он ее попытку доковылять до двери. — Всего хорошего, приятно было познакомиться, — обернулся к Маше и Игорю. А потом подмигнул Ксении и поцеловал ее еще раз — на прощание. Но теперь — в щеку. Что продлило румянец еще минуты на две, за которые Эдик успел выйти за дверь, Игорь раскрыть свою кожаную сумку на молнии и вынуть документы, а Маша как-то весьма выразительно на Ксюшу посмотрела.

— Ладно. Перейдем к делу, — Игорь разложил на коленях и рядом фотокопии документов. — Вот мой улов из архива. По-моему, я напал на нечто интересное. И про кого, как вы думаете?

Он выдержал выразительную паузу, а потом, добившись от своих слушательниц максимального внимания, объявил:

— Про чету Коняевых.

АЛЛОЧКА. 1959 г.

> От коклюша, от ангины,
> От веснушек на лице,
> Рыбий жир,
> таблетки хины
> И, конечно, витамины –
> Витамины:
> «А»,
> «В»,
> «С»!
>
> *Сергей Михалков,*
> *Чудесные таблетки, 1960 г.*

Аллочка заболела. Горлышко. Мама сказала — подцепила заразу в детсаду. Папа сам пришел за ней в садик — он, когда возвращался со своей железной дороги, всегда за ней приходил. Аллочка тогда со всех силенок бросалась к нему на руки, а он крепко прижимал ее к себе, делал маленькие «поцецуйчики», много-много: и в щечку, и в шейку, и в глазки, и в носик. Папа никогда не опаздывал, а мама забегала в садик самой последней, когда других детей давно разобрали. Влетала красная, когда Аллочка уже сидела в углу, заливаясь тихими слезами. Больше всего она боялась, что мама забудет о ней, оставит тут. И тогда нянечки Нина и Тата, добрые и толстые, переглянутся, фыркнут, как кошки: «Надоело! Сколько можно!» Оденут ее в беличью шубку, капор из овчины на лентах, колкий шарф и оставят одну на крыльце садика — дожидаться мамы в темноте. А она будет бояться, даже плакать, держать навытяжку, как солдатик, рукой в варежке свою лопатку и смотреть строго вверх, чтобы слезы не вытекли и не замерзли на ветру, смотреть туда, где качается на фоне черного неба желтый фонарь... Мама в тот вечер все-таки за ней пришла, схватила за руку, потянула за собой, ругала воспитательниц, что-то говорила про работу. Но Аллочка знала, что дело не в работе. Папа же тоже работает. Просто она маме не нужна. Папе Аллочка по его возращении «с поезда» так и заявила: возьми меня с собой в вагон младшей проводницей, я тебе помогать буду. А то вдруг мама меня снова забудет? И папа посмотрел на маму, которая сидела рядом, полировала ногти — у нее очень красивые, розовые ногти, — мама закатила глаза — мол, детские глупости! А папа только и сказал: «Зина». И мама больше так не опаздывала, чтобы Аллочку оставляли одну в темноте.

А сегодня папа лишь взял ее на руки, и «поцелуйчиков» не понадобилось:

— Ты вся горишь, Аллочка. — И поворачивается к Нине и Тате, а они смотрят на него свысока (папа у нее маленький): у нас в группе двадцать детей, всем температуру мерить?

Папа несет ее домой на руках — она легонькая, так папа говорит, прижимает к колючей щеке. Аллочке и колко, и сладко. А папа, как поднялся в квартиру, сразу стучится к дяде Коняеву-доктору.

— Андрей Геннадьевич, не посмотрите девочку? У нее жар.

— Конечно, Анатолий Сергеевич, раздевайте ребенка, я пока руки помою.

Пока папа стягивает с нее колкие рейтузы и валенки, разматывает шарф, мама сидит перед трюмо — снимает ваткой тушь с ресниц. С тушью очень интересно: туда, в черную коробочку, надо поплевать, потом поводить щеточкой и намазать на глаза, еще и еще один слой; тогда ресницы у мамы становятся, как у куклы. Казалось, каждую можно сломать, как сухую травинку в инее.

— Хватит уже у них обязываться, — говорит мама. — Завтра прекрасно сходили бы в поликлинику. Поставим горчичники, ноги попарим, вот и...

— А если ночью температура подымется? Нет. Пусть сейчас доктор посмотрит, — не соглашается папа.

А ведь обычно папа маме уступает: если она хочет летом прогуляться в ЦПКиО на танцы или требует все новые отрезы, чтобы пошить себе в ателье платьев. Столько платьев, сколько у ее мамы, нет ни у кого. Даже у тети Лали. И крепдешиновые, и из жоржета, и из муара, и из панбархата, и бархата-на-шифоне. Аллочка обожает, когда мамы нет, забираться в свой «домик» — платяной шкаф и прижиматься щекой к нежным тканям. Аллочка даже однажды подслушала на кухне, когда между тетей Верой и тетей Галей вышел такой разговор.

— Балует он свою Зинку почем зря, — тетя Галя бодро шинковала лук, скидывала луковую слезу тыльной стороной руки.

— Вполне естественно, — мерно помешивала на сковородке мясо с капустой для ленивых голубцов тетя Вера. — Молодая красивая женщина.

— Вот именно что! Взял молодку, а теперь расплачивается! Сам-то он: от горшка два вершка, глазки косят, волосенки реденькие, не мужчина, тьфу — поглядеть не на что!

Аллочка, игравшая с куклой Амалией на маленькой скамеечке у окна, замерла: папа некрасивый? Не может быть!

— Да разве в этом счастье? — попыталась урезонить соседку тетя Вера. — Но, знаете, она совсем не хозяйственная. Ходит в домовую кухню. Там обеды — по два двадцать! Кто это может себе позволить?! И ладно бы цены, но ведь и закуска, и второе — все мясное. Ничего овощного.

— Ха! А ей, профурсетке, готовить самой некогда, вон она как хвостом вертит, едва муженек...

Тут они наконец заметили Аллочку и резко замолчали.

Аллочка вспоминает про это, когда видит, как мама вынимает шпильки из прически и встряхивает головой: густые русые волосы и правда были как хвост. Лисичкин? — задумывается Аллочка. Мама очень ухаживала за волосами, полоскала в отваре льняного семени, смачивала, накручивая на бигуди, соком лимона. А остатки сока смешает со сметаной и мажет на лицо... Но тут папа берет Аллочку на руки и несет к соседям.

У соседей Коняевых в комнате царит сервант с зеркалом посередине. Аллочка запрокидывает голову, чтобы посмотреть на чашки в бело-синюю розочку, видные за ребристым стеклом. Еще в серванте стоят китайская ваза, две рыбки на хвостиках и прозрачное сверкающее блюдо — Аллочка знает, его зовут хрусталь. Хрусталь — чтобы не блестел, решает Аллочка — прикрыт вязаной из белых ниток салфеткой. Тетя Вера — тяжелая, в вечной коричневой кофте с идеально накрахмаленной белой блузкой, волосы туго обтягивают большую голову, из-под волос виднеется белый череп — завораживает Аллочку большой бородавкой на щеке. У тети Веры — это Аллочка знала от мамы, когда та упрекала папу, что они «бедно живут», — есть тети-Верино норковое манто. Оно хранится в шкафу в комнате — обычно Аллочка просит его погладить, не без опаски протягивая ладошку сквозь створки платяного шкафа.

— Откуда у нее такая вещь? — удивленно поднимает тонко выщипанные брови мама, когда речь заходит об этом непонятном «манто». — И зачем оно ей — все равно всю зиму ходит в древнем пальто на ватине!

Еще тетя Вера коллекционирует фарфоровые фигурки: девушка с конем, мальчик с собакой, лыжник, девочка с курочками. А на подоконнике у нее в три ряда стоят горшки с цветами: хищное алое, скучный фикус и бархатные фиалки. Аллочка знает, что тетя Вера их «подкармливает» сахарным песком и касторовым маслом. Аллочка рассматривает цветы, пока доктор — уютный небольшой человек с шишковатым лбом — говорит ей: дыши — не дыши, прикладывает щекотно-холодную трубку к животу и щупает за ушками. Папа выжидающе сидит рядом, почтительно молчит. На стол он положил мандарины — гостинец, который привез с железной дороги. Аллочка несколько раз хрипло говорит: «Аааа». Наконец доктор откладывает на блюдечко палочку, которой нажимал Аллочке на язык.

— Боюсь, это скарлатина, — говорит он папе, а папа так бледнеет, что доктору приходится похлопать его по плечу. — Ничего-ничего, все дети через это проходят.

Он пододвигает к себе рецепты, а тетя Вера тем временем одевает Аллочку, потому что папа слушает доктора, не отрывая глаз от его губ, и кивает, как болванчик.

— Какая ты красивая девочка, — говорит тетя Вера, застегивая на ней вязаную кофточку. — Глазки синие, и эти локоны. Вот бы мне такую девочку...

Аллочка с удивлением смотрит на тетю Веру — ей кажется, что та сейчас заплачет. Да зачем ей такая девочка, как Аллочка? Она же старая! Но нет, тетя Вера не плачет, она глядит на доктора, и доктор на секунду перестает объяснять про лечение и тоже смотрит на тетю Веру, и лицо у него, как у дворового кота Васьки, когда того ловят на воровстве: гуляя по карнизу, Васька научился стягивать вывешенный за окно на мороз говяжий фарш. А тетя Вера начинает, чуть подвывая, читать Аллочке вслух стихи — она часто так делает, потому что она учитель литературы.

«Все серые, карие, синие глазки –
Смешались, как в поле цветы.
В них столько покоя, свободы и ласки,
В них столько святой доброты!»

— Это поэт Некрасов, — говорит она, погладив Аллочку по голове. — Иди к себе, моя хорошая.

Папа протягивает Аллочке руку, в другой крепко зажаты бумажки от доктора. Аллочка идет за ним, но перед дверью оборачивается. И видит, как доктор пытается взять тетю Веру за руку, а она руку вырывает. И еще они говорят друг с другом неслышными голосами, будто шепчут, а на самом деле — и не шепчут, только губами двигают.

Аллочка приходит к себе в комнату: мама сидит перед зеркалом и, держа сложенную жгутом мокрую салфетку, бьет себя под подбородком. Ей почему-то кажется, что подбородков у нее два. Со вторым она упорно борется. До Аллочки долетают лишь мелкие капли — она слизывает одну с губ, соленую и кислую. Мама добавляет в воду уксус с солью. Пока мама бьет себя снизу вверх по шее, а папа рассказывает про лечение, Аллочка старательно пытается воспроизвести перед зеркалом то самое движение губ. И получается, доктор сказал беззвучно: «Прости меня». А тетя Вера, вырвав руку, ответила: «Никогда».

МАША

Маша с удовольствием отметила, что, похоже, Ксения не зря попала в больницу — приобрела там, как выразилась бы бабка, «кавалера». Кроме того, двойная удача: кавалер оказался дизайнером по интерьерам, и теперь эта тяжелая история, связанная с квартирой, как-то сдвинется с места в положительном плане.

Если повезет, все на радостях забудут о том старом преступлении, в котором чем дальше — тем запутаннее. И хотя Маша понимала, что шансы отыскать убийцу из 1959-го, прямо скажем, стремятся к нулю, она против собственной воли уже зашла в эту эпоху, как Алиса в Зазеркалье: медленно переворачивала газетные страницы в архиве. Черно-белые фото, но цвета все равно угадываются.

Вот только что сданные в эксплуатацию новенькие станции метро — уже в граните, не в мраморе — без византийских излишеств, свойственных первым линиям послевоенной поры.

Вот кумачи на Невском, на проезжей части почти нет машин. А на широких тротуарах среди прохожих непривычно много военных.

А еще — мужчины в габардиновых плащах, широких брюках с отворотами и кепках. Женщины в платочках и вязаных кофтах, девушки в платьях с развевающимся широким подолом.

Грузовики с солдатиками. Автомобили, блестящие, как игрушки, стильные — «ГАЗ-21», «Победа».

Бегают трамвайчики с плоской мордой и белой полосой на боку.

На Обводном канале густо дымят высокие заводские трубы.

Машины глаза выхватывали детали, не свойственные современному быту: чемоданчики в руках у командировочных у Московского вокзала. Новенькие сталинские высотные дома с колоннами и гербами, перед ними — памятник Ленину (Сталина уже убрали, но он еще там, дрожит в весеннем воздухе, страшный призрак), клумбы, усаженные мелкими красными цветами, — бегония? Покрытые белой краской, похожие на чаши, урны.

Маша втягивает носом воздух, ей даже кажется, что она чувствует запах: пахнет прибитой поливальной машиной мокрой пылью, горькими, едва распустившимися тополиными почками, свежим ветром с Невы. Надпись на доме: «При запахе газа звоните 04». Только что высаженные тонкие деревца тянутся к чахоточно-нежному солнцу в Парке Победы — они будут хорошо расти. Маша помнит Любочкины рассказы: в этом месте в блокаду стоял кирпичный завод-крематорий, почва удобрена прахом, но об этом забудут еще лет на пятьдесят, тсс... Пусть приходят сюда пионеры на майские субботники, девочки — обметать метлами дорожки, мальчики — вскапывать газоны. И на Аллее Героев — пусть цветут розы, красные и желтые.

А на набережной Красного Флота (Английской) пришвартован атомный ледокол, а на Дворцовой стоят с удочками. А в кинотеатре «Колизей» дают «Войну и мир». И так хочется попасть туда, в ту коммуналку на Гривцова, хоть на один вечер, притаиться в коридоре и смотреть, как вернется с работы Пирогов. Тщательно вытрет ботинки, снимет пальто, шляпу, промокнет платком вспотевший лоб и чисто выбритую голову, огладит рыжеватые усы перед зеркалом в коридоре. Ощупает в кармане мясной «презент» для семьи, быстро оглянется. Начнет насвистывать «Легко на сердце от песни веселой» и скроется за дверью своей комнаты. Затем — быстрый перестук каблучков Лали Звиадовны: легкий светлый плащ клеш, шлейф французских духов, тонкий шелк чулок на изящной щиколотке — королева, закройщица элитного ателье «Смерть мужьям», вершительница самых сладких грез замученных бытом советских женщин. В дверях ее встречает — в халате поверх белой сорочки и домашних брюк — муж: красавец, тенор, сейчас как раз распевается: «Куда, куда, вы удалились». Ему скоро уже на спектакль. Тамара сидит за столом, отгороженным от кровати тяжелым буфетом, делает вид, что решает алгебру, склонившись утяжеленной косами головкой над учебником, а на самом деле — пишет дневник. Да, надо спросить ее — записывает себе в блокнот погруженная в несвойственные ей мечтания Маша, — не вела ли? Тихо, почти неслышно открывается дверь — это вернулся с дежурства в больнице Коняев, доброжелательный доктор. Да... С Коняевым, как выяснил в архиве Игорь, были вопросы.

— Начнем с самого интересного — с его брака с Верой Семеновной, — произнес с горящими глазами Игорь вчера на квартире. Он «взял след». — Знаете, какая у нее девичья фамилия?

Маша и Ксюша одновременно покачали головами.

— Коняева! — торжествующе воскликнул Игорь, подсунув им бумажку. — И что это значит?

— Что у них одинаковые фамилии? — Ксения после ухода поклонника еще не полностью пришла в себя.

— Что он взял фамилию жены. — Маша отдала бумагу обратно. — Что не так с его собственной фамилией?

— Его фамилия была Кауфман.

— Еврейская? — нахмурилась Ксюша.

— Хуже. Немецкая. Хуже в ту эпоху, предвоенную, когда Андрей Геннадьевич женился на Вере Семеновне.

— Хочешь сказать, — усмехнулась Маша, — он женился на ней ради фамилии?

— Ха! — самодовольно хмыкнул Игорь. — Могло быть и так. Вполне себе банальная история. Вспомни тех же Бенидзе — садовников, пригревших на своей груди девушку из рода Амилахвари! Чаще всего фамилию меняли все-таки барышни. Но и обратное тоже случалось. Однако в нашем случае все намного более загадочно, вы следите за руками. Итак. Вера Семеновна вышла замуж и, не захотев превратиться в Кауфман, сохранила девичью фамилию. Оно и понятно. А вот муж ее поначалу так и остался Кауфманом. Более того, у него было другое отчество — Генрихович. Андрей Генрихович Кауфман. И из юношеской гордости отчество он тоже не поменял, а в начале войны попросился добровольцем на фронт. Ну, тут ясно почему — чтобы никто косо не смотрел. Люди же не в курсе, что Кауфманы живут в России ажно с петровского царствования, третий век подряд.

— Подожди, — медленно сказала Маша. — Я запуталась. Получается, что человека, женившегося на Коняевой до войны, и человека, живущего с ней в коммуналке на Грибоедова, объединяет только имя, и то, кхм, весьма распространенное — Андрей?

— Нет. Не только, — Игорь вновь полез в папку за фотокопиями документов. — Еще и лицо на фотографии. Глядите.

Ксюша и Маша уставились на две черно-белые карточки: на первой — молодой мужчина с усами, на второй — обмякшее с возрастом, чисто выбритое лицо, уже знакомое им по любительским снимкам с коммунальных сабантуев. Несомненно, один и тот же, просто постаревший, человек.

— Он? — спросил Игорь.

Маша кивнула. А Игорь усмехнулся и вытащил из рукава явно козырную карту:

— А вот и не он! Потому что Андрея Генриховича убили. И очень быстро. В первые месяцы погибло 345 тысяч. Гитлер, начиная кампанию против СССР, говорил: «Через три недели мы будем в Петербурге». А командование Ленинградского военного округа вообще не предполагало в случае войны появления этого направления. Каково? Одним словом, полная растерянность и неразбериха. И тут, выполняя указания Ставки, Военный совет фронта создает Лужскую оперативную группу из стрелковых дивизий и трех дивизий народного ополчения. Кауфман оказывается в одной из трех дивизий народного ополчения. И дальше его имя фигурирует в списках погибших в боях за Лугу.

— Я ничего не понимаю, — Ксюша беспомощно переглянулась с Машей.

— А в списках врачей, эвакуированных из Ленинграда, его, напротив, не оказалось, — Игорь, приподняв очки, почесал переносицу. — Но списки эвакуационных комиссий неполные. Эвакуировали всего около полутора миллионов человек, часто в спешке, по одной эвакуационной карточке выезжала вся семья, соседи и знакомые. Некоторых до сих пор ищут родственники. Почему я это стал проверять? Да потому, что компьютер по запросу на Коняева выдал мне некий листок — приписку из Саранской городской больницы. Уже на новую фамилию и отчество. По приписке Андрей Генрихович работал в Саранском госпитале с 42-го по 44-й год. Я на всякий случай связался с тамошним городским архивом — к 70-летию Победы мы наконец сподобились сделать общую электронную базу данных, но не все еще успели...

— Игорь, не тяни! — Ксения сидела, ерзая от любопытства.

— Нет, девушки, вы, похоже, даже не понимаете! Мы действительно сейчас можем проверить то, что раньше, в общей бумажной путанице, и проверке-то нормальной не подлежало! Кто бы стал выяснять по архивам разных регионов про этого Генриховича, если, конечно, не задался целью его посадить... А теперь выводи все данные и смотри себе спокойно, что некий человек по фамилии Кауфман и отчеству Генрихович ушел в ополчение в 41-м, погиб в том же году в сентябре, а в 44-м уже восстал из пепла как Коняев и Геннадьевич, вернувшийся из эвакуации врач. И стал жить-поживать и добра наживать со своей женой, учительницей русского языка и литературы.

— Значит, никаких сведений о нем в Саранске? — уточнила Маша.

Игорь покачал головой:

— Никаких, и это за три года.

— То есть справка — липовая?

Игорь кивнул.

— Думаешь, попал на оккупированные территории?

— Или дезертировал. Теперь уж не узнаешь. Зато я почти уверен, что в курсе, где он провел эти неполных три года.

— Господи, как? — Ксюшины округлившиеся от удивления глаза делали ее еще больше похожей на птицу.

— Лет через пять после интересующих нас событий, в 60-х, бездетный Коняев усыновил молодого человека. Некоего Михаила 1942 года рождения, уроженца деревни Каменка. Подозреваю, что мать последнего, Стребкова Агриппина Ивановна, 1921 года рождения, и помогала Генриховичу укрываться в войну. А иначе с чего бы ему усыновлять взрослого лба?

Маша слушала, задумчиво глядя в окно.

— Вы хоть догадываетесь, что я вам тут откопал? — Игорь отложил папку в сторону.

Ксюша молчала, а Маша кивнула:

— Да. Похоже, мы впервые нащупали тайну, ради которой можно убить.

КОЛЬКА. 1959 г.

— Отвори!
Нечего копаться,
Ну-ка, быстро, мелкота,
Разбегайся кто куда!
Я пришел купаться!
Баня,
Галина Лебедева, 1960 г.

Сегодня — банный день. В баню у нас в квартире ходят все, кроме Аллочки, она совсем маленькая, ее моют в ванне. Мы с братом берем таз, свой веник и смену чистого, готовим 34 копейки на двоих и отправляемся стоять в очереди. Мы — самые молодые в квартире — занимаем сразу на всех. Когда подходит следующий и спрашивает: «Кто последний?» — рапортуем: «Мы двое и с нами еще девять человек. Пятеро в женское, четверо в мужское». Рядом стоит Витька — он тоже занял на всю свою коммуналку. Очередь часа на два еще, ближе к заветной двери успеем добежать до дому, крикнуть своим со двора: пора! А пока — Лешка читает стоя книгу на своем английском, а мы с Витькой болтаем о том о сем. Я хвастаюсь, что меня подстригли на Рубинштейна — в парикмахерской. Обычно снимали все «под нуль», а в этот раз брат водил — усмехнулся, говорит: давайте с челочкой. Других-то стрижек все равно нет.

— Машинкой стригли? — завистливо вздыхает Витька — его-то мать сама бреет папкиной опасной бритвой. Иногда до крови доходит. Случайно — Витька сильно брыкается. У него с этой бритвой плохие отношения. Папка его точит бритву о ремень. А потом тем ремнем лупит — за любую провинность.

— Да. Затылку холодно было. А так — приятно, — говорю я и снимаю ушанку, чтобы продемонстрировать прическу.

— Лысый, сходи пописай! — беззлобно дразнится Витька, но я не обижаюсь: какой же я в этот раз лысый-то? А чубчик? — Ну что, в лямочку?

Я вопросительно смотрю на брата — он кивает. Мы отходим на пару шагов от переминающихся в очереди граждан. Лямочка — игра не зимняя, но Витька без своей лямочки — обернутой в носовой платок плоской свинцовой битки — из дома не выходит. Суть в том, чтобы подбросить лямочку и поддавать ногой, не давая упасть — кто сколько сможет. Я однажды добрался до двадцати. А Витька — вообще ас. Я смотрю, как лямочка взлетает в воздух, считаю — один, два, три. Витька это делает так легко — загляденье! Да еще и болтает при этом.

— Я тут (четыре, пять) чужую тетку какую-то видал в вашей комнате в среду (шесть, семь).

— Какую тетку? — Не особенно вникая, слежу я за взлетающей лямочкой и одновременно вытираю колючей варежкой текущую из носа каплю. — Мама в среду дежурит на своей электростанции.

— Так это и не она была. Сидела перед зеркалом (двенадцать, тринадцать), такая — с губами.

Я хмурюсь:

— Уверен, что это наша комната?

— Так с чердака другой и не видно. — Пам! Лямочка падает в снег, и Витька, расстроенно мотнув головой, поднимает ее, отряхивает и передает мне. — Красивая. Глаза — во! И рот в помаде.

Я верчу в руках лямку:

— Брешешь. Кто к нам в комнату может зайти, чтобы никто не заметил? Ксения Лазаревна-то всегда дома.

— Вот те крест! Честное пионерское!

Я замечаю, что Леша оторвался от книги, улыбается краем рта, потом оглядывает оставшуюся впереди очередь — пора вызывать остальных. Мы несемся к трамвайной остановке: Витька, не будь дураком, привязывает к валенкам «снегурочки», подмигивает мне и цепляется крюком к остановившемуся на светофоре грузовику. Тут и трамвай подходит. Я заскакиваю на колбасу. Обидно — ясно ведь, что Витька прикатит раньше меня. Подъехав к дому, первым делом гляжу на чердак напротив — Витька прав, оттуда наша комната видна как на ладони — сам смотрел. Бегу по лестнице и звоню много раз — это значит, побудка, выходите все.

— Баня! Очередь! — задыхаясь, говорю я выбежавшему в одних штанах Пирогову и тете Лали, которая сталкивается с ним в коридоре — бигуди на голове.

Дядя Леша хватает ее за талию:

— Успокойтесь, Лали Звиадовна, это у нас так принято: бери шайку, бери веник, собирайся на омовенье! — фальшиво поет он на мотив пионерской речевки: «Бери ложку, бери хлеб, собирайся на обед!»

Тетя Лали наконец высвобождается, поправляет на груди халат:

— Простите, я и правда испугалась — думала, военная тревога.

— Быстрее! — напоминаю я им, потому что они, похоже, собрались играть в гляделки. И оба скрываются в своих комнатах, а из кухни выходит Леночка и улыбается мне своей странной улыбкой: вроде лыбится, а все равно — неприятно.

— Слушай, — вдруг вспоминаю я. — Ты не видела, в среду к нам в комнату не заходила чужая женщина?

Она на секунду задумывается, дергает острым носиком, будто вдыхает воздух, вспоминая. И наконец кивает.

— Не заходила, — говорит она. — Выходила. Я ее видела. Быстро надела платок и вышла.

— Она надела мамин платок? — переспрашиваю я, а Леночка кивает и смотрит на меня, не моргая. — Не могла она только выходить, — возражаю я. — Не привидение же она!

Леночка опять делает вид, что что-то припоминает, а потом кивает:

— Нет, эта — не привидение.

— Привидений не бывает, — снисходительно объясняю ей я.

— Бывает, — заявляет она, прикрывая прозрачные веки. — Я сама видела.

— Ага, конечно! Прямо в нашей квартире. — Что с ней, мелюзгой, разговаривать-то! Нарассказывают себе в садике страшилок про черную-черную руку и про дистрофика, вот и...

— У нас в квартире живет еще одна девочка, — кивает Леночка, глядя на меня очень серьезно. Так серьезно, что мне становится не по себе.

— Да? И как она выглядит? — спрашиваю я, криво усмехаясь.

— У нее две черные косички и красные ботиночки, — спокойно отвечает Леночка.

И тут мы слышим какой-то звук, вроде «Кхр...», и хором оборачиваемся. И видим, как, с ужасом глядя на Леночку и прижав руку к сердцу, на стул в коридоре валится старушка Ксения Лазаревна.

МАША

Маша легко отыскала дачу Алексея Ивановича — уже много лет, объяснил он ей еще на кладбище, он снимает государственный домик в поселке С. Часть поселка, прилегающая к железнодорожному полотну, была спланирована почти с нью-йоркской геометрией: четкие квадраты ограничены асфальтовыми дорожками. Деревянные, абсолютно одинаковые домики раскрашены в разные цвета с номерами по бокам. Улицы лучеобразно сходились к небольшим круглым прудам, покрытым сейчас тонкой ледяной слюдой. Ночью температура упала, Маша поддалась Любочкиным уговорам на дополнительную шерстяную кофту и теперь, разглядывая странный поселок, вспоминала бабку с благодарностью. Любочка и рассказала ей, что С. — известное курортное местечко, куда с начала 80-х селили блокадников и ветеранов, эдакий клуб по интересам. Попасть туда было сложно — блокадников и ветеранов оказалось много больше, чем аккуратных домиков. С перестройкой многие домики выкупили люди, к ветеранам имеющие весьма приблизительное отношение. Был ли Лоскудов «ребенком блокады» — производила в уме несложные подсчеты Маша и понимала: мог быть. В любом случае она сюда приехала за более поздними воспоминаниями — Алексей Иванович передал ей ключ от дачного домика и растолковал, где стоит шкаф, куда он сложил коробки с многочисленными Колиными фотографиями.

— Вряд ли вы найдете там что-нибудь интересное, — сказал он Маше. — Коля был безумно увлечен, щелкал все подряд: дворовую кошку, лавку в коридоре под общим телефоном, отражение в окне. Всякую белиберду, которая ему казалась ужасно важной и красивой, а нам с матерью — сплошным переводом пленки и расходных материалов.

Но Маша все равно надеялась — потому и приехала сюда, а сейчас сверила номер домика с цифрами, записанными в мобильнике. Все верно. Она на месте. Заборов в поселке не было — лишь неглубокая канава в пожухлой траве отделяла маленький клочок земли перед домом от асфальтовой дорожки. Прозрачный воздух чеканными кастаньетами вспорол сорочий стрекот. Маша повернула ключ и вошла на веранду — в доме оказалось холодно, но запахов, свойственных запертому на зиму помещению, не чувствовалось. И, оглядевшись, Маша сразу поняла — почему. Одна из тонких деревянных створок веранды была выбита, крупные осколки стекла поблескивали там и сям на полу. Похоже, косые осенние дожди лились прямо на простенький холщовый коврик — доски под ним вздыбились от влаги. Маша нахмурилась: обстановка в домике самая спартанская, ворам «ловить» тут явно нечего. «Может, бомжи или сельская молодежь забралась погреться? Надо предупредить Алексея Ивановича: нельзя оставлять дачу в таком виде на зиму», — думала Маша, открывая дверцу стоящего прямо на входе массивного шкафа. Внизу, — пояснил Алексей Иванович, — старая обувь. А начиная со второй полки — коробки с карточками и негативами. Вот и они — Маша протянула руку и взяла первую, плоскую, оклеенную чем-то вроде коричневого кожзама. Та показалась ей очень легкой, и неспроста. Она была пуста. Одну за другой Маша вынимала коробки, помеченные на боку фломастером с римскими цифрами: I, II, III, но все они были начисто лишены содержимого. Что за чертовщина? Маша растерянно опустилась на деревянную, явно «домашней», любительской сборки, табуретку. Вряд ли Алексей Иванович забыл, где хранил фотографии младшего брата. Не похож он и на сомнительного шутника, отправившего столичную штучку прогуляться по пригороду в поисках несуществующих черно-белых снимков. Да и само присутствие коробок для негативов свидетельствовало скорее о другом. Она вновь взглянула на дыру в легком каркасе летней веранды. Нет, помотала Маша головой, это уже, простите, ни на что не похоже! Паранойя. Забраться сюда, чтобы выкрасть — как там сказал

Алексей Иванович? — фото кошки и отражение в окне? На всякий случай Маша толкнула дверь, ведущую с веранды в комнату. Дверь была заперта, как и предупреждал ее старик Лоскудов. Значит, туда воры не заглядывали. Она снова сложила коробки одну на другую, прикрыла дверцу шкафа и вышла на крыльцо.

Поглядела на соседний, точно такой же домик, голые сиротливые березки, на одной из которых притулился полусгнивший скворечник. Вздохнула, медленно спустилась по ступеням, неясно зачем пошла вокруг дома — с обратной стороны дачки участок оказался чуть побольше: метров за пять, создавая естественную границу с другим соседом, шевелили тонкими черными ветвями те же березы и пара легких молодых сосен. Маша сделала несколько шагов по хрупкой мертвой траве. Под одной из берез она увидела широкий пень, а перед ним — старое кострище.

«Возможно, Алексей Иванович не любит мангалов и разводит для шашлыка костер? — размышляла Маша, продвинувшись еще на пару шагов вперед. — А возможно...»

Тут Маша опустилась на корточки и нахмурилась, вглядываясь в омытый дождями пепел. Вынула руку из кармана и потянулась к темным твердым углям, чтобы вынуть обугленный клочок фигурно обрезанной плотной бумаги размером не больше сантиметра. Выложила его на бледную ладонь: по клочку диагонально шла темная полоса — отражение? Кошачья спинка? Маша встала, сжала пальцы в кулак, сунула руку обратно в теплый карман. Вздохнула. Как бы то ни было, Алексей Иванович ошибся. Что-то оказалось интересным в снятых его братом пятьдесят лет назад фото. Настолько интересным, что полстолетия спустя их следовало уничтожить.

КСЕНИЯ

Ксения задумчиво спрятала телефон. Это была Маша. Маша набрала ее из пригородной электрички: «Станция Белоостров» — услышала Ксения фоном к беседе и только приготовилась задать вопрос, а что, собственно, там поделывает московская гостья, как та, перехватив инициативу, стала вдруг выспрашивать подробности ее падения на служебной лестнице консерватории. Что было странно, поскольку Ксения отлично помнила, сколь мало интересовало Машу то падение сразу после — в больнице.

— Мы же решили, что это были два разных человека? — закусила она губу в некоторой растерянности. — Разве нет?

— Мы ничего не решили. Мы высказали версию, — строгим тоном поправила ее Маша.

— А теперь ты считаешь, что на меня все-таки напали? — Ксения перешла на шепот, потому что к ней в гости зашла мама и в данный конкретный момент пила чай за «походным», как Ксюша его называла, столом в комнате, оглядываясь по сторонам и делая вид, что не прислушивается к беседе.

— Ксения, я ничего не считаю. Просто хочу еще раз проговорить с тобой всю эту историю, — Маша помолчала. — Мне показалось, еще до нападения, что ты была чем-то испугана. Но я не задала тебе вопроса ДО — боялась спутать испуг с трауром по бабушке. И ПОСЛЕ — поскольку не хотела усугублять твое состояние.

— А сейчас? — Ксюша почувствовала, как сердце опустилось в пятки. Голос у Маши вдруг стал очень официальным. Профессиональным. И от этого она почему-то испугалась.

— А теперь я хочу, чтобы ты рассказала мне все, в деталях. Даже то, что, как ты считаешь, тебе показалось. Или привиделось.

— Послышалось... — тихо поправила Ксения, вспомнив шипение на лестнице.

— Что? — переспросила Маша.

За спиной нетерпеливо звякнула ложечка.

— Прости, я не могу сейчас с тобой говорить, — оглянулась на мать Ксюша. — Завтра...

И, положив трубку, в задумчивости вернулась к столу, где Нина, отщипывая малюсенькие кусочки от бочка зефирины, запивала ее несладким чаем — похоже, опять худела. Конечно, у нее же началась новая жизнь. Ксения почувствовала уже привычный комок раздражения в горле.

И, чтобы сменить направление собственных мыслей, похвасталась:

— А я нашла дизайнера.

— Молодец! — улыбнулась Нина. — Когда только успела?

— Не поверишь! — Ксения вкратце изложила историю романтического знакомства в больничном коридоре. Мать, продолжая щипать зефиринку, внимательно слушала.

— Боже мой, — вздохнула она, когда Ксения с гордостью поведала о мыслях Эдика о переустройстве ее жилища, упустив эпизод с поцелуем. — И, говоришь, берет недорого?

Ксения кивнула.

— Значит, чужой человек приходит к тебе в дом, ты даешь ему ключи... — Нина почти брезгливо отодвинула тарелку с растерзанной сладостью. — И тебя это не настораживает?

— Мама! — Ксения почувствовала, как горло опять перехватывает: как это матери удается такое с ней сотворить одним неловким вопросом? Вот бабушка бы никогда... Нет, нельзя сейчас вспоминать про бабушку... Она сглотнула. — Тебе не приходило в голову, что он может заинтересоваться мной, как, кхм, женщиной и поэтому... — она избегала смотреть на мать, — и поэтому, — добавила она через силу, — просит недорого?

Она наконец подняла глаза на Нину и увидела по ее лицу — нет и нет, такое ей в голову не приходило. Мать улыбнулась с наигранным лукавством, смахнула зефирные крошки с объемного бюста, встала: — Раз так, то — конечно. А как фамилия твоего Ромео, ты хоть знаешь?

— Соколовский, — сухо бросила Ксения, убирая со стола чайные чашки. — И да, у меня есть его номер телефона и адрес офиса. Он поделился со мной визиткой.

— Тогда все отлично, — мать погладила ее извиняющимся жестом по угловатому плечу. Они комично смотрелись вместе: тощий нескладный верзила и его стареющий Санчо Панса. Они плохо друг друга понимали. Но это ее мать. Другой у нее никогда не будет. Ксения неловко обняла ее здоровой рукой:

— Не волнуйся, мама. Я справлюсь с ремонтом. Я уже большая девочка.

— А что с рукой? — спросила мать, и Ксения поняла, что та имеет в виду: что с будущей профессией? Что с виолончелью, с деревянным идолом, которому отданы лучшие годы жизни? Что ни вопрос — то точное попадание в больное место. И ведь даже не старается — само выходит! Рассказать ли ей, как она просыпается по ночам в слезах, вспоминая своего страдивари, отданного обратно — пылиться в банковском сейфе? «Мы надеемся, когда вы снова возобновите вашу концертную деятельность... — сказал ей извиняющимся тоном страховщик. — Но сами понимаете, в создавшейся ситуации просто опасно держать такой инструмент дома». Или поведать, какой страх накатывает на нее при одной мысли, что больше — никогда? Никогда не притронется она внимательными пальцами к золотистому теплому дереву, к волшебным четырем струнам — ни тебе флажолета, ни тебе пиццикато...

— Поживем — увидим, — Ксюша пожала, как можно более независимо, плечами. — Ника зовет, пока не разработаю руку, в музыкальную школу. Это может быть забавно.

Мать уже открыла было рот, чтобы выдать очередной комментарий, но вместо этого лишь кивнула, с трудом застегнула на объемной груди дубленку.

Но перед самым выходом не выдержала:

— Будь осторожна, доченька.

Ксения улыбнулась в ответ, поцеловала пахнущую сладковатыми духами пухлую щеку в мелких морщинках и закрыла наконец за матерью дверь, а потом, прислонившись к ней спиной, закрыла глаза. Что-то мучило ее — то ли в словах родительницы, то ли после Машиного звонка. Что-то неясное. Шипящие звуки и шаги на лестнице, черный человек под дождем у канала и мать со своей глупой тревогой... Она прошла в комнату, открыла лежащий на кровати лэптоп и забила несколько слов в поисковике. Взяла в руки мобильный.

— Справочная.

— Я бы хотела навестить пациентку Соколовскую, первое травматологическое отделение. Она еще не выписалась?

— Как вы говорите? — на другом конце провода послышались легкие щелчки — это дама в справочном пролистывала на экране список пациентов.

— Со-ко-ловская, — Ксения ждала, ковыряя ногтем прореху на старых домашних джинсах.

— Таких нет, — наконец сказала дама.

— Может быть, в другом отделении? — сглотнула Ксения, чувствуя, как на нее наваливается обморочная тоска.

— Девушка, я только что проверила базу данных всей больницы. Таких у нас не лежит и не лежало. Ни сейчас, ни в последний месяц.

АЛЕША. 1959 г.

> В Ленинграде на базаре
> Мальчики дешевые,
> Три копейки с половиной
> Самые хорошие.
> *Ленинградская частушка*

Есть три способа: первый — печатать, второй — выдавливать толстой иглой, третий — вырезать канавку резцом, наматывая на центр пахучую целлулоидную стружку. Первый — это к Ленинградскому заводу грампластинок на Цветочной, дом 11. Называется «Аккорд». А наш способ — третий. Говорят, началась эта система вполне официально, еще в военные годы — в окопах солдатам нужна была музыка, а обычные пластинки Юрьевой и Козина бились. Пришлось записывать на мягких гибких пластинах. После войны аппараты для записи, часто трофейные (немцы этим тоже баловались), развезли по домам...

Репертуар у нас поначалу был тоже еще довоенный, Торгсиновский: джаз и танго, плюс с рижской фабрики — наши Вертинский и Лещенко. Это что касается производственной экипировки. А с сырьем вот что: целлулоидная пленка, отработанные рентгеновские снимки. Похожая на взмахнувшую крылами бабочку грудная клетка, длинные тонкие кости рук, челюсти в профиль и анфас. Мрачноватая коллекция, но в ней был свой стиль. Тут как? В конце каждого года снимки, хранившиеся в медкартах больных, по требованию пожарной безопасности следовало уничтожать, потому как целлулоид горюч, и тушить его очень сложно. Нам — приходившим за «костями» в поликлинику — радовались, как родным: да ради бога, вот архив, вытаскивайте, забирайте, самим меньше работы — не надо во дворе сжигать... Спасибо вам, ребятки! Выходит, с двух сторон — сплошная польза.

Ну а я попал в «писаки» из фарцы: однажды караулил в Зеленогорске у турмалийского баса (финского автобуса) «Matka» (недолгий опыт показал, что лучше их «бомбить» уже на подступах к Ленинграду, когда туристы еще не разобрались, что к чему). Профи в толпе вокруг автобуса смешивались с мальчишками из местных школ. Те меняли «пурукуми» — жвачку на открытки с видами «Авроры». Я же ждал более крупную рыбу — и дождался. Молодой белобрысый парень — как он мне объяснил, сам из этих мест, семья перебралась ближе к Хельсинки после Зимней, финской войны — продемонстрировал, зайдя за угол едальни «Волна», красочные конверты. Имена мне были незнакомы: Санни Берджесс, Билл Хейли и еще один — Элвис Пресли. К тому времени я и двух недель не профарцевал — но занятие мне показалось отвратительным, и это несмотря на явные успехи в английском. А тут вдруг — музыка. Меня будто кто-то невидимый толкнул в плечо.

— Сколько? — спросил я у финна.

С тех первых трех все и началось. С одной пластинки можно было сделать кучу «ребер». Производство мы наладили в Комарове, на одной из академических дач. Придавали целлулоидной пленке круглую форму, шилом осторожно проделывали дыру по центру. Ставили рядом проигрыватель и записывающий аппарат, включали оба. Дальше пластинки прокладывались листами газеты и — «Рентгениздат» отправлялся в свободное плавание, проносился на вечеринки и в подворотни рядом с Коктейль-баром, где и сдавался по рублю-два штука гражданам, жаждавшим иной музыки, чем Клавдия Шульженко. Я и сам не заметил, как увлекся. Нет, не заработком, хотя чувствовать себя стал намного увереннее. А музыкой. Музыка открывала новый мир. Она освобождала и задавала иной ритм всему, что меня окружало. К слову, об изменениях: один мой приятель — познакомились еще на Фестивале молодежи и студентов, Толя, по прозвищу Фокс, — приказал мне «прибарахлиться» перед выходом в фарцу, иначе спалюсь.

— Чувачок, — презрительно поковырял он пальцем мою куртку, — это ж сплошной «совпаршив»! Давай так: никаких «кулибиных» с липовыми «лейблами». Сведу тебя в места.

Места — это «комки» или комиссионки. Я-то, дурачок, и слыхом о таких не слыхивал. Туда иностранцы и свои, приехавшие с загранки, сбагривали фирменное тряпье. Самая знаменитая — на Загородном. Как зашел и увидел толкотню — все перебирают старые тряпки, — хотел сразу же уйти, но Фокс крепко держал меня под локоть:

— Подожди, салага! — И внушительно подмигнул полному розовощекому продавцу с бабьим лицом.

— Это Вася, — зашептал он мне жарко на ухо. — Запоминай. Если покачает головой, значит, дело швах, ничего интересного не «закопал».

Вася тем временем почти незаметно кивнул.

— Что значит, не закопал? — Мы с Толиком выдвинулись вперед, тот, не глядя, срывал с вешалок какие-то вещи.

— Закопать, чувачок, значит, приберечь что-нибудь стоящее специально для тебя.

— Друг твой? — Я еще раз посмотрел на Васю, который, казалось, совсем о нас забыл, что-то объясняя нервной женщине в узкой красной юбке.

Толик проследил за направлением моего взгляда:

— На баб потом будешь глазеть. А Васька мне не друг, вот еще, я ему каждый месяц парносы ношу.

— А? — я уставился на него совсем уж неприлично.

— Денюжки, кровные, трудовые, так понятнее? — зашипел на меня Толик, толкнув в освободившуюся примерочную. — Жди!

Я сел на табуретку, рассеянно посмотрел на кучу набранной Толиком, похоже, женской одежды. В соседней кабинке девушка быстро избавилась от ботиков, оставшись в чулках «нейлонках». Я замер — видна была только ступня — высокий подъем и тонкая щиколотка. Капроновые чулки, это знал даже я, были большой редкостью — и моя мать, и Пирогова пользовались хлопчатобумажными изделиями. А Лали Звиадовна однажды при мне попросила у Зины Аршининой пару светлых волос из ее гривы — заштопать дырочку. Ее собственные иссиня-черные для этой цели явно не годились. Услышав их обмен репликами на кухне, я тогда еще посмеялся про себя: вот же женская солидарность в действии, какие все-таки глупости! Но теперь мне было не до смеха — впору сглатывать слюну, глядя на ножку в соседней кабинке, вроде обнаженную, а все-таки не совсем.

— Простите, задержался с вашим размером, — услышал я высокий мужской голос. — Много народу, сами понимаете.

— Конечно, — это уже Толик, вальяжно. — Давайте наш размер.

Дверь в кабинку приоткрылась: Толикова рука появилась и снова исчезла, а у меня оказались те самые синие штаны, которые я видел на американских парнях на фестивале. Я не без труда их натянул.

— Малы, — сказал я Толе. — Брать не будем.

Мы шли по Невскому, и не было ни одного человека, который не проводил бы меня взглядом — кто завистливым, кто презрительным.

— Ты совсем дурак, чувачок, или прикидываешься? — шипел мне в ухо Толя. — Это же джинса, чувачок! Такие сейчас только моряки дальнего плавания и сынки дипломатов носят! Деним, мейд ин Америка!

— Они мне малы, — повторял я.

Толя только закрывал глаза, будто видеть меня было выше его сил:

— Через два дня, если захочешь, перепродашь мне. Деньги отдам.

* * *

Но продавать я их передумал, потому что на кухне в коммуналке пересекся с Зиной Аршининой — следуя примеру Лали Звиадовны, теперь все женщины нашей квартиры стали ходить в праздничного вида халатах: кто в бархатных, а Зина вот — в шелковом, типа кимоно. Очевидно, муж привез. В таком виде — хоть на бал. Однако сейчас Зина помешивает суп, и половник замирает у Зины в руках, стоит ей меня увидеть.

— Лешик! — говорит она, а надо заметить, до этого Зина меня не слишком замечала. — Откуда?!

Я молчу.

— Неужели фирма? — Наманикюренные пальчики пролезают сзади между рубахой и брюками, там, где к ним пристрочена кожаная заплатка. И я с отвращением чувствую, как краснею: вот же дурак! — Лейблы вроде свои.

Она приседает на корточки прямо передо мной. Я пытаюсь улыбнуться, но не могу, кровь горячими толчками все приливает к лицу, залив сполохами шею.

— Молния... — с уважением протягивает она и встает. — Молодец! Растешь!

— Леш, а Леш, — за всеми эмоциями я даже не слышу, как влетел на кухню Колька.

— Что тебе? — я наконец способен дышать. Зина возвращается, качнув обтянутыми шелком бедрами, к своей кастрюле. Колька, сам красный и тяжело дышащий, к счастью, не замечает моего смущения.

— Ты почему не в школе?! — строго спрашиваю я и, не удержавшись, снова искоса бросаю взгляд на полные руки с ямочками.

— Она... Там! — почему-то шепчет брат, показывая на коридор, и тянет меня за руку к нашей комнате.

— Кто — там?

— Та женщина! Я ее видел, целое утро специально сторожил на чердаке. Ленка говорит, может, это привидение, но я...

— Колька, что за глупости! — я начинаю злиться — не на Кольку, на самом-то деле, на себя! Надо раз и навсегда избавиться от этой слабости, в конце концов, мне уже почти семнадцать! Толик говорил, что в их компании есть «такие кадры, закачаешься! Чувихи — просто класс!» Подмигивал, намекая, что хотя «лучшие уже разобраны, и есть те, которые крутят динамо, но когда повезет...» Тут он облизывался, я морщился, и до конкретных сейшенов дело не доходило. Ну, лиха беда начало, — усмехаюсь я, глядя на свою обновку совсем другими глазами. Если все девушки на Толиковых сейшенах будут проводить такой же волнующий досмотр моих штанов, как Зина...

— Чужая совсем женщина! — возвращает меня в темноту коммунального коридора Колька. — Потом надевает материно пальто и уходит!

— Ладно, — я делаю шаг к нашей комнате. — Стой здесь и не высовывайся. Я разберусь.

И толкаю дверь. За столом, перед зеркалом, сидит женщина и вставляет шпильки в валик на затылке. По этому затылку я ее и узнаю, потому что лицо, отражающееся в зеркале трельяжа, густо напудренное, с черными глазами и ярким ртом, кажется мне в первые секунды совсем незнакомым. Незнакомым кажется и платье, и туфли на каблуках, и — может ли это быть? — капроновые чулки, что видны между юбкой и туфлями.

— Что ты тут делаешь, ты же должен быть в школе? — говорит женщина.

— Мама? — только и могу произнести я.

МАША

Маша в растерянности топталась в прихожей маленькой квартирки — однокомнатной хрущевки в Купчино, где последние сорок лет жил Алексей Иванович Лоскудов. Тут было чисто и, судя по тому, что Маша видела сквозь приоткрытую дверь, так же по-спартански аскетично, как на даче: тахта, тумбочка, на тумбочке — сильная лампа архитектора и стопка книг, все для вечернего чтения.

— Сегодня день рождения мамы... — сказал Лоскудов, открыв ей дверь. — Такое впечатление, что прошлое лезет из всех щелей, вот и ваше — наше — дачное происшествие из той же серии. Давайте вашу куртку, положу ее на батарею, а вас напою чаем. — Он склонил лысую голову набок: — Вы же пьете чай? Есть и кофе. Только растворимый.

— Чай, — благодарно выдохнула Маша, вынимая ноги из насквозь промокших сапог. На улице вновь шел дождь — не снег.

— Вы уверены, что это не совпадение? — Лоскудов повесил ключ на уготованное ему место в шкафчике на стене в прихожей.

«Аккуратист, старый холостяк», — подумала Маша. А вслух сказала:

— Не уверена. Но использовать старые фотографии, чтобы разжечь костер? При этом оставив коробки на прежнем месте?

— Да, вы, очевидно, правы, — покачал головой старик. — Не знаю, чем вам и помочь. Никаких иных фотографий, Колей сделанных, у меня не осталось. После его смерти любая фотография — в газете, журнале, на выставке — напоминала мне о нем. Вот. Даже маминых фотографий, получается, у меня больше нет. Только малюсенькие, на паспорт.

— Вы можете снять копии с альбомов Тамары Зазовны.

— Томочки? Это можно. Но и вы, знаете, походите по наследникам — внукам, правнукам обитателей квартиры. Вдруг кто сохранил семейные альбомы? Коля фотографий делал много, отсылал на конкурсы в газету, раздаривал на праздники...

Он провел ее на малюсенькую кухню с квадратным столом на две персоны. Выставил чашки, выложил печенье — песочное, с ярко-розовой серединкой. Пододвинул к Маше сахарницу. Маша смахнула дождевую слезу со лба.

— Расскажите о своей матери, — попросила она. — Что она была за человек?

— О, самый обыкновенный, — пожал плечами Лоскудов, нарезая лимон и замерев с ним на весу: один, два?

— Три, — попросила Маша. Вдруг витамин С спасет от явно надвигающегося ОРЗ?

А Лоскудов продолжал:

— Есть такая категория людей — невидимых почти в своей банальности. Они идеально мимикрируют под толпу, из них получаются отличные шпионы...

— Ваша мать была английской или немецкой шпионкой?

Лоскудов грустно улыбнулся и посмотрел в окно, на окружающие пятиэтажку деревья — те же голые березы, что и в поселке, здесь доходили этажа до третьего. Дальше — только безнадежное серое небо.

— Она была проституткой, Маша, — сказал он. — Уж не знаю, где и как она подрабатывала. Когда однажды я застал ее за сборами, у меня не было сил, да и желания расспрашивать. Она рыдала, я рыдал, та еще шекспировская сцена, хотя я по большому счету так и не понял тогда, чем на самом деле она занимается. Только много лет спустя, услышав выражение «ночная бабочка», описывающее жриц любви, я вспомнил ее лицо, абсолютно преображенное косметикой, и понял: да, ночная бабочка. Серый мотылек, превращающийся в черного махаона. Господи, как она плакала! Она призналась, что денег не хватало, отец ушел к другой женщине, там тоже были дети... А мы, два лба, ели много, росли быстро и вырастали за несколько месяцев из одежды... — Он вздохнул: — Какие там сутки через трое! Нужно было быть абсолютно наивным и находиться совсем вне быта, чтобы этого не понимать. Она мне сказала, что боится голода, смертельно, до холодного пота, до обморока боится голода... — Алексей Иванович вздохнул, он все так же смотрел не на Машу, а только вверх, в вечно серое небо, по которому хмурыми тенями двигались гонимые с севера облака. — Я поднял ее с полу, куда она сползла со стула, прижал к себе и поклялся, что мы больше никогда не будем нуждаться. И — сдержал слово. Но знаете, что интересно? Меня поразило, что при нашем общежитии, этом скученном житье, где, казалось, и пукнуть нельзя, чтобы тебя не услышал сосед за стенкой, можно было утаить тайну такого масштаба. Понимаете, Маша? Раз в месяц для поправления финансов моя мать наводила полный марафет, одевалась соответственно — и уходила из дому часа на три. И никто — никто! — ни разу не поймал ее с поличным. За исключением разве что старушки Ксении Лазаревны, которая, пожалуй, все видела. И хранила все тайны.

— Вот именно! — сказала Маша с нажимом. — Все видела.

— Да, — усмехнулся, поняв, что она имеет в виду, Лоскудов. — Но хранила.

— Из этого, — допив чай, заметила Маша, — следует два вывода. Первый: любой человек в вашей квартире, несмотря на внешнюю открытость и дружелюбие, мог иметь двойное дно. И второй: очевидно, из всех тайн, которые добрым гением охраняла старушка из «бывших», была одна, которую она хранить отказалась. И убийца это знал.

— Знал, — эхом повторил старик.

Он тоже знал одну тайну. Но рассказывать ее не имел права. Пока она еще жива.

КСЕНИЯ

Ксения пролежала весь день, пытаясь ни о чем не думать. Точнее, думать о безопасном. О грозящей ей физиотерапии: электрофорез, ультрафиолет, грязевые аппликации. Потом лечебная физкультура. Уже сейчас можно делать легкие упражнения для не затронутых повязкой суставов, и Ксюша, глядя в потолок, поочередно сгибала свободные от гипса пальцы, крутила туда-сюда кисть руки. В ушах звучал концерт Элгара в исполнении гениальной Жаклин Дюпре, вынужденной отказаться из-за смертельной болезни от блестящей карьеры виолончелистки. Нет. Не думать о Жаклин. Не думать о виолончели... Занятно, что этот инструмент, столь схожий с соблазнительной женской фигурой, обладает голосом, максимально приближенным к мужскому. Ксюша и выбрала-то в свое время виолончель по этому признаку: звук, издаваемый большой скрипкой, был похож на призыв. Слов нельзя было понять, но кому нужны слова? Это был зов прекрасного принца. И хотя Ксюша вскоре перестала читать сказки, очарование не прошло. Другие виолончелистки давали своим инструментам мужские имена, перебрасывались шуточками о том, что держат между ног. Но Ксения никогда не доходила до такого панибратства, только бы источник этого волшебного голоса оставался в ее объятиях, а ее пальцы с каждым годом извлекали из него все более чудные звуки. «Вот почему у тебя не складывается с мужчинами, — вдруг с горечью подумала Ксения. — Либо то, либо другое. Выбирай, кого хочешь обнимать». Перед глазами всплыло невыразительное Петино, а потом яркое Эдиково лицо. Ксюша замотала головой: может быть, если она навсегда перестанет играть и расстанется со своим инструментом — по той же отвратительной логике, ей начнет везти в любви? Она шумно выдохнула через нос и бросила взгляд на большой конверт, лежащий рядом с кроватью. Его вместе со старым проигрывателем притащила Маша. Это был сувенир от Алексея Ивановича. «Музыка на костях».

— Чувствует себя виноватым из-за пропавших негативов. Хотел одарить меня хоть чем-то, относящимся к эпохе. Тут Фицджеральд, Чак Берри и Джуди Гарленд. Все, подо что свинговали модные молодые люди в конце 50-х.

— Здорово, — попыталась улыбнуться Ксюша. Действительно, что ей еще делать? В этой музыке есть, по крайней мере, один плюс — она исполняется без участия виолончели. Последнюю фразу она, похоже, произнесла вслух.

— Не думай пока об этом, — положила ей руку на плечо Маша. — Знаешь, я слышала, что Александр

Князев дважды был готов отказаться от профессии — один раз по болезни, второй — из-за автокатастрофы. А теперь, плюс к виолончели и органу, еще сел за фортепьяно...

Ксения молча смотрела на Машу. Она не понимает. Да и кто ее поймет, кроме «своих»? Мужик бы на ее месте уже запил. Но рядом с мужчинами-музыкантами — вот же несправедливость! — обычно оказываются верные и преданные жены. Чтобы вытереть слезу, поднести рассолу, сварить свежий бульон и вновь уверить в собственной гениальности. Женщины же музыканты слишком замкнуты на своей профессии, чтобы привлечь к себе внимание противоположного пола. И если не остаются в старых девах, то...

— Что ты свистишь? — вдруг спросила Маша.

Ксения осеклась и покраснела. Она свистела? С ней это бывает, когда сильно задумается.

Маша улыбнулась:

— Похоже на Рахманинова.

А Ксения ни к селу ни к городу спросила:

— Маш, а у вас, полицейских, как с личной жизнью?

Маша нахмурилась, и Ксюша приготовилась было извиниться за бестактный вопрос, в конце концов, не так близко они знакомы...

— У меня с личной жизнью полный разрыв шаблона, — Маша пожала плечами. — Вот если бы тебе сделал предложение любимый молодой человек, согласилась бы?

— Трудно сказать, — ответила Ксюша, — мне его еще никогда не делали.

Они помолчали. И Ксюша добавила:

— Но думаю, да.

Маша кивнула — лицо у нее стало совсем потерянным.

— Что и следовало доказать, — она попыталась улыбнуться.

И спрыгнула с подоконника, на котором сидела во время их попытки проникновенной беседы. «Мы, похоже, два жесточайших интроверта, — подумала Ксюша. — Тут делай не делай предложение, а результат все тот же». Но ей почему-то стало легче.

Закрыв за Машей дверь, она повертела в руках первый в стопке, невыразительный, наскоро склеенный из газеты конверт. «В СССР учатся более 50 миллионов человек, неудивительно, что рассвет национального искусства...» — прочитала она начало первой фразы. Поверх «национального искусства» кто-то простым карандашом написал: Э. П. Элвис Пресли? Ксюша вынула из конверта идущий по краям легкой волной рентгеновский снимок с неровной, прожженной чьей-то давно погасшей сигаретой дыркой посерединке.

— Кустари, — усмехнулась Ксюша.

Слава богу, что на снимке не фигурировали переломанные пальцы рук, а бодро ухмылялась чья-то челюсть. Ксюша осторожно поставила иголку на самопальную пластинку. Челюсть медленно закружилась. Вшшш... — зашумела пластинка, будто далекие радиопозывные из прошлого. И вдруг взорвалась — гитарными аккордами, ударными и саксом.

> Let's rock; everybody, let's rock.
> Everybody in the whole cell block
> Was dancin' to the Jailhouse Rock.

Запел Элвис, заплясала, будто покачивая на каждом повороте бедром, изогнутая пластинка, захохотала челюсть неизвестного ленинградца — возможно, даже скорей всего, бывшего серьезным гражданином, преданным линии партии и слушавшим исключительно Клавдию Шульженко. А потом Ксюша поставила Билла Хейли — «Рок круглые сутки». И ребячливо-сладкоголосых Эверли Бразерс — «Проснись, Сюзи!» И нежнейшую, как подтаявший мед, Эллу Фицджеральд с ее «Караваном». Ксюша лежала, глядя в потолок. Поначалу, чтобы чем-то занять голову, она пыталась читать отрывки статей с самопальных конвертов. Но вскоре глаз, спотыкающийся на передовице «Правды» («ДОРОГИЕ ПОДРУГИ! Ознакомившись с итогами социалистического соревнования по надою молока, я и другие доярки узнали, что ваш колхоз занимает самое последнее место в районе») и ухо, внимающее Элвису, оказались в таком рассинхроне, что Ксения отложила чтиво и полностью ушла в джунгли джаза и рок-н-ролла: любви, ритма и драйва без конца. «Удивительные все же человеки — Алексей Лоскудов и сотоварищи! — думала она, откинувшись на подушку и прикрыв веки. — Как они могли совмещать свою советскую действительность с такими вот Элвисом и Эллой?»

Внезапно музыка остановилась. Вшшшш... вшшшш... — зашуршала вновь пластинка, и Ксюша уж было подумала, что пора менять ее на следующую, как вдруг услышала голос. И то был явно не Элвис.

«Думаю, пошлость эта у меня в отца, — говорил неизвестный, спокойно, размеренно, будто размышлял вслух. Ксения осторожно спустила больную ногу с кровати, будто боялась спугнуть незнакомца. Как он тут оказался? Как прорвался к ней из прошлого? — Иногда заиграюсь вечером с Колькой в морской бой, и кажется, мне, как и ему, не больше десяти. А потом вдруг застыну летом в троллейбусе, глядя на поднятую руку какой-нибудь тетки, которой она держится за поручень, свободный рукав платья оголил локоть, пятно расползается под мышкой, пахнет от нее — влажно, сладко и жарко. И чувствую, как кровь начинает шуметь в висках. Так же было поначалу и с ней.

Боялся входить на кухню, когда она там, столкнуться у дверей прихожей или еще хуже — а ведь случалось — застрять на пару в дверях ванной комнаты. И этот взгляд — снизу вверх — с поволокой, и губы изгибаются — мол, вижу тебя насквозь, знаю-знаю, чего тебе надобно. «Прости, мне тут нужно лифчик простирнуть». И ведь слово-то какое: лифчик! От одного этого слова покраснеть можно. В общем, что со мной было раньше, понятно. Но теперь... Теперь думаю, что не только это мне оказалось нужно. И не всегда нужна она вся — так ведь и сердце может разорваться от избытка эмоций. А иногда для счастья достаточно ее руки, на секунду задержавшейся в моей, перед тем как она толкнет дверь своей комнаты, или ее профиля в окне, который я караулю, стоя напротив нашего дома на другой стороне канала. Словом, похоже, я влюбился, как последний дурак».

МАША

«Какой же неприятный тип!» — думала Маша, следуя за мужчиной в бархатной коричневой безрукавке, надетой поверх полосатой рубашки. Седеющий ежик на голове хозяина дома чуть сдвинут, чтобы сформировать хохолок по центру, квадратные очки плотно обхватывают переносицу мясистого курносого носа, похожего на поставленный на пятку башмак. Рот большой, лягушачий, а губы, тонкие и бесцветные, почти незаметны. Он казался неприятным, будучи серьезным, когда же улыбался — становился просто отвратительным. Перовский был историком Мариинского театра, который по старой памяти звал Кировским, коллекционером оперного костюма, и длинный коридор квартиры в центре (не иначе, как еще одна расселенная коммуналка) был весь увешан платьями и сюртуками. Они шли вперед, и Машина макушка — а была она как раз на голову выше коллекционера — постоянно задевала расшитые кружевные подолы. Невыносимо пахло нафталином, смесью сладких духов, долженствующих, очевидно, заглушить запах артистического пота, старой пылью.

— Иногда из любезности провожу бесплатные выставки в фойе театра, — ни на секунду не останавливаясь, вещал коллекционер. — Тематические, так сказать. К дню рождения Петра Ильича выставили несколько витрин к «Онегину», «Лебединому», прекрасная сохранность, а качество... — он восторженно прищелкнул языком.

Маша вышла на коллекционера окольными путями — в архиве его фамилия упоминалась в связи со скандальными воспоминаниями о Кировском театре эпохи 50-х и 60-х. Выяснилось, что автор воспоминаний поначалу сам танцевал, а потом ушел в костюмеры.

— Так что любовь к костюмам у меня наследственная, да, — плюхнулся в белое кожаное кресло Перовский-сын, не предложив присесть гостье. Маша опустилась в кресло напротив, вежливо улыбнулась. — Жаль, что мемуары отца так и не были изданы. Хотя уверен, многим это было бы весьма, весьма интересно, — он щелкнул пальцами.

— Почему же вашему отцу отказали в публикации книги?

— О, он пытался издаться в восьмидесятых. Тогда еще многие из фигурантов были живы, сами понимаете. И даже продолжали работать в театре. Кому нужна правда, да еще такая нелицеприятная?

Маша почувствовала, как у нее сводит скулы от неестественной улыбки.

— Мне бы очень хотелось ознакомиться с рукописью. Где ее можно найти?

— Только в одном месте, — рот хозяина дома растянулся в ухмылке. Маша с трудом сдержала омерзение. — В соседней комнате, в моем кабинете. Я оцифровал печатные листы и держу их тут, в своем компьютере, не подключенном к Интернету. Сами понимаете... — он многозначительно подвигал тонкими, будто нарисованными, бровями.

— Боитесь хакеров?

Перовский многозначительно кивнул:

— Этой рукописи — цены нет. И рано или поздно — уж поверьте! — она найдет своего благодарного читателя.

— Обещаю сохранить все в тайне, — почти искренне улыбнулась Маша: то, что рукопись здесь, совсем рядом, и не нужно вновь отправляться под ледяным дождем на ее поиски, не могло не порадовать.

— Никаких копий. Никаких выписок! — строго постучал ногтем указательного пальца по лакированной ореховой столешнице Перовский. — Вы меня понимаете?

— Конечно.

Перовский удовлетворенно кивнул и, выудив из-под полосатой рубашки золоченый ключик (Маша с трудом сдержала усмешку), открыл им один из ящиков стола, вынул ноутбук, с серьезнейшим видом поколдовал над ним пару минут и повернул экраном к Маше.

«Закулисье, история одного танцора», — прочла она заглавие и подняла вопросительный взгляд на Перовского.

— Я пока здесь почитаю, если вы не против, — сказал тот и пересел на кожаный диван рядом.

«Очевидно, боится, что я все-таки что-нибудь втихаря законспектирую», — усмехнулась про себя Маша, но согласно кивнула и начала читать. После первых двух глав стало ясно, почему издательство влет отказалось от публикации: чтение оказалось крайне утомительным; многоколенчатые фразы — невыносимо длинные и сложные для восприятия. Отец неприятного мужчины был, похоже, типичным графоманом, преисполненным чувства собственной исключительности. Впрочем, черно-белая фотография, запечатлевшая автора лет в двадцать, по выходе из Вагановского училища, являла собой вполне славного на вид (особенно на фоне его собственного сына — не могла не отметить Маша) светловолосого юношу. Правильные черты лица, мужественный подбородок. Задержавшись на фотографии чуть дольше, чем следовало, — а все для того, чтобы дать себе перерыв и не прорываться дальше сквозь косноязычие танцовщика, — Маша стала вновь вчитываться в текст, пестревший то именами, то кличками, то просто многозначительными инициалами. Ни те, ни другие Маше ни о чем не говорили, и она уже было начала терять надежду, когда вдруг среди сплетен, датируемых как раз-таки концом 50-х, увидела прозвище — Певун. И вот в каком контексте. Кировский, как, впрочем, Большой театр, Советский цирк и ансамбль Моисеева, начали активно выпускать на гастроли на Запад — нефтью тогда еще не торговали, а вывоз артистов был для казны делом крайне прибыльным. Балетных вывозили не только в Европу, но и в Америку, и в Японию, и даже в Австралию.

С Певуном Перовский впервые пересекся по вполне банальному поводу: «балетный» продал «оперному» настоящие французские духи. Брал для своей жены, а ей не понравились. Супруге же Певуна парфюм подошел — она оказалась не столь избалованной заграничными сувенирами (увы, наша опера всегда была меньше востребована за границей, чем классический балет).

Второе роковое обстоятельство, сведшее двух мужчин вместе, оказалось и вовсе неожиданным. За не-

сколько месяцев до интересующих Машу событий из Ленинградского хореографического училища был выпущен один татарский юноша. И сразу стал премьером. Автор мемуаров брызгал ядовитой слюной — рядом с таким, как Нуриев, он оказался слишком откровенно бездарен. К моменту появления гениального танцовщика мужские партии в советском балете были большей частью орнаментальными — осуществляя поддержки, партнеры «обслуживали» танец балерины. Таким типичным для своей эпохи балеруном был и Перовский: тяжеловатый для прыжков, но достаточно крепкий, чтобы удержать в руках Одетту, Баядерку или Жизель. До побега Нуриева на Запад остался всего-навсего год, но Перовский этого знать не мог, и обида бедняги на судьбу росла. Рукопись сохранила трагикомические подробности второй встречи Певуна и танцовщика: перебрав коньяка в буфете театра на третьем этаже, Перовский принял спонтанное решение покончить с жизнью — быть таким, как этот уфимский выскочка, он не мог, а быть Перовским стало невыносимо. Под влиянием коньячных паров он поднялся по служебной лестнице на выходящую прямо на Театральную площадь крышу. Высота показалась несчастному недостаточной для финального расчета с жизнью. Больше всего он боялся переломать конечности и остаться в живых: сломанные ноги — какая ирония для балетного! И взялся уж было рукой за железную пожарную лестницу, чтобы забраться еще выше, на плоский театральный купол, как его руку накрыла другая. Это оказался Певун — время от времени он прятался здесь с целью выкурить в одиночестве криминальную, строго запрещенную для оперного голоса сигарету.

Так грех неудовлетворенного тщеславия и вредная привычка привели к неожиданной встрече под жемчужно-серыми питерскими небесами. Завязалась странная дружба. Южный темперамент и врожденная мягкость характера Певуна, казалось, плохо сочетались с по-мужицки хитроватой, эмоциональной сухостью Перовского. Но в мемуарах читалось: «Мы были очень близки и много времени проводили вместе». Чем больше Перовский описывал Певуна (любовь к грузинской кухне, живет неподалеку от театра, обожает единственную дочь), тем меньше сомнений оставалось у Маши: под нехитрым прозвищем скрывался именно Бенидзе. И она все пыталась выловить в муторном, накручивавшем, как веретено, бессмысленные детали тексте хоть какую-нибудь мелочь, которую можно было бы использовать в расследовании. Тщетно. Маша обиженно кусала губы — вот уже, казалось бы, гнездовье сплетен про всех и вся и близкий друг... И что? И ничего. «Дочитаю до следующей главы и брошу», — с досадой пообещала себе Маша. Но, добравшись до конца, замерла. «Так получилось, — писал мемуарист, — что дружба с Певуном разбила мой брак». На фоне описания идеального товарищества фраза казалась особенно неожиданной. Маша откинулась на спинку стула, задумалась. Заза Отарович, судя по общим отзывам и сохранившимся фото, был необыкновенным красавцем. Плюс обаяние, плюс тенор — романтический голос по определению... Она повернулась к мужчине рядом.

— Ваша мама... — начала она неловко. — Зазе Отаровичу было, наверное, сложно отказать. Ничего удивительного, что она...

Мгновенно вскочив с кресла, Перовский-младший в два шага преодолел расстояние до стола, захлопнул с щелчком ноутбук. Холодно блеснули стекла модных очков.

— А при чем здесь моя мама, барышня? — усмехнулся он.

КСЕНИЯ

Когда он позвонил в дверь, она была уже в полной боевой готовности — чуть кривовато накрашена (сломанная рука не добавляла умения, да и когда она умела хорошо краситься?) и полна решимости выставить его за дверь. Но сначала — сначала! — ей необходимо узнать, что это он вынюхивал? Зачем напросился к ней в дизайнеры? Ведь не ради же денег, это понятно! Но и версия романтического толка казалась Ксении все менее правдоподобной — да как бы он мог прельститься ею, и где — не на сцене филармонии в концертном наряде, а в больничном коридоре, в очках с толстыми линзами и замызганном халате! Права была мама, что это она о себе возомнила, если даже Петя обозвал ее уродиной и сбежал — из этой самой распрекрасной квартиры с видом на воду. А ведь Эдик — явно птица совсем другого полета! Ксения от обиды шмыгнула носом — впервые в ее небогатой мужчинами жизни ей попался такой: веселый, элегантный, внимательный. Все у него имелось, чего не было у маменькиного сынка в вечных застиранных рубашечках — Пети. И не то чтобы она успела влюбиться, но сама мысль, что он может быть влюблен в нее, наполняла душу головокружительным томлением. И вот пожалуйста! Привет тебе, правда жизни. Тебя, кстати, никто не звал.

Она выдохнула и распахнула дверь. Ледяное выражение лица сразу пропало всуе — нагруженный пакетами и бутылками, Эдик тщетно пытался удержать под мышкой коробку со стаканами, в кулаке — горлышко бутылки, а другая рука, с растопыренными, как крабьи клешни, пальцами держала еще с десяток полиэтиленовых пакетов.

— Помогай, — не слишком разборчиво произнес он, потому как придерживал подбородком целлофановую обертку — очередной букет роз.

Поэтому сразу на гневную тираду Ксения не решилась, а вместо этого неловко перехватила букет левой рукой.

— Колется. Я вроде как забыл, что у меня не пять рук, — потер подбородок Эдик, целуя ее с родственной непосредственностью в щеку — Эдикова щека после улицы была приятно прохладной и по-мальчишески гладкой. — Думал, шипы прорвутся и изранят до крови. Буду ходить героем. А так получился из меня только соцработник на дому.

Ксения молчала. Эдик скинул ботинки и прошел с пакетами на кухню, начал разбирать содержимое.

— Сейчас еще спущусь в машину — я приобрел тебе на первое время микроволновку и пароварку. К ним прилагаются целые кулинарные тома: можно что угодно готовить, — подмигнул он, выглянув к ней в коридор. — А сами агрегаты, в зависимости от ремонта, передвигать в любую комнату. Каково?

Ксения, доковыляв до кухни, молча прислонилась к дверному косяку. Он наконец поднял на нее глаза.

— С тобой все в порядке?

— Нет, — помотала головой она. — Со мной все не в порядке.

Эдик вскочил, обеспокоенно заглянул ей в глаза:

— Что случилось?

— Я звонила в больницу. Искала твою маму.

Эдик нахмурился:

— Зачем?

— Она еще там лежит?

— Да нет, выписалась. А что, собственно, происходит? — он сунул руки в карманы.

Ксения кивнула: она на его месте тоже сунула бы — чтобы скрыть дрожь. Впрочем, ее голос все равно дрожал сильнее.

— Происходит вот что: пару недель назад на меня напали и, возможно, превратили в профессионального инвалида. Я не знаю, кто это сделал и почему. А неделю назад появился ты. И оказался дизайнером.

— Ну да, — растерянно нахмурился Эдик.

— Ты сказал, что в больнице лежит твоя мать. Но никто с фамилией Соколовская там не лежал.

Она выжидательно смотрела на него. Он вынул руки из карманов и взял единственную, что у нее была не в гипсе, руку в свои.

— Я не знаю, кто там на тебя напал, Ксения. Но у моей матери девичья фамилия — она ее себе вернула после развода. Так что да — Соколовская там действительно не лежала. Но если ты проверишь...

Ксения почувствовала, как краска заливает лицо. Что же она за дура! Почему позволила своей матери разрушить то немногое, что появилось у нее в личной жизни?! Ведь существовало такое элементарное, а главное — логичное объяснение. А она его просто не видела!

— Прости, — Ксюша сжала его руку. Теплую, надежную. Как она только могла его подозревать! — Прости. У меня последнее время нервы не в порядке. Сначала бабушкина смерть, затем какие-то кошмары, боязнь преследования... А потом и на самом деле...

Он тем временем аккуратно подвел ее к кровати, Ксения вовсе не грациозно — но уж как смогла со своей перевязанной ногой — легла, натянула одеяло до подбородка. Стыдно, как стыдно!

— Не нужно извиняться, — улыбнулся Эдик, покачиваясь на носках рядом с ее изголовьем. — В Америке в твоем случае люди бы уже на пятьдесят часов психоанализа наговорили, чтобы прийти в себя. А ты — видишь, какой стойкий оловянный солдатик!

— Да уж, — жалостливо улыбнулась Ксения. — Особенно голова. Оловянная.

— Ничего. Я сейчас согрею супу — взял тебе на вынос куриного бульону с лапшой в ресторане на Сенной. А то грипп гуляет по городу, а ты и так ослаблена после больницы. Будешь?

У Ксении защипало в носу: куриный бульон варила ей бабушка, как панацею от всех жизненных бед. Так оно на самом деле и было... Она молча кивнула, а Эдик вышел и вскоре вернулся с аккуратно запакованным еще горячим супом и ложкой. Рядом с судком оглушительно благоухал завернутый в фольгу хачапури. Ксения смущенно сглотнула подступившую слюну. Эдик развернул фольгу и оторвал ей кусок. Золотистая корочка и текущий обжигающий сыр — взяв в руку лепешку и вонзив в нее зубы, Ксения растерялась: наметилась проблема организационного плана: рабочая рука у нее была одна — левая. А как же суп?

— Я тебя покормлю, — улыбнулся, разрешив ее муки, Эдик.

— Не на... — начала она, но ложка со свежим бульоном уже появилась перед ней, и она по-детски покорно, уже полностью погрузившись в воспоминания о том времени, когда ее, школьницу, выхаживала бабушка, открыла рот.

— Ложечку за маму... — довольный собой, начал Эдик вечную родительскую побасенку.

Где-то между ложечками, которые следовало съесть уже за каких-то совсем далеких родственников, Ксения честно рассказала Эдику об их с Машей расследовании, в котором мало толку, но много интересного, связанного с эпохой. Эдик слушал скорее из вежливости, более озабоченный тем, чтобы бульон не капнул на пододеяльник. Когда трапеза окончилась, он был уже в курсе всех деталей.

— А еще, — откинулась на подушки обессиленная сытным ужином и признаниями Ксения, — у меня есть бабкина тетрадь с записями — ничего интересного, скорее хозяйственного толка: счета за электричество, за дрова — это еще до того, как провели паровое отопление. Тамара Зазовна рассказывала, что это была сложносочиненная история: сначала следовало отстоять очередь и получить «дровяные карточки» в домоуправлении по месту жительства. Там подсчитывали, кто на сколько кубометров имеет право. Потом ездили на склады на окраине города — тут главным был дядя Леша Пирогов: у него имелись свои выходы на «дровяное» начальство.

— Дядя Пирогов, похоже, был на все руки мастер! — подмигнул ей Эдик.

— Аршинин тоже был отличным хозяином: и плотничал, и столярничал, даже игрушки детям делал. Но...

— Но у него не было таких выходов на дефицит, как у вашего мясника-Пирогова, — завершил фразу Эдик.

Ксения нахмурилась:

— Знаешь, не думаю, что тут все так однозначно. Проводник — а он работал проводником на поездах дальнего следования — по советским временам была выгодная профессия.

— Возил дефицит с разных концов нашей необъятной родины?

— Например. Плюс дополнительные — неучтенные — пассажиры. Риск — минимальный. При любой проверке можно сказать, что провозимый товар — подарок родственников с Урала. То есть он был скромен, особенно не зарывался, однако на платья и презенты молодой жене вполне хватало.

— Тогда отчего не стал первым парнем в вашей коммунальной квартире?

— Характер. Пирогов — и выпить любил, и шутнуть, уверенный в себе, простой такой мужик из серии «простота хуже воровства». Кстати, воровать он тоже умел. А Аршинин — тихий, очень семейный. Поэтому выбирать дрова посылали именно Пирогова. Он за прибаутками отоваривался качественной древесиной — побольше березы, на худой конец сосна. А не какая-нибудь там осина, которую сплавляли по реке, поэтому она, плюс ко всему, оказывалась еще и мокрой. Он же, Пирогов и добывал грузовик-полуторку, чтобы свезти эти дрова во двор. Потом в операцию вступала «брошенка» Лоскудова — шла на Кузнецкий рынок, договаривалась с «пильщиками», дюжими мужиками с ко́злами, двуручными пилами и топорами. Тамара Зазовна говорит, лучше ее никто не мог торговаться, била на жалость. А моя бабка, как самая молодая и с техническим образованием, занималась подсчетами — ей все доверяли. Вот... — Ксения вынула тетрадку в клеенчатом переплете, открыла на странице с отчерченными синими чернилами реестрами: идеально прямые линии, а почерк — залюбовалась она. Вот общие таблицы на всех обитателей коммуналки: дрова, свет, телефон. Вот таблицы личного толка: это Ира решила сшить, или, как тогда говорили, «построить» себе зимнее пальто.

— Ого! — усмехнулся Эдик, вглядываясь в список. — Прямо целый крестовый поход, смотри-ка: материя — 2 метра, драп. Подкладка — саржа, ватин, бортовка, воротник, пуговицы.

— И все надо было «доставать» по всему городу. Шила, наверное, по-соседски, Лала Бенидзе, — улыбнулась, переворачивая страницу, Ксения. — Знаешь, я, возможно, еще помню остатки этого пальто — оно много раз перешивалось, из него же, перелицевав, кроили маме жилет. А до меня оно дошло уже в виде прихватки для кастрюль.

Они переворачивали разлинованные пожелтевшие от времени страницы: списки покупок, иногда пометки: Лали — 4,60, Галина Егоровна — 2,20, Лоскудова — 60 коп. Продовольственные долги.

Иногда долги более крупные: 10, 15 рублей. Все с пометкой К.Л. — Ксения Лазаревна. Добрый гений почти нищенствующей аспирантки.

— Интересно, откуда у вашей старушенции было столько денег? Обычно пенсионерам на жизнь не хватает, а уж чтобы одалживать...

Ксения на секунду задумалась:

— Может быть, персональная пенсия за погибшего мужа?

Но тут же снова отвлеклась на запись в конце страницы, сделанную идеальным бабкиным почерком: «Ни бром, ни капли Зеленина не помогают. Заказать в аптеке Кремлевские? Не спит ночами, плачет. Шепчет: Лиля, Лиля, девочка моя, будто зовет. Навязчивая идея: почему я ее не вижу? Измучила Леночку Пирогову, приглашает в свою комнату, кормит конфетами: передай, что я ее люблю. Посоветоваться с доктором Коняевым».

— Что за Лиля? — Эдик уже несколько минут как поглаживал поверх одеяла ту из ее коленок, что не была в повязке. А Ксения все не могла решить, как ей к этому относиться.

— Никакой Лили среди детей коммунальной квартиры не было, — нахмурилась, отвлекшись от коленки, Ксения. — Может, какая-нибудь дворовая подружка Лены Пироговой?

— Вполне возможно, — пожал плечами Эдик, а Ксения перевернула страницу.

Там была всего одна фраза: «Девочка в красных ботиночках». И знак вопроса.

ЛИЛЯ. 1942 г.

> Я точу, точу снаряды,
> Пусть на немцев полетят
> За досаду, за блокаду,
> За родимый Ленинград.
>
> *Блокадная частушка*

Булочная, к которой их прикрепили, на Плеханова. Бабушка ходит туда сама — отоваривать карточки. Берет авоську, полотенце, чтобы хлеб завернуть, — и уходит. Бабушка ужасно боится: боится за маму, боится за папу. За деда уже не боится — он погиб в ополчении. Бабушка уверяет: это хорошо, что сразу. Но после того как скажет «это хорошо», почему-то сразу начинает плакать. И сама на себя злится, что «киснет» — не время сейчас, говорит. Позже наплачемся. А чтобы развеселить, даже свела Лилю в «Баррикаду» смотреть «Приключения Корзинкиной» с Яниной Жеймо и Карандашом. Фильм три раза останавливали — на самом интересном месте — и отправляли их в бомбоубежище. Это был последний раз, как Лиля с бабушкой пошли в кино. А после — в Александровский садик, собирать желуди. Бабушка ходит на работу — на электростанцию. Важную электростанцию, дающую свет заводам, Большевику и Кировскому. А до этого уезжала рыть под Лугой противотанковые рвы, оставляла Лилю с соседкой — тетей Катей. Вернулась и показывала, какие рвы огромные. А копают одни женщины, да девочки совсем — с окрестных школ. Немец тогда летал прямо над ними, но не стрелял, а только сыпал, как снегом, листовками: «Советские гражданочки, не копайте ямочки, придут наши таночки, зароют ваши ямочки». Смеялась, когда рассказывала об этом соседке: «Сами зароются в наших «ямочках». Показывала мозоли от лопат. Но тогда еще голода не было. Одна бабья растерянность и испуг. Бабушка пишет Лиле в тетрадку в клеточку простые задачки. Говорит, надо учиться — скоро школу снова откроют, а Лиля, что же, так и останется лодырем и неучем? Лиля делает уроки и слушает радио. Иногда сказки Марии Петровой, про зверей, иногда композитора Грига и — вести с фронта. Наши все отступают и захватывают технику противника. Лиля как-то спросила у бабушки: как можно одновременно отступать и захватывать? Бабушка ответила, что таких вопросов никому другому нельзя задавать. И погладила ее по голове. Хотя задавать их сейчас и некому — одни они остались в квартире. Бабушка могла бы переехать в самую большую комнату, но не переезжает, остается в их закутке — его проще согреть буржуйкой. На камин дров уже не хватает. Все комнаты стали — как темные норы. Стекла в окнах сохранились только на кухне, но заходить туда Лиле не хочется. Кухня сама — как кладбище. Печь стоит, как Снежная королева — огромная, холодно блестящая белым кафелем, Лиле и не верится уже, что ее когда-то топили и на ней варили, жарили, тушили еду. Мертвая раковина, где из крана уже не идет вода. Все табуретки, кухонные столы пошли на растопку их буржуйки. Последней — через Ладогу — из квартиры съехала соседка тетя Катя. Звала их с бабушкой с собой — в э-ва-ку-а-цию. Лиля это слово произносит пока по слогам. Бабушка покачала головой: и не уговаривайте меня, Катенька. Не рискну. Страшная смерть.

— Страшная смерть, — повторяет она, глядя на заслонку буржуйки, за которой шепчет, покряхтывая, огонь. — В темной воде, в пустыне скованного льдом древнего озера. Ладога. Помните, Катенька? Из варяг в греки плыли — обменивали пряности, вина и шелк на соболя и янтарь. Изыски на изыски. А эти бедные, бедные люди бесстрашно рассаживаются со своим скарбом и детьми в полуторки и едут — за самой жизнью.

— А от голода, Ксения, — усмехается тетя Катя, — смерть не страшная? А от осколка, а от бомбы?

Бабушка молчит — что тут скажешь? Хотя бом-бежек не боится. В подвал они больше не спуска-ются — его залило водой еще в октябре. С тех пор пережидают в квартире. Просто ложатся на кровать и прижимаются к друг другу — вокруг грохочет, а их чуть-чуть покачивает, как на корабле. Приятно. Еще у Лили есть книжки — те, которые они еще не успели сжечь. Бабушка бережет больше детские, специально для внучки: «Том Сойер», Гайдар, Паустовский. Лиля читает и ищет про еду. Все про еду. Они уже с ба-бушкой договорились: о еде — ни слова. Но о чем ни начнут разговор — о кино, о цирке, о литературных героях, — все сводится к тому, кто что ел.

— Просто беда какая-то! — расстроенно говорит бабушка. — Никак не отвлечься!

А на улице — вмерзшие в лед, укрытые пушисты-ми снежными шапками мертвые трамваи. Пустые, без стекол троллейбусы, над ними качаются на ве-тру оборванные с намерзшими сосульками провода. Прямо как елочные гирлянды! — думает Лиля. Она скучает по Новому году. Ходят они, протаптывают себе тропинку среди огромных, выше человеческого роста, величественных сугробов: из окон на сугробы выливают нечистоты — канализация давно не ра-ботает, но снег идет каждый день, мороз схватывает запахи. И такая тишина в звенящем от холода воз-духе! Только «хруп-хруп» снега под ногами и мрач-ный, как удары великанского сердца, метроном. От одного этого звука Лилю окатывает холодной обмо-рочной жутью. А по тропинке движутся пешеходы, сами как привидения со светлячками — покрытыми фосфором значками, «блокадными брошками»: без

этих брошек обязательно наткнешься — не на живого, так на мертвого. Хотя иногда случается, что живой страшнее мертвого. Лиля недавно сама видела такое... существо — лицо обтянуто кожей, черно от сажи коптилок, а на губах — яркая помада. Они-то с бабушкой моются: в тазике нагреют воды, и бабушка Лилю обтирает — но у них вода близко. Бабушка идет с саночками, на саночках — бидончик и кастрюлька. А ночью спят в одной постели — одетые, под одеялами и шубами. Лиля пару раз даже спала в своих ботиночках. Она теперь и валенки носит — поверх дедушкиного подарка. И ничего, так теплее. Дедушка... Поверить нельзя, что мертвый. Он будто тут, продолжает о них заботиться. Бабушка потихоньку обменивает «дедушкину радость» на еду. Обмен идет не шибко — кому сейчас нужна «дедушкина радость»? Бабушка вздыхает: хоть бы какие украшения накопила за жизнь довоенную. Как бы это золото-то сейчас пригодилось! Но однажды пришла радостная. Встретила старую подругу — работницу Зимнего дворца.

— Есть возможность, — сказала, покашливая, бабушка, — жить в подвале Эрмитажа, вместе с другими счастливчиками. Говорит, что из подвала — бывшего хранилища — эвакуировали все коллекции. Зато остались стены — толстенные, аж восемь метров. Никакая бомба им не страшна.

Бабушка говорит, что подвал теперь оборудован печками, санузлом, топчанами. А те столы, что использовались для сворачивания картин, стали обеденными. Лиля очень хочет попасть в Эрмитаж — помнит его еще до войны: малахитово-зеленый и золотой, праздничный!

— Город изменился, — говорит задумчиво бабушка, прихлебывая кипяток. — Свет зимний, мертвенный. Тихо, безлюдно. Ни двигатель не тарахтит, ни воро-

147

бей не чирикнет. Жутко. Нева оцепенела подо льдом. Переходишь ее и видишь: набережная вся исцарапана осколками. А по сторонам стоят, как часовые, непривычные в маскировке темные шпили Адмиралтейства и Петропавловки, крашенный в черный защитный цвет купол Исаакия — как же я раньше не замечала, какая на самом деле это грозная красота, страшная в своем величии! — она вздыхает, кутается в платок. — Блистательный Санкт-Петербург!

— Так мы переедем? — теребит ее за рукав Лиля.

— Да, — говорит бабушка, глядя туда, где когда-то было окно, а нынче — темная дыра, забитая досками, тряпками и фанерой. — Обязательно переедем. Потерпи чуть-чуть.

Лиля засыпает и, проваливаясь в сон, видит присыпанные сахаром макароны, шепчет бабушке:

— Когда мы победим, буду есть только макароны, макароны, макароны.

А на следующее утро бабушка уходит до того, как Лиля проснулась, оставив на столе дурандовую лепешку и кусочек вчерашнего хлеба. Чайник стоит на подостывшей буржуйке — бабушка протопила ее перед уходом. Обычно бабушка будит Лилю, заставляет двигаться — выйти с бидоном за чистым снегом для воды на питье. Или еще дело: выбрать, чем сегодня будем топить. Бабушка приходит с электростанции — одобряет Лилин выбор: отлично, сожжем Чернышевского, никогда его особенно не любила! И подмигивает. А бывает, Лиля сама на улицу выходит — собирать с другими детьми осколки от зениток. Однажды ей повезло: достался такой — с решеточкой. Или идет поглядеть на дом на Сенной, в который попала бомба. У него срезало весь угол, и тот обвалился горой кирпичей. Зато теперь можно увидеть комнаты на всех четырех этажах: пианино, кресла, светильник, зеркало, в котором, как в мертвом глазу, отражается лишь серое злое небо. На полу, на пианино, на кресле лежит снег. Бабушка тоже видела этот дом. Постояла молча: «Как в театре, — сказала. — Декорации к нашей прошлой жизни». Этого Лиля не понимает — ей всего семь лет. А выглядит — так и вообще на пять. Маленькая. И худенькая. Хоть так, по замотанной в платок и в шубке из овчины, и не скажешь, что тощая.

Лиля спускается вниз — одиноко одной в квартире. Горячая вода с размоченным кусочком хлеба и лепешкой придали сил. Да и на улице потеплело — не так щиплет нос и щеки. И немец молчит, и солнце — впервые за много недель — прорывается сквозь облачную пелену, вспыхивают искрами сугробы рядом с оградой канала: «Не счесть алмазов в каменной пещере». Ветер стих, не вьется внизу по льду злая поземка. Лиля щурится: луч солнца холодный, но все равно радостный.

Бабушка говорит:

— Скоро уж весна, Лилечка. Весну-то Гитлер у нас украсть не сможет!

Может, она уже наступила, эта весна, а бабушка просто не заметила? Лиля решает: она пройдет по тропинке вдоль канала. Чуть-чуть. Хотя бы до улицы Дзержинского. А потом вернется, чтобы не растерять все захваченное из дома тепло. Ей хочется идти подскоками, как они делали с ребятами до войны в детском саду, но на подскоки сил не хватает. Хватает только на маленькие шаркающие шажки. Так бредет она, привычно отвернувшись от мертвого человека на углу улицы Петра Алексеева с поднятой, будто для предостережения, почерневшей рукой, а навстречу ей идет дворник. Лиле кажется, что он похож на трефового короля из бабушкиной пасьянсной колоды: те же усики и чуть выпученные глаза. Лиле он нравится, потому что все вокруг худые, некрасивые, а он — толстый, важный, в пальто с каракулевым воротником. С этим пальто недавно вышла история.

— Это профессора Зайцева? — спросила дворника бабушка, когда однажды столкнулась с ним на лестнице. — Добротная вещь.

Вроде как похвалила. Но тот покраснел, затопорщились усики.

— Не ваше дело! — толкнул дверь квартиры снизу. Блеснуло золото на запястьях.

— Бабуля, а почему у него три пары часов на руке? — спрашивает Лиля. — И все золотые?

Бабушка снова гладит ее по голове. Лиля понимает: это тоже — не тема для разговора.

И вот теперь он идет навстречу, делая вид, что не замечает Лилю, и напевает «На прекрасном голубом Дунае». Лиля прислушивается к мелодии, а слышит вдруг где-то за домами пушечный выстрел. «Далеко», — говорит себе Лиля «взрослым тоном». Так говорит бабушка: «В Гавани ляжет». Или: «В Балтийский метят, сволочи». Но тут же противно свистит в ушах — Лиля инстинктивно останавливается, втягивает голову в плечи. Впереди грохнуло — прямо в канал! Взметнулся на три метра над набережной страшный фонтан ледяной воды. Лиля ничком падает в снег: домой, скорей домой! Встала на четвереньки, развернулась... и тут увидела его, дворника, тоже лежит в снегу, а поверх черного каракулевого воротника — красно-белое месиво. Лиля замирает, не в силах отвести взгляда. А вокруг уже свистит, не переставая, вот еще совсем рядом разорвался снаряд — взвились в воздух осколки льда и камня с мостовой.

— Быстро, девочка, — какая-то девушка в шинели толкает ее в подворотню. Лиля видит приоткрытую дверь, протискивается внутрь, и в эту секунду ее оглушает грохот, звенит в голове. Лиля теряет сознание.

* * *

Холод. Холод и темнота окружают Лилю. Несколько минут она таращится в темноту, а потом пытается повернуться и понимает, что не может: саднят коленки, шумит-болит голова. Подвал! Она в подвале, и ее засыпало! Лиля тихо заплакала. Зачем она ушла, как бабушка теперь ее отыщет? Бабушка!

«Выход есть из любой ситуации», — уверяла она Лилю, читая про Тома Сойера.

«Значит, и тут есть, надо только его поискать», — говорит себе Лиля, втянув носом готовые излиться сопли. Шарит руками по засыпанному осколками острых кирпичей полу. Но нащупывает только стенку и большой деревянный ящик. От движения в темноте на четвереньках закружилась голова, Лилю затошнило, и если было бы чем — вырвало бы. Захотелось плакать и спать. Но больше спать. Лиля залезает на ящик и свертывается калачиком, обхватив себя руками. И сразу летит, летит куда-то вниз, как Алиса в Стране чудес. Очнулась она от холода, но стоило открыть глаза, как Лиля понимает, что не холод самое страшное, а жажда: во рту ужасно сухо. Так сухо, что даже нечем сглотнуть. Пососала было влажную от снега варежку, но от грязной шерсти становится только хуже. И Лиля совсем уж было готова разнюниться, но тут...

— Эй, есть кто-нибудь? — слышит она звонкий мужской голос. Раздается треск, и сверху, метрах в двух от нее, возникает луч света. Кто-то пытается разобрать завал.

Лиля хочет крикнуть, но вместо крика из пересохшего горла вырывается какой-то стон.

— Погодь. Сейчас дверь отодвину, — наверху опять слышен шорох и треск, и луч расширяется, превратившись в столб света. Лиле он кажется ярким, солнечным, а на самом деле зимний день уже убывает, становясь серым и сумрачным. Она подбегает, прихрамывая, туда, под этот свет, и видит своего спасителя — молодого парня в ушанке и лохматом полушубке. У него такое довоенное лицо, доброе, широкое, с ямочками на щеках. У кого сейчас остались ямочки на щеках?

— Давай руку, вытащу тебя, — подмигивает он ей. И протягивает крепкую ладонь.

МАША

Они сидели в квартире, где в соседних комнатах уже вовсю кипел ремонт, гремел раздающий приказы голос Эдика. Маша заметила, что каждый раз, услышав его, Ксения будто выпрямлялась на своем стуле. Рушились перегородки, возведенные обитателями в 30-х, 50-х годах, бился старый кафель — наследие убогого коммунального прошлого, вставлялись новые окна... Эдик носился по квартире, как рабочая пчела, подгоняя свою бригаду, и дело действительно продвигалось крайне быстро. Но тут, в дальней комнате, где они устроили себе «штаб-квартиру», было относительно тихо — тяжелая старая дверь скрадывала звуки. А их кружок, состоящий из самой Маши, Игоря и Ксении, напоминал сходки первых подпольщиков из интеллигенции: круглый стол, множество бумаг, чай. Игорь искал самые неожиданные семейные связи — бегал из Центрального архива в архив Ленобласти, делал копии, сопоставлял старые фотографии. Маша расчерчивала вечные свои таблицы со стрелочками. Ксения большей частью слушала...

— Я не верю, что она на них донесла, — твердо сказала Маша. — Понимаете, из всего того, что рассказала нам об этой старушке Тамара Зазовна, из того, что узнали мы сами... Она потеряла на войне мужа, дочь, внучку. Пережила в городе всю блокаду...

— Страданиями душа да возвысится? — улыбнулся Игорь, снял, протер салфеткой очки.

— Если хочешь, — кивнула Маша. — Ты выяснил, что ее мужа до войны направляли в Германию в командировку.

— Да! В очень любопытную, замечу. Вы же знаете о пакте Молотова — Риббентропа?

Маша с Ксенией кивнули. Ксения — не очень уверенно.

— Конечно. Чего вы, девушки, не знаете, так это того, что по хозяйственной, так сказать, части соглашения в Германию выехали специалисты: изучать технические достижения немецкой авиации. Достижения нашу сторону, похоже, впечатлили, и потому было решено закупить партию самолетов на заводах Юнкерс, Мессершмит и Хеншель. Заказ был крупным, и контролировать его отправилась целая делегация: и директора наших заводов, и специалисты там разные по двигателям, и летчики. Муж Ксении Лазаревны был как раз из них. Братание и обмен опытом происходили сначала в Германии, а потом и у нас. Это был март 1940 года.

— Понятно, почему он сразу же отправился на войну. Летать его уже не взяли — по возрасту. Пошел в ополчение. Хотел, наверное, искупить кровью факт братания... — Ксения придвинула к себе увеличенную фотографию: красивое волевое лицо, летная форма. По тогдашним меркам — уже совсем немолодой человек, лет пятидесяти.

— Вот тебе еще доказательство, — пожала плечами Маша, мельком взглянув на фото. — Не стала бы Ксения Лазаревна, сама изрядно натерпевшаяся от высоких политических игр, выдавать немца Коняева.

— И дезертира не стала бы? — прищурился Игорь.

— И дезертира. Не судите, и не судимы будете, — кивнула Маша. — Это же касается голубой связи между Бенидзе и его другом-танцовщиком...

— А может, она была женщина высоких моральных правил? — улыбнулась Ксюша.

— Она была открыта новым знаниям, обожала читать. Не тип это закостеневшей в морализаторстве старушенции, — покачала головой Маша. — Кроме того, ее молодость пришлась на десятые годы прошлого века — а они, кроме заката эпохи модерна, характеризовались вполне свободными нравами.

— Это точно, — улыбнулся Игорь. — У вас в Москве на Бульварном кольце тот еще вертеп был, да и у нас в Питере не лучше: сидели в «Кафе де Пари», кофейне в Пассаже и на катки ходили — высматривать кадетов, чтобы потом вести в нумера. Кстати, после 1917 года советская власть поначалу посчитала гомосексуалистов «угнетенной царизмом прослойкой» и очень к ним благоволила...

— Я хочу сказать, — прервала его разглагольствования Маша, — что для человека ее происхождения и возраста это не было таким уж культурным шоком.

— Главное правило воспитанного человека — не заглядывать в постель к другому воспитанному человеку, если то, что там происходит, свершается со взаимного согласия и по достижении обеими сторонами совершеннолетия, — кивнула Ксения. — Это я уже свою бабушку цитирую.

— Значит, надо искать дальше? — улыбнулся Игорь. — Нарытые тайны вас не устраивают?

— Дело не в том, что кого не устраивает, — Маша оставалась серьезной. — Старушку могли убить и за них — как быть стопроцентно уверенными в ее молчании? А тайны для того времени все-таки подсудные. Но, мне кажется, нужно продолжать копать, не все еще мы вытянули на поверхность в этой коммуналке.

Маша перевела взгляд с Игоря на Ксению. Ксения отвела глаза: она, похоже, уже вся была в новом романе и думала о более приятных вещах. А Игорь хмыкнул и неспешно начал собирать документы в портфель. Ему явно наскучило рыться в этой старой истории. Кому интересно грязное белье полувековой давности?

«Почему же так получилось, — думала не без иронии Маша, — что мне теперь больше всех нужно? И ответила себе же: потому что ты нащупала одну нить. Хотя куда она заведет, совершенно неясно».

* * *

Дело в том, что втайне от Ксении (дабы не всполошить раньше времени тонкую музыкальную натуру) Маша пару раз сходила в консерваторию — опросить тамошнюю музыкальную братию на предмет, не видел ли кто столкнувшего на лестнице Ксению неизвестного или просто — неизвестного, околачивающегося близ Консы. Повезло ей не в первый и не во второй раз. Только вчера утром она случайно застала выходящую с черного хода южную женщину в немаркой куртке — уборщицу. Женщину звали Анзурат, и работала она полулегально, в ночное время. Усадив ее на скамейку в Театральном сквере, Маша, просительно заглядывая в непроницаемые черные глаза, долго объясняла, зачем она здесь и чего ищет. И совсем уж было отчаялась — достала свой мобильник, чтобы воспользоваться онлайн переводчиком, как Анзурат кивнула и полезла во внутренний карман куртки.

— Вот, — протянула она Маше нечто блестящее: маленький, сантиметр на сантиметр, золотой квадратик. А на нем чей-то профиль.

Маша осторожно взяла его в руки: это была запонка. Не бог весть какая ценность. Дешевая позолота кое-где слезла, обнажив металлическую суть.

— Вы уверены, — повернулась она к Анзурат, — что ее не могли обронить раньше?

Женщина покачала головой: нет.

— Я могу оставить ее пока у себя?

Она увидела сомнение на лице уборщицы, широкие брови сдвинулись, но Анзурат кивнула и встала со скамейки.

— До свидания, — сказала она на чистейшем русском и быстрым шагом пошла прочь.

А Маша, проводив ее глазами, вновь взглянула на запонку в своей ладони: этот профиль напомнил ей английские монеты. Но не современные — с долгоиграющей королевой Елизаветой. Нет. С другой долго царствовавшей особой. Маша поворачивала профиль то так, то эдак. А потом положила в карман и вот сейчас задумчиво смотрела на своих собеседников: поделиться ли находкой с товарищами по раскопкам коммунального прошлого? Или пока ничего не говорить о внезапном появлении в деле королевы Виктории?

КСЕНИЯ

Первым звонок в дверь услышал Эдик, и он же пошел открывать. А когда Ксения дохромала до прихожей, то застала следующую картину: в дверях стояла припорошенная снегом Тамара Зазовна, и Эдик уже любезно приглашал ее войти.

— Давайте я за вами поухаживаю, — снимал он с округлых плеч зимнее пальто.

— Мы знакомы? — близоруко сощурилась Бенидзе.

— Вряд ли, — он сцепил руки за спиной и склонил голову набок. — Я дизайнер данной квартиры. Ну, и по совместительству — бригадир-строитель.

— А я — одна из бывших обитательниц. — Ксении показалось или Эдик при этих словах вздрогнул?

Тамара Зазовна улыбнулась ему своей теплой улыбкой, поправила на ощупь, так и не найдя зеркала, уложенную короной косу на голове.

— Тамара Зазовна, — окликнула Ксения, — пойдемте-ка чай пить и беседовать.

Разговор за чаем зашел, понятное дело, о коммунальных обитателях. Между делом, чуть смущаясь, Тамара Зазовна сообщила, что встречалась с Алексеем Ивановичем. Им ведь есть что вспомнить!

Она улыбнулась, а Маша отвела взгляд — ей показалось, что она против воли подглядела чужую тайну. Ни к какому убийству тайна не имела никакого отношения, но, боже мой, как это было грустно — затерянное во времени, никому не нужное, но верное и чистое чувство!

— Вместе перебирали фотографии — вот, нашла для вас несколько карточек, заблудившихся в более поздних альбомах. Посмотрели на себя молодых, поахали. Он ведь, знаете, в тот год очень изменился... — Тамара Зазовна покачала головой. — Во-первых, стал модно одеваться и отрастил себе волосы, вот здесь, — она показала на лоб. — Длина смешная по нынешним временам, но в школе его гоняли и за эти несколько сантиметров. Занялся подпольным выпуском самопальных пластинок на костях — ну, это вы уже знаете. Даже мне давал как-то послушать свои рок-н-ролльные дела. Я тогда ему не призналась, но мне не понравилось — я ведь была советская девочка, отличница, взращенная на опере, в крайнем случае — Шульженко и Бернес. Меня эдакий ритм просто испугал, — она усмехнулась. — А от музыки он естественным путем перешел к литературе.

— К литературе? — переглянулся с Машей Игорь. — Самиздат?

— Солженицына хранил с Шаламовым? — задержала дыхание Ксения.

— Что вы! Никаких Шаламовых, только Серебряный век — так ведь и он у нас был запрещен! Гумилев, Булгаков, Волошин.

— Но это же все равно считалось антисоветчиной, — вмешался Игорь. — 58-я статья?

— Наверное, — пожала плечами Тамара Зазовна. — Но Алешу не поймали. А не пойман...

— Не посажен, — подхватил Игорь.

— А Ксения Лазаревна, — задала Маша вопрос, крутившийся на языке у всех троих, — могла знать о Лешином увлечении?

— Бог ты мой, деточка, конечно! — всплеснула руками Бенидзе. — И не только знала, а делилась с ним книгами из своей библиотеки. У нее же сохранились еще дореволюционные издания: опальных Мандельштама, Пастернака, Ахматовой! Так что она стала, можно сказать, его литературным поставщиком. И тут уж я, конечно, не могла остаться в стороне — читала втайне от матери и «Камень», и «Кипарисовый ларец», а уж Ксения Лазаревна знала их наизусть!

«Мимо», — читалось в глазах Игоря. Но тут дверь открылась — в проеме появился Эдик. Ксения почувствовала, что глупо улыбается:

— Проходи, присоединяйся.

Эдик не заставил себя долго уговаривать.

— Спасибо, — он пододвинул к себе чистую чашку. — Пока объяснишь моим обалдуям, что и как делать, в горле пересохнет.

— Сахар? — пододвинула ему сахарницу Ксения.

— Да. И лимон, если не жалко.

— Совсем не жалко, — вновь улыбнулась она и покраснела, поймав на себе быстрый Машин взгляд.

— Вы, случайно, никогда не снимались в кино? — неожиданно пришла ей на помощь Тамара Зазовна.

— Думаете, стоит? — блеснул ровными зубами Эдик. — А то действительно, каждый день приходится отказывать и Тарантино, и Бертолуччи.

— Да-да, — поддержала шутку Ксюша, — ты же слишком занят преображением квартиры на канале Грибоедова...

— И ее хозяйкой! — подмигнул Эдик, а Ксюша так и застыла, на него глядючи, на секунду забыв, что они сейчас не одни.

— И все же мне кажется, — донеслось до нее через флер зачинающейся влюбленности, — что я вас где-то видела.

Эдик улыбнулся — уже не так открыто, скорее вежливо: что за настырная старуха!

— Я вел одно время передачу по дизайну на местном канале. Наверное, там вы и имели это сомнительное удовольствие.

— Наверное, — растерянно кивнула Тамара Зазовна. — Хотя я такие передачи не смотрю.

— Все бывает, — уже поднимаясь из-за стола, заметил Эдик. — Даже мне иногда под настроение хочется смотреть романтические комедии. — И он снова подмигнул. Лично Ксюше.

— Да, — согласно закивала Тамара Зазовна. — Конечно. Это самое простое объяснение.

ТАМАРА. 1959 г.

Если все вокруг ликует и поет,
Если ночь тебе покоя не дает,
А на сердце и тревожно, и легко, —
Значит, здесь твоя любовь недалеко.
На реке волна колыхается едва,
Сколько нежных слов ты слышала, Нева.

Песня из кинофильма
«Дом над Невой», 1959 г.

«Что-то происходит в нашей квартире», — говорит себе Тамара. Напряжение росло, все вели себя не так, как обычно. Ничего плохого вроде как не случилось, напротив, мамина исключительная хозяйственность задала всем новую высоту.

Так, мама покрыла лаком паркет, а тетя Галя повесила на окна кухни занавески с собственноручно вышитыми петухами. Мама готовила чанахи. Тетя Галя томила щи. Мама вырезала из «Огонька» фотографии зарубежных артисток и скопировала платье Марины Влади. Тетя Галя смотрела телевизор и выучила наизусть все фильмы московского кинофестиваля, цитировала французского критика Жоржа Садуля и режиссеров Герасимова и Бондарчука. Мама записалась в Университет культуры во Дворце первой пятилетки на лекции по истории. Тетя Галя следила за второй Спартакиадой народов СССР. Мама засахаривала цукаты. Тетя Галя демонстративно отказалась чистить ковры по старинке мокрым веником во дворе и приобрела пылесос «Пионер».

И в то же самое время — мама и папа почти перестали ссориться. И Тамара, хоть и говорит себе: это хорошо, ну хорошо же! — но чувствует, что за этой тишиной стоит не умиротворенность ладной семейной жизни, а отчуждение. За папой теперь часто заходит его новый друг — блондин с идеальной осан-

кой. На чай не остается — отводит глаза и ждет отца
в прихожей. Папа быстро одевается и исчезает на
несколько часов из дома. Но мама этого как будто
не замечает: вынула из шкафа и обновила шелковое
белье, еще бабушкин подарок. Красивое, совсем не
современное, в тонких кружевах. Мама прислушивается к шагам в коридоре, и Тамара против воли
стала делать то же самое и различать шаги. Легкие,
чуть шаркающие — Ксении Лазаревны. Тяжелые
и быстрые — тети Гали Пироговой. Внушитель-
ные, как шаги Командора, — Пирогова-отца. Почти
неслышные, как мышкино шебуршение — Леночки.
Бодрый мальчишеский перестук пятками — Валер-
ки и Кольки. Суетливые — их мамы, тети Люды. И,
наконец, Алешины — единственные пружинистые,
спортивные. Уловив их в коридоре, Тамара под иро-
ничным материнским взглядом выскальзывает из
комнаты, поворачивает за угол на кухню.

— Стой! — раздается звонкий крик.

Она замирает, оборачивается. Щелчок.

— Снято! — кричит довольный Колька. — Отлич-
ный кадр!

— Хватит тебе всех обитателей пугать! — урезони-
вает его с кухни Алексей, ставит на плиту кастрюльку
с едой.

— Хочешь, я тебя нашим обедом угощу? — спрашивает, краснея, Тамара. Знает она, что у него там,
в кастрюльке, — вечные макароны по-флотски с ту-
шенкой.

— А я не всех фотографирую! — перебивает ее
Колька. Он не убежал, как с ним обычно случается,
обратно к себе в комнату, а крутится тут, на кухне.

— Что за несносный мальчишка! — чуть не плачет
Тома.

— Только очень фотогеничных, — подмигивает ей
Алексей, а она чувствует, как из-за белого воротнич-

ка школьной формы вырывается, заливая все лицо, душная волна.

— Дурак ты! — Колька, похоже, тоже покраснел. — Вот же дурак!

И наконец скрывается за дверью.

— Спасибо за предложение, — не обращая внимания на дурака, Леша снимает запотевшие от пара над кастрюлькой очки, смотрит на Тамару, и она видит его глаза — не беззащитные без очков, нет. Напротив — совсем мужские, взрослые, глядящие так беспощадно прямо, что впору ей самой себя почувствовать беззащитной. — Но мы с Колькой просто обожаем макароны — никаких изысков не надо. Кроме того, у нас в комнате имеется еще колбаса и булка. Однодневный запас. Так что — живем!

А Колька уже снова тут как тут:

— Вот. Это тебе. Подарок.

Развязывает ленточки на папке, вынимает две большие, глянцево блестящие фотографии. Тамара находит силы отвернуться от Леши — к снимкам.

— Правда здорово получилось? — заглядывает ей в лицо снизу вверх Колька.

Алеша подходит к ним и берет одну из фотографий — на ней Тома склонилась над мережкой. Распущенные по случаю выходного дня тяжелые волосы волной прикрывают полщеки. Густая бровь, длинные ресницы ложатся веерной тенью на бледную кожу, рот сосредоточенно сжат.

— «Здорово получилось»! — передразнивает брата Алеша и отдает, подмигнув, фотографию ей обратно. — Тоже мне, кавалер!

А потом снимает с огня прихваткой кастрюльку:

— Айда в комнату, питаться! — и выходит из кухни, а Колька бежит, как хвостик, за ним следом, тормошит за рукав нового кожаного пиджака.

— Правда она красивая, правда?! — громко шепчет он, а Тома отворачивается к окну и замирает, пытаясь расслышать, что-то Леша ответит?

Но не успевает: на кухню вплывает с полными сумками Галина Егоровна. Раз — тяжелая нога становится на шаткую табуретку, а авоська с мороженым мясом ловко закидывается на крючок за окном. Два — и щелкает тумблером радио: «За пятое пятилетие, — убежденно говорит диктор, перекрывая самые важные для Томы слова из коридора, — продажа мясопродуктов увеличилась в два и семь раза, масла животного — в два и четыре, шелковых тканей — в три и пять!»

— Ты сегодня рано чего-то с музыкальной школы, — Галина Егоровна несет к раковине большую рыбину — чистить. Тамара кивает — разочарование лишает ее голоса. Зато диктор неутомим: «...шелковых тканей — в три и пять раза, телевизоров — в тридцать раз. В городе имеется двенадцать крупных универсальных магазинов: Дом ленинградской торговли, Фрунзенский...»

Тома выкладывает на доску лук — мама попросила пошинковать для чахохбили. Папа любит, когда его много, а мама, когда режет, сразу начинает плакать «луковыми» слезами.

— Добрый вечер, — это на кухню заходит Вера Семеновна.

— И тебе, соседка, — вытирает пот со лба рукой в рыбьей чешуе Пирогова. — Видела стиральную доску — что это ты там присобачила? Крышки от бутылок?

— О! Вы заметили? — ставит на огонь чугунную сковородку Коняева. — Отличная терка для хозяйственного мыла. Можно повесить на край стирального бака или корыта. Мыльная стружка будет падать прямо в таз... — И вдруг замирает, заметив манипуляции соседки с рыбой. — Боже мой! Вы снимаете кожу?

— Как чулок! — добродушно улыбается Пирогова, продемонстрировав железный зуб.

— Но ведь это получится фаршированная щука? Гефильте фиш? — Коняева аж замирает с деревянной ложкой в руке — в ложке сваренная на несколько дней вперед гречневая каша. Эта каша — основное меню четы Коняевых. «Откуда только знает про эту самую фиш?» — удивляется про себя Тома. Но чудеса на этом не заканчиваются, потому что Галина Егоровна вдруг бледнеет и облизывает губы с остатками оранжевой помады.

— Научили, — говорит она. — В эвакуации. Очень экономное блюдо.

Наступает молчание, заполненное лишь голосом диктора: «Поддерживая решение XXI Съезда Коммунистической партии, строители Главленинградстроя приняли социалистическое обязательство...»

Тамара смотрит на обеих женщин и не понимает, что произошло. Но в этот момент с ниагарским грохотом спускается вода в туалете и в коридор выходит Пирогов-муж с «Известиями» в руках. И почти одновременно во входную дверь раздается уверенный звонок: раз, два, три.

— Это к вам, — говорит Томе тетя Галя. И уплывает в сторону своей комнаты, за дверями которой только что исчез со свежей прессой Алексей Ермолаич.

Тамара бежит по коридору, наскоро вытирая руки кухонным полотенцем, щелкает замком и распахивает выкрашенную коричневой краской входную дверь. На площадке перед квартирой стоит огромный белобрысый парень лет двадцати в кепке, ватнике и кирзовых, заляпанных грязью сапогах.

— Вы к кому? — Тома ошарашенно смотрит на парня, а тот, похоже, просто застыл, выкатив на нее светлые зенки в бесцветных ресницах.

— К Коняевым я, — наконец говорит он и скалится — зубы у него желтые и большие, как у лошади. — К дохтуру, Андрею Геннадьевичу.

— К Коняевым — шесть звонков, — говорит она. В его возрасте уже пора уметь считать! Но не читать же ему нотации! И Тома разворачивается и идет обратно на кухню.

Из комнаты, покашливая, как раз выходит сам доктор, и Тома уже открывает рот, чтобы сказать: а вот тут к вам пришли, как тот сам замечает гостя и встает как громом пораженный.

— Миша? — почему-то шепчет он. — Господи...

КОШЕЛКА

— Псих санитару не товарищ, — шепчет Кошелка накрепко заученные слова. В коридорах больницы пахнет хлором и кашей, несвежим телом и жирными волосами. А еще — шизофренией. Луковый запах. Он клубится гуще в глубине коридора — там, где на отделении держат «острых», или буйных. И становится слабее рядом с выходом из зачарованного царства — ведь чем ближе к входной двери, тем доступнее освобождение. Здесь в палатах больным уже положены цветы в горшках, красочные журналы и книги. Кошелке нестерпимо смотреть на эту разноцветную жизнь, тогда как сама она навеки застряла между непроницаемым туманом абсолютного безумия и пронизанным солнцем миром почти здоровых людей. Вечные сумерки — вот что такое ее существование. У них, в промежуточном царстве «на грани», скучно. Они безнадежны, но не опасны. Напротив их палаты — вход в столовую. Над окошком с раздачей еды висит листок: «Каша манная молочная. Чай с лимоном» — это завтрак.

На обед — «Суп рассольник. Кура отвар., капуста тушен.». На ужин — «Макароны отвар. Кефир». Меню неизменно, как и здешняя жизнь, но Кошелка каждый день пробегает глазами бумажку с машинописным текстом — это ее успокаивает. В коридоре стоит телевизор, бубнящий о всемирных заговорах, колдунах, снимающих венец безбрачия, и чрезвычайных происшествиях с расчлененкой. Новости эти с раннего утра собирают благодарную и возбужденную аудиторию. Время от времени тот или иной врач пытается переключить канал на комедийный сериал или спорт, и пару часов психи послушно смотрят чемпионат по фигурному катанию. Но вскоре волшебным образом вновь возвращаются к передачам о трупах и сионских мудрецах.

А Кошелке пора в палату. Она передвигается по потертому линолеуму больничного коридора бесшумно, будто привязавшая к ногам ореховые скорлупки колдунья из сказки Гауфа. Начинается обход. Во время визита врачи стараются как можно быстрее отделаться от бессмысленных вопросов Кошелкиных соседок и проследовать дальше — к выздоравливающим. Кому любопытны эти старухи, с их вязкой речью, жалующиеся на детей, внуков и космических пришельцев? Но Кошелка — тихая, молчаливая, если и разговаривает, то только сама с собой. Маленькая, тонкие птичьи косточки, совсем молодое лицо — будто, атаковав ее мозг, судьба сжалилась и договорилась со временем — и оно стало над ней не властно. Кошелка знает, что в этой вечно сумрачной палате и есть ее спасение. И пока другие старушки перед врачебным обходом аккуратно застилают свои постели и прячут огрызки в тумбочку, чтобы на поверхности все казалось почти идеальным, она просто сидит, опустив голову и скрывая улыбку. Ей не надо прокручивать в голове ответы на вопросы врача в попытке скрыть симптомы болезни, чтобы казаться лучше, здоровее, чем ты есть на самом деле. Кошелка знает: мир вокруг больницы достается не тем, кто больше всех старается угодить. А тем, кто умеет ждать. А уж кто-кто, а она — умеет. Выучилась. За сорок-то лет. Выплевывать или прятать за щеку, бесшумно открывать, выскальзывать, пробираться, переодеваться, спускаться, ехать как ни в чем не бывало на автобусе — а вот и мое пенсионное удостоверение, голубчик, нажимать кнопки кода, следовать за парочкой с чемоданом, потом делать вид, что поднимается выше — какие дураки, ничего не заподозрили, а что там, выше — чердак? Прятаться за клеткой лифта, прислушиваться старческим ухом, истончившимся, как древняя морская раковина.

— Доченька, прости, но у нас жить совсем невозможно. Залило, пришлось перекрывать воду. Ты не против, мы к тебе максимум на недельку? — это женский грудной голос.

— Да, Ксения, вы уж нас извините! Купили коммуналку в свою собственность — и что получается? Опять в коммуналку попадаете, — это голос мужской. Подлизывается.

— Глупости, Юра, что ты говоришь! Мы же семья! — перебивает его «грудной». Перебивает от смущения.

Семья, жмурится в полутьме Кошелка, вовсе не всегда повод к совместной жизни.

— Конечно, глупости! — отвечает ненавистный голос. — Проходите! У нас как раз одна комната совсем готова, если не считать...

Что там не нужно считать, Кошелка уже не слышит, дверь закрывается. Кошелка расчесывает лоб: пергаментная кожа того и гляди порвется, а в голове опять нарастает глухое жужжание, переходящее в рев, неумолимое, как звук взлетающего самолета. Она смотрит на свои неровно подстриженные тусклые ногти, окаймленные бурым. Кровь. Она опять расцарапала себя до крови. Пора возвращаться домой, в палату. Она выучилась считать ее домом. Да, она научилась многому. Растворяться в темноте, появляться из ниоткуда, усыплять бдительность медперсонала. Научится и...

ТАМАРА

— Слушаю.

— Эдуард, здравствуйте. Простите, не знаю отчества... Это Тамара Зазовна вас беспокоит.

Озадаченное молчание.

— Мы совсем недавно вместе пили чай. У Ксении. Я была соседкой ее бабушки по коммунальной квартире.

— Ах да, конечно. Простите, сразу не признал. Я сейчас на объекте, — на заднем плане Тамара слышит грохот. Эдик громко, в самую трубку, орет: — Черт, ну я же просил! — Следует длинная матерная фраза, и от неожиданности Тамара отодвигает телефон от уха — может быть, зря она все это затеяла?

— Извините, — уже спокойным голосом говорит Эдик. — Это не вам.

— Хотелось бы верить, — нервный смешок. Тамара смотрит в раскрытый альбом со старыми фотографиями в своих руках. Нет, она правильно сделала, что позвонила.

— Так о чем вы хотели со мной поговорить? — Эдик явно вошел в какое-то помещение и закрыл за собой дверь. Стало гораздо тише.

— Эдуард, что вы делаете рядом с Ксенией? — решается Тамара.

— В смысле?

— Что вам от нее нужно? Вы же не просто так оказались в этой квартире?

— Я не понимаю... — начинает Эдик, а Тамара вдруг успокаивается. В ее возрасте уже четко знаешь, когда мужчина врет, а когда говорит правду. Преимущество старости, усмехается она про себя. Опыт, сын ошибок трудных.

— Думаю, вы все понимаете. Я узнала вас. Точнее, не вас, а другого человека, который вам приходится родственником.

— Вам показалось... — говорит Эдик, но уже без прежнего напора.

— Нет, — качает головой Тамара. — Кровь действительно не вода. Вы очень на него похожи. Знаете, не фигурой и не улыбкой. Скорее глазами, взглядом.

— Ладно, — вздыхает Эдик. — Давайте так. Я выберусь к вам и все расскажу. Сейчас неудобно, да и долго. А вы, пожалуйста, не говорите пока ничего Ксении. Я предпочитаю сам с ней объясниться.

— Хорошо, — кивает Тамара. — Записывайте адрес.

МАША

Алексей Иванович позвонил ей как раз в тот момент, когда Маша наконец решилась рассказать Любочке про полученное предложение руки и сердца.

— Вот, значит, кому я обязана твоим приездом, — усмехнулась Любочка, держа сигарету на замахе ближе к форточке.

Маша крутила в ладонях чашку с чаем.

— Да, примерно так.

— И что тебя смутило? Это же скорее хорошая новость?

— Зачем так рано? — подняла Маша глаза на бабку. — Брак — это ведь дети, совместные бытовые обязательства, а я...

— А ты к детям не готова, ты играешь в сыщиков, — снова усмехнулась бабка и похлопала ее по руке. — Я все понимаю. Но это разные вещи. Я имею в виду, само предложение имеет все-таки не одно прикладное значение.

— А еще и сакральное? — улыбнулась Маша.

— Может, и не сакральное, но крайне романтическое. Подумай, не просто же так женщины — я имею в виду не тебя, а любую нормальную представительницу нашего пола — так ждут этих слов.

— Нормальные женщины хотят семью и детей, — вздохнула Маша.

— Не только и не всегда. Они просто хотят услышать, что они — единственные. А предложение — всего лишь способ выражения этой нехитрой мысли: я сделал выбор. Из всех женщин на этом свете в пользу одной тебя. Разве не лестно?

Маша пожала плечами и кивнула одновременно. Бабка ее не страдала сентиментальностью, и в этой гипотезе, несмотря на романтический флер, что-то было. Может, Андрею и не нужно, чтобы она соглашалась? Вдруг он просто хочет...

И в этот момент в коридоре затрезвонил мобильник. Оторвав себя от мыслей об Андрее, Маша взяла трубку. «Лоскудов» — высветилось на экране.

— Здравствуйте, Алексей Иванович.

— Маша... — голос прерывался, хриплый, глухой. — Она погибла, упала...

— Кто погиб, кто?! — Маша до боли прижала телефон к уху, надеясь лучше услышать.

— Тома, Тамара, упала с лестницы. Сломала шею, — он выдохнул, пытаясь справиться с рыданиями. — Я нашел ее. Внизу.

— Вы вызвали полицию?

— Да. Они уже сняли показания. А я, — голос опять прервался, — а я не могу уйти. Сижу тут во дворе, совсем расклеился.

— Я сейчас приеду, Алексей Иванович. Не уходите. Я сейчас возьму такси.

* * *

Они встретились через полчаса в кафе-мороженом. Маша вышла из такси и сразу увидела его через стеклянную стену. Сидя за шатким пластиковым столиком, он безучастно смотрел перед собой. Вокруг веселились дети — отмечался день рождения. В разноцветных масках и с шариками в руках ребятня в нетерпении пританцовывала вокруг улыбчивой девушки за прилавком, дети спорили и галдели, указывая пальцем на интересующее их мороженое. Выбор заведения оказался явно неудачным, вздохнула Маша и толкнула дверь. Села напротив Лоскудова, взглянула на крупные кисти рук, крутящие пустую кофейную чашечку — если бы не эти бледно-розовые пятна, они были бы даже красивыми.

— Как это произошло? — тихо спросила она. Лоскудов молчал, и Маша уже собралась повторить вопрос, думая, что он за детским гамом ее просто не услышал.

— Не знаю. Мы договорились встретиться, вспомнить молодость, — он грустно усмехнулся, указав острым подбородком на третий стул, оставшийся свободным: на нем стояла коробка с тортом и сверху — обернутая в целлофан ветка лилии с одним распустившимся цветком и парой плотно закрытых бутонов.

У Маши сжалось сердце — какой бы радостью могли обернуться эти цветы для Тамары Зазовны.

— Я вошел в парадное, она мне заранее дала код. И почти сразу увидел ее, там, внизу, — он замолчал. — У нее была вывернута шея. Вот так, — он попытался показать Маше неправдоподобный угол. — Бусы, знаете, при падении порвались, и повсюду оказался рассыпан такой... как мелкий жемчуг. Я наступил на одну из бусин и растянулся, глупо, как в чаплиновской комедии. Ударился затылком. Упал совсем рядом с ее лицом. И она так смотрела на меня, будто что-то хотела сказать. Я даже встал на колени, склонился над ней, но, конечно, все было уже кончено.

— У вас тут... — нагнулась Маша, вглядываясь в небольшое смазанное пятнышко на торчащей из-за обшлага пальто белой манжете. — Кровь?

Лоскудов дотронулся пальцем до пятна, придвинув руку ближе к свету. Маша покачала головой:

— Нет. Помада.

— Зачем она это сделала, Маша, как вы думаете?

Маша смотрела на него молча, не понимая вопроса.

— Я имею в виду, покончила с собой? — пояснил он.

— Алексей Иванович, я не знаю. Я даже не знаю, покончила ли. Она ждала вас в гости, готовилась. Бусы. Помада. Платье, наверное?

— Да, — сглотнул Лоскудов. — Платье.

— Вот видите. С чего ей было убивать себя, сами подумайте?

Алексей Иванович кивнул, с тоской посмотрел в окно — на огни проезжающих мимо машин. Маша глядела на его профиль, четкий — наверное, такие мало меняются с годами. Сказать ему, что он только что потерял женщину, которая, возможно, преданно любила его всю жизнь? Нет, подумала Маша, пусть она останется для него просто старинной знакомой, настолько старинной, что о ее нынешней жизни ничего не известно, да и знать не надобно.

— На ней были такие туфли... блестящие, черные, на небольшом каблучке, — отвернулся от окна Лоскудов и снял очки. Нащупал во внутреннем кармане куртки замшевую тряпицу и, взявшись протирать стекла, поднял на нее глаза: — Может быть, с непривычки оступилась?

И Маша вдруг на секунду будто выпала из времени, всматриваясь в это умное и истерзанное жизнью лицо. Что-то было во взгляде пожилого человека, который наверняка и видел-то ее без очков смутно, как бледное пятно. А вот она, напротив, впервые имела возможность без смущения вглядеться в его глаза. Так что же, кроме грусти от потери? И, раздраженная невозможностью с лету разгадать эту загадку, она ляпнула вслух то, что крутилось у нее в голове.

— Может быть, оступилась. А может, ее убили.

* * *

Зря она не показала находку Алексею Ивановичу, подумала Маша, положив на стол перед бабкой блестящую штуковинку. Вдруг он про нее что-то знает? Любочка взяла запонку в ладонь, сощурилась:

— Чем-то похоже на пионерский значок. Но нет, это не Володя Ульянов. А Викториа Реджина. Королева Виктория?

Маша кивнула:

— Я сегодня обошла несколько ювелирных и антикварных салонов разной степени престижности.

Бабка пожала плечами:

— Настырная ты, Машенция! Ты ведь даже не уверена, что ее обронил толкнувший нашу Ксюшу преследователь!

— Не уверена, — закусила губу Маша. — Но видишь ли, других зацепок у меня все равно нет. А вещица любопытная и появилась на ступеньках той самой служебной лестницы консерватории в интересующий нас день. Я бы на всякий случай показала ее всем, как-то связанным с коммуналкой, — вдруг отыщется какая-нибудь зацепка?

Бабка кивнула, усмехнулась:

— Значит, агрессор — мужчина с претензией на элегантность?

Любочка отдала Маше запонку.

— С претензией — точное слово, — улыбнулась Маша. — Все в один голос говорят, что это грубая поделка, годов этак восьмидесятых. Судя по золочению — нашего, российского, кустарного производства. Не знаю пока, что с этим делать. Попробую еще кое к кому сходить и через Москву получить доступ к делу Бенидзе. Скорее всего, признают суицид или смерть по неосторожности.

— Через Москву, — подмигнула Любочка, — это правильно. — И вздохнула: — Бедная Тамара! У нее дети, наверное, внуки?

— Внучка, — кивнула Маша. — Специалист по каким-то телекоммуникациям. Послала Ксению с Игорем с ней переговорить.

— Поинтересоваться, вдруг ее бабка была склонна к суициду? — откинулась на стуле Любочка. — Это бы все упростило?

Маша кивнула: Любочка, как всегда, права. Упростило. Закрыло тему. Ей давно пора было обратно, домой. Мириться с Андреем, чесать за ухом Раневскую. Но она не могла. И дело не в старой истории — как бы она ни была занятна, Маша с самого начала не верила в возможность обличения убийцы. Дело в смутном беспокойстве. Оно, будто далекий зов рожка, предупреждало ее об опасности. Едва различимый среди окружающих ее шумов, он пробивался сквозь толщу десятилетий и молил ее: будь осторожнее! Маша залпом выпила остатки чая, вздохнула. Зов-то зов... Но абсолютно бессмысленный.

КСЕНИЯ

Игорь попал в квартиру к Тамаре Зазовне раньше Ксении. Она со своей больной ногой вынуждена была воспользоваться такси и, как следствие, — застряла в пробке. А пройдя на кухню, впервые увидела внучку Тамары Зазовны, похожую на свою бабку в молодости как две капли воды — разве что вместо царственных кос на голове торчал ежик коротко стриженных волос. Но эта, почти солдатская, прическа ее совсем не портила, а придавала дополнительный драматизм и так театрально красивому лицу, делая огромные темные глаза еще больше и выразительнее. Кстати, о выразительности: Ксюша переводила взгляд с плачущей над своей большой керамической чашкой Марико на сидящего как истукан напротив Игоря. Чай перед обоими уже остыл, да и налит он был лишь для оформления встречи. Марико плакала, а Игорь казался просто загипнотизированным этим зрелищем и не спускал с нее взгляда, полного такого сострадания, что Ксения сразу почувствовала себя лишней.

— И в духовке, — рыдала Марико, — курица, запеченная по ее фирменному рецепту! И стол накрыт — прапрабабушкиной посудой, которую мы только на праздники вынимаем!

— Марико, — Ксения попыталась было объясниться взглядами с Игорем, но он и не думал на нее смотреть, поглощенный барышней напротив. — В нашу последнюю встречу Тамара Зазовна говорила о старых фотографиях, которые она отыскала в других, более поздних, альбомах. Мы бы хотели...

Игорь зыркнул на нее так, что она осеклась.

— Не думаю, что Марико сейчас способна разбирать фотографии.

— Конечно, способна, — Марико отерла слезы с глаз и отодвинула стул. — Бабушка была очень увлечена вашим расследованием. И она... — голос ее опять прервался, а Ксения вдруг сделала шаг вперед и взяла ее за руку.

— Я понимаю, как вам сейчас тяжело. Я сама совсем недавно... — тут она замолчала, не в силах произнести больше ни слова.

— Знаю, — пожала ей ладонь Марико. — Но это все так внезапно...

Ксения кивнула: что тут скажешь? Смерть — единственная лишает нас надежды. Но надо как-то двигаться вперед — сначала маленькими шажками, забывая, размывая в себе образ любимого человека, и так, со временем, постепенно входить в тот ритм, что называется «нормальной жизнью». Но вслух ничего не произнесла, а прошла за Марико в комнату — идеально прибранную, явно готовую к приему дорогого гостя. И сразу увидела на журнальном столике большой кожаный альбом с фотографиями. На латунной пластинке был выгравирован Медный всадник. Ленинград, 1960. Марико открыла альбом, вынула несколько любительских снимков.

— Вот те фотографии. Она собиралась показать их Алексею Ивановичу.

Ксения всматривалась в фотокарточки и передавала их Игорю. На всех была запечатлена только Тамара: склонившаяся над книжкой, в халатике и с полотенцем через плечо, в пальто с пушистым воротником и в кокетливом меховом берете чуть набекрень. Красавица.

Игорь перевернул фотографии: детским аккуратным почерком на каждой выведена дата — 1959 — и посвящение: Томе от Коли.

— Он, наверное, был в нее влюблен, этот Коля, — улыбнулась Ксения Марико.

— Да, — грустно улыбнулась в ответ та. — Спасибо ему за это. Если бы не он, не было бы у нас стольких бабушкиных фото в юности.

Ксения передала Игорю очередную фотографию и уставилась на последнюю карточку, оставшуюся в руках.

— Кто это? — подняла она глаза на Марико.

Внучка Бенидзе пожала плечами, а Ксения перевернула снимок. Надписи, даже остатка от нее, на обороте не оказалось. Она снова вгляделась в лицо Тамары на фотографии: испуганное и какое-то брезгливое. Рядом с ней, положив ей руку на плечо, стоял высокий мужчина в широких брюках и тельняшке.

Лицо мужчины было отрезано.

ТАМАРА. 1959 г.

> Ленинградская ворона,
> Деревенский соловей.
> В Ленинграде жить весёло,
> У деревни веселей!
>
> *Ленинградская частушка*

— Буфера-то у тебя уже, как у большой! — он ухмыляется, и одновременно с ухмылкой изо рта вырывается отвратительный запах.

Тамара отворачивается, снимает с огня кипящий чайник. Жизнь ее в одночасье изменилась: раньше все горести были связаны с тем, что Алеша ее не замечает. А теперь — с этим отвратительным деревенским типом, который ее замечает — даже слишком. Прохода не дает. В комнате сидеть ему неуютно: «теть-Вера», как он называет учительницу Веру Семеновну, едва увидев его, сжимает губы в ниточку, точнее — в стальную проволочку. Дышит ненавистью. Первые недели после того, как этот типчик объявился на пороге их квартиры, «теть-Вера» с доктором тихо, но яростно ругались. Неизвестно как, но доктор вышел из этой битвы победителем и даже отправился с бутылкой спирта задабривать ответственного квартиросъемщика — Пирогова. Вторая бутылка пошла дворнику Абашеву. Оба, приняв дары, согласились до поры до времени терпеть лишнего жильца, пока тот не устроится работать на завод и не переедет в общежитие. Но Мишка работать не спешил и переезжать, похоже, вовсе не думал. И Тома каждое утро с внутренним содроганием выбиралась из безопасного нутра комнаты в ванную. В любую минуту дверь Коняевых могла распахнуться, чтобы выпустить этого волосатого недоросля в семейных трусах, с вечной спичкой в зубах и сальным взглядом. После школы он караулил ее на кухне, развлекая всех остальных хозяек страшными байками про деревню:

— Хорошие вы, Галина Егоровна, щи варите, наваристые, с мясцом. Я таких у нас в деревнях и не пробовал. Картошки б добыть. Без картошки-то опосля войны — хоть в гроб ложись! Хлебные карточки как отменили, так мы хлебушек по списку получали, по одной буханке на семью. Да за той буханкой еще всю ночь на холоде стояли — с вечера! Вот зиму проголодаем, а по весне картоху мороженую в ушанки с дружком ходим-ищем на колхозном поле после перепашки. Лепешки из нее пекли. А потом, как зелень попрет, на поля-то уж больше не-е-ет, не пускают. Значит, пора лопух собирать, лебеду, сныть, крапиву, все, что в рот положить можно. Эх, да что говорить!

— Садись, — говорит Пирогова, — Мишенька. Давай я тебе щец свежих налью. Хлебца отрезать?

И вот, уходя, Тамара видит, как сидит он, довольный, за кухонным столом и уплетает себе за обе щеки. А Пирогова примостилась на табуретке рядом, подперев по-бабьи щеку, и смотрит жалостливо.

Или еще встанет, облокотившись на стенку, напротив их открытой двери, руки в карманах — и глядит, как мама отшивает очередной «частный» заказ.

— О, — говорит, — какая телогрея! У нас-то в деревне после войны все в одних штанцах да рубашонках ходили — рукав так и блестит от соплей, на солнце переливается. А как без соплей-то и без цыпок? Рукавиц нету, да и обуви несношенной — до школы пять километров...

А сядет Анатолий Сергеич в закутке рядом с кухней постолярить по своему обыкновению, так тот примостится на корточках рядом:

— А у нас в деревне страшно было в лес зайти — мин боялись. Еще с войны. Так мы ночами церковную ограду бегали разбирать и склепы... Страшно! А что делать-то? Стройматерьял иначе где найти? Да и печи у многих после бомбежек ремонту требуют... А у вас в Ленинграде жируют, что говорить-то!

Похоже, только один человек в квартире его не жалел, не звал за глаза «сиротинушкой» — при живой-то матери! — это Вера Семеновна. Ну и Тома, конечно.

Но все было ничего до того черного дня. Есть, есть такие дни, которые сразу можно помечать в календаре траурным кружочком. Никуда не уйти от них, не деться. Ничего не ладится. С утра Тома схватила двойку за самостоятельную по алгебре. И ладно бы чего-то не знала — а потому, что дала списать! В тот же день умудрилась поставить кляксу прямо на белый манжет с маминой вышивкой, только вчера аккуратно пришитый к отчищенному чайной заваркой школьному платью — обидно было до слез! А возвращаясь из школы, на углу улицы Петра Алексеева увидела знакомую фигуру — Алеша! Сразу стало жарко щекам. Тома закусила губу, поправила шапочку и только собралась его позвать, как заметила, что он не один. Рядом, тоже спиной к Томе, стояла какая-то девушка — одноклассница? Алексей повернулся к ней, и Тома почувствовала, как оборвалось вниз сердце: он снял очки и что-то шепнул незнакомке на ухо, почти дотронувшись до него губами. Тома услышала ее смех и — узнала. «Нет, — зашептала Тома, чтобы не расплакаться. — Нет, нет!» А потом приказала себе: «Уходи!» И пошла вдоль канала, пристально глядя под ноги, будто боялась упасть. Так же, с опущенными глазами, дошла она до дома, поднялась по лестнице, открыла входную дверь, разделась и прошла, как привидение, на кухню. Последний урок труда — швейный у девочек, слесарный у мальчиков — отменили. Ее никто не ждал. После штор для кинокабинета, салфеток и скатертей для столовой взялись вычерчивать выкройку детского платья. Но спасибо маминым урокам: то, что давалось так трудно другим девочкам — вычисления скоса плеча и окружности шеи, — оказалось для Томы детской игрой. Лучше бы учительница не заболела, с тоской думала Тома, с порога отправляясь ставить чайник. Лучше бы она десять платьев сшила, чем встретила Алешу... Тома так увлеклась своими переживаниями, что не почувствовала, не увидела того, кто затаился в кладовке перед кухней. Огромная пятерня схватила ее за коричневый рукав школьного платья.

— Иди сюда, кралечка! — притянул он ее к себе, обдав волной тухлого дыхания. — Иди, словцом перекинемся!

— Отстань, — зашипела Тома, отбиваясь от жадных пальцев, их, казалось, больше, чем нужно по человеческой анатомии, и они одновременно были повсюду — под юбкой, оттягивая резинку чулок, мяли грудь под черным фартуком. Почему она не закричала? —

вспоминала Тома после историю этой краткой, но яростной борьбы. Ведь тогда бы все переполошились, и она никогда не увидела бы того, что увидела. Но она молчала, как партизан, и только отцепляла эти руки, жалея, что уже не носит девчоночьих байковых панталон, которые они с одноклассницами подвертывали, чтобы не были видны из-под юбки. Слезы душили ее — да как он смеет! Болван, деревенщина! Я — Амилахвари! — вдруг всплыло в голове любимое мамино. Впервые Тома подняла на него глаза, на секунду ослабив оборону под юбкой: он был похож на пьяного, зенки казались еще меньше и тусклее, чем обычно, над верхней губой, между редкими волосками усиков поблескивали капельки пота. Тома размахнулась со всей силы и ударила по широкой, чуть косоватой монгольской скуле. Он охнул и от неожиданности убрал ладонь с ее груди, схватившись за щеку.

— Зззараза! — прошептал он, но Тома уже вырвалась и в два прыжка оказалась у двери в свою комнату, рванула ее на себя и...

Увидела их. Прямо перед собой. На секунду ей показалось, что это отражение только что происшедшего в закутке рядом с кухней: те же жадные большие руки под юбкой и на груди, те же затуманенные глаза. Хотя нет, разница была: та женщина в юбке не сопротивлялась, не пыталась отцепить от себя чужие пальцы, а напротив — прижимала их к себе. И хоть она тоже не издавала ни звука, было понятно, что это не от страха, а напротив — от боязни испортить себе удовольствие.

«Папа!» — только и подумала Тома. И повернулась обратно, к этому ужасному Мишке, куда угодно, только бы прочь из комнаты, которую всегда считала своим убежищем.

Отец стоял в прихожей и снимал ботинки.

— О, Томочка, ты уже дома? Представляешь, отменили репетицию, вот я и подумал...

— Нет, — покачала она головой.

— Что — нет? — замер он с одной буркой[1] в руках.

— Тебе... — залепетала Тамара, боясь смотреть ему в глаза. — Тебе нельзя домой.

— Сюрприз? — улыбнулся он, но как-то невесело.

— Да, — закачала она головой, как китайский болванчик, не в силах с лету ничего придумать. — Приходи попозже.

— Хорошо, — отец опять сунул ногу в бурку. — Пойду прогуляюсь.

Тома снова кивнула, судорожно сглатывая. Уже уходя, он вновь внимательно ее оглядел:

— С тобой точно все в порядке?

Тома опустила глаза: фартук сидел на ней криво, верхняя пуговка на платье расстегнута.

— Все хорошо, папа. Ты иди.

Он уже переступал порог, а Тома едва успела выдохнуть от облегчения, как дверь их комнаты медленно открылась, и из нее, тихо насвистывая, вышел мужчина.

— Здравствуйте, Алексей Ермолаевич, — сказал, усмехнувшись, папа. А затем тихо прикрыл входную дверь с другой стороны.

МАША

Валерий Алексеевич скончался лет пять назад, сравнительно молодым мужчиной — еще не было шестидесяти. Маша уговорила встретиться его вдову, Аллу Петровну, женщину с мягким, даже по телефону

---

[1] Бурки — теплые высокие сапоги из войлока или фетра на кожаной подошве и с кожаной оторочкой.

уютным голосом. Жили они на Васильевском острове, в доме, который, по ее словам, «еще совсем недавно выходил окнами прямо на залив».

— Думали, — улыбалась она Маше, придвигая к ней тарелку с домашним печеньем-рогаликами, — так всегда будет. Но за последние лет десять тут еще две «первые линии» у залива оттрохали. Теперь — никакого вида, хоть и девятый этаж.

Маша украдкой оглядывала квартиру — в ней не пахло даже старинным мужским присутствием. Рюшечки на скатерти и занавесках, подушечки на кухонном уголке, календарь с котятами. Это был дом не развеселой, но и не тоскующей вдовы. Алле Петровне, похоже, жилось очень уютно в ее нынешнем статусе.

— Вот, — выложила она перед Машей на стол несколько черно-белых снимков. Некоторые Маша уже, как ей показалось, видела: фото с Нового года — вместе со всей коммунальной компанией, пара фотографий исключительно пироговского семейства, где отец, мать и двое детей были похожи на купцов у Андрея Рябушкина: основательность, довольство собой и миром. Маша продолжала просматривать фотокарточки. Толстенький рыжеватый мальчик из коммунальной квартиры рос, становился полным прыщавым юношей, Лерка превращался в Валеру, потом — в Валерия, а затем, окончательно, в Валерия Алексеевича, гражданина со все более заметными носогубными складками и морщинами между широких бровей.

— Интересный мужчина, правда? — удовлетворенно посмотрела на одну из последних фотографий супруга хозяйка. Маша кивнула. Интересный мужчина — определение весьма смутное, да и вдова явно гордилась тем, что дорогой покойник был таким представительным товарищем.

Однако чем больше Маша вглядывалась в лицо на черно-белых карточках, тем больше чувствовала какую-то неловкость. И склонившаяся над ней округлая физиономия Аллы Петровны эту неловкость только усугубляла. Вот она улыбнулась, блеснув белоснежными, совсем ненатуральными зубами, и неловкость Машина стала почти невыносимой, еще чуть-чуть, и все разрешится, она поймет, что ее так смущает в этой супружеской паре. Но нет, — хозяйка дома метнулась к духовке, вынимать вторую порцию печений, а Маша чуть не застонала с досады.

— Есть еще наши, семейные фотографии, если нужно, — предложила хозяйка, снова заняв место напротив Маши.

— Спасибо, — как можно более вежливо улыбнулась Маша. — Меня интересуют только пятидесятые. Может быть, что-нибудь из истории семьи вашего мужа?

Жена Пирогова-младшего покачала головой, похоже, искренне расстроенная, что не может помочь.

— Знаете, свекровка моя, ну, Галина Егоровна, уж больно была сердитая. И то сказать, жизнь-то ее не пощадила: мужа, Алексея Ермолаича, паралич разбил на шестом десятке, так она за ним еще десять лет ходила. Валера мой сказал — рядом с судном жить не буду. Разменял их квартиру, а они хорошую получили, на Московском, в сталинском доме, трехкомнатную. Так вот, мы почти сразу съехали, нам вот эта досталась, две комнаты, а свекровь со свекром в Гатчину переселились. В хрущевскую распашонку. Зато на свежий воздух, — убежденно кивнула она Маше. Видно, многие годы уговаривала себя в правильности этого обмена. — С Валерой почти не общалась. Мне с внуком единственным не помогала. Сначала потому, что куда от инвалида с Гатчины-то ехать.

А потом сама слепнуть начала, ну и... Хлебнула, в общем. Одна вроде радость — единственный сын и образование получил, в люди выбился...

— Подождите, — перебила ее Маша. — Как же единственный? Там же была еще и девочка? Лена?

— Про сестру Валера не очень со мной делился. Рассорились они вроде крепко, еще в юности. Она потом отучилась в каком-то техникуме и уехала на заработки — на Север. Да так там и обосновалась, — пожала плечами Алла Петровна. — Связи с сестрой Валера не поддерживал.

Маша смотрела на нее во все глаза: странная все же семейка.

— Да правду я вам говорю — уж я бы знала! Ни Валера, ни мать его, никогда. И фотографий ее, — она кивнула на карточки на столе, — я в их доме никогда не видела.

— Ясно, — улыбнулась Маша. Хотя ничего ей было не ясно. — Знаете, у меня к вам будет еще один, несколько необычный, вопрос, хорошо?

Алла Петровна с готовностью кивнула, проследив любопытным глазом за Машиными руками — та полезла в кармашек своей сумки и вынула полиэтиленовый пакетик. Вытряхнула его содержимое на стол.

— Вот. Вам знакома эта вещь? — Маша загляделась на профиль королевы Виктории и на секунду отвлеклась от собеседницы, а когда подняла глаза, обомлела: та ловила ртом воздух.

— Откуда у вас это?

Маша молчала, не зная, как ей объяснить находку.

— Это ж запонка Валерина. Подарок друзей-филателистов на пятидесятилетие.

— Уверены? — тихо спросила Маша.

Вдова Пирогова взяла в руки и покрутила профиль королевы в полных пальцах:

— Ну конечно! Шуточный подарок в виде первой марки. У Валеры-то и рубашек, чтобы носить ее, не было — знаете, таких, с дырками для запонок...

Маша кивнула.

— Валерий Алексеевич никому ее не давал поносить? Может быть, передарил?

— Да что вы! Эта запонка для него была — вроде медали. Он же всю жизнь собирал марки свои дурацкие, еще с детства, — Алла Петровна улыбнулась, на глаза навернулись слезы. — Я так его ругала! Денег нет, а ты тратишься на такую ерунду... Простите!

— Ничего, — Маша тактично отвернулась к лишенному вида на залив окну. Любопытно, какие воспоминания могут привести к столь внезапным слезам? Запонка. Марки. — Где он хранил свои запонки? — спросила она наконец, когда хозяйка дома громоподобно высморкалась у нее за спиной, что означало, похоже, точку во вдовьей ностальгии.

— В серванте. Проходите. — И хозяйка, встав из-за стола, прошла по коридору в комнату. Маша последовала за ней. Алла Петровна выдвинула верхний ящик, полный аккуратно сложенного белья. Пошарила в его глубине и вытащила на свет божий плоскую черную коробочку. Хотела было передать ее гостье, но передумала, сама открыла и повернула к Маше: на красном бархате лежала одна-единственная запонка. Двойняшка той, что осталась на столе в кухне.

— Кто еще... — начала Маша задавать следующий вопрос... и осеклась: взгляд ее упал на фотографию, стоявшую за стеклом серванта. В отличие от тех, что она привыкла разглядывать в последнее время, карточка была цветной и сравнительно недавней. Человек на фотографии, снятый крупным планом, радостно улыбался в объектив. Вот и объяснение ее давешней неловкости: и мать, и отец — каждый своими чертами — напоминали ей...

— Кто это? — спросила она, указав на фото.

— Это? — лукаво улыбнулась хозяйка дома, заподозрив в ней женский интерес. — Это мой сын. Кстати, холостяк.

— Эдуард? — поинтересовалась ровным голосом Маша.

Алла Петровна рассмеялась мягким смехом, рассыпчатым, как ее песочное печенье:

— Эрих! Мы назвали его Эрихом, в честь Ремарка, в нашу молодость все им зачитывались, но ему не понравилось. И лет с пяти он провозгласил себя Эдуардом.

КСЕНИЯ

Надо было давно его выгнать, думала с тоской Ксения, прислонившись лбом к ледяному стеклу, чтобы охладить голову. Глупую, глупую голову!

— Если хочешь, я могу сама с ним поговорить... — начала Маша, глядя на нее с откровенной жалостью.

Но Ксения покачала головой. Ей не нужна сейчас жалость, она раскочегаривала себя на злость, на открытый конфликт. И постепенно, как занимаются дымком предназначенные для костра мокрые щепки, чувствовала, как растет, расцветает в ее рыбьей, всегда готовой на компромисс интеллигентской душе обиженная ярость. Этот бой был только ее боем.

— Я бы хотела побеседовать с ним с глазу на глаз, — оторвала она наконец лоб от окна. Посмотрела на Машу. — Ты не против?

— Плохая идея. Дело по Бенидзе, за отсутствием каких-либо зацепок, постараются закрыть, проведя как суицид или смерть по неосторожности...

— Но ты в это не веришь? — усмехнулась Ксения, снова вернув взгляд на тусклую воду канала внизу.

Маша пожала плечами:

— Неважно, во что я верю. Важно то, что существует и такая вероятность. И тогда...

— Я все поняла, — перебила ее Ксюша, не в силах слушать дальше. — Давай так. Говорить буду я, а ты останешься в соседней комнате. Вряд ли он разом решит прикончить нас обеих?

Маша кивнула: давай. И будто ожидая ее кивка, тренькнул звонок в прихожей.

— Привет, — сказала Ксения ровным тоном, когда он вошел в квартиру, сбивая еще за порогом мокрую грязь со щегольских, совсем не по сезону, ботинок. — Привет, Эрих.

Он замер, поднял на нее глаза — такого небесно-голубого, совсем не по сезону, цвета. Румяный с мороза. Застывшая на лице белозубая улыбка. Как же она раньше не замечала, насколько он неестественный? Как целлулоидный пупс, разодетый в яркие тряпки. И дело не в том, плоха ли она для него или хороша. Дело в том, что его просто не существует: по крайней мере такого, какого она успела себе напридумывать.

— Эрих? — переспросил он. — Ты изучала мой паспорт на предмет печати? Я ношу его обычно в кармане пальто. — Он выудил из внутреннего кармана паспорт, протянул Ксении.

Она покачала головой:

— Оставь его себе. Все проще. Маша наконец познакомилась с твоей мамой.

— Маша? С моей мамой?

— Не переспрашивай, как попугай! — Ксения почувствовала подступающие к глазам слезы. — И не пытайся выиграть время! Я знаю, что ты — Пирогов, хоть и взял девичью фамилию матери для благозвучности — Соколовская. Я знаю, что ты специально пришел в больницу, чтобы со мной познакомиться! Разыгрывал Ромео и дешевого дизайнера! А когда Та-

мара Зазовна сказала, будто она тебя где-то видела,
ты понял, что она заметила твое сходство с мальчиком из коммунальной квартиры, и убил ее! — Голос
Ксюши взлетел в истерике — не удалось ей сохранить заявленную поначалу легкую презрительность
тона.

— Эй, эй, тише! — взял он было Ксюшу за руку, но
она яростно ее вырвала.

— Убийца!

— Да нет же!

Эрих прошел к окну, облокотился на подоконник,
провел рукой по лицу, будто стирая с него Эдика —
яркого добродушного мальчика. Сумрачный свет из
окна старил его — золотистые волосы потускнели,
посерели глаза.

— О'кей. Признаюсь. Моя мать действительно не
лежала в твоей больнице. Я пришел туда, чтобы...

— Закрутить со мной роман.

— Факультативно. Главным же было — убедить
тебя отдать мне как дизайнеру эту квартиру.

— Господи, да что в ней такого, в этой квартире, а?!

Как же легко он признался в том, что любовь, даже
такая, была для него — факультативна!

— В квартире — ничего, — вздохнул Эдик. — Но
в нашей семье сохранилась, еще от отца, легенда:
мол, старуха была сказочно богата. И богатство Ксении Лазаревны составляла коллекция марок, собранных еще ее мужем.

— Что? — нахмурилась Ксения.

— Ну да, знаю, звучит как бред. Но между тем
отец, ярый филателист, говорил, что она даже в блокаду жалела их распродавать, как память о муже, —
да и по сравнению с золотом и антиквариатом марки не были таким ходовым товаром. Удалось сбыть
только две-три, не больше. А потом у нее пропала
внучка, и ей вроде как стало все равно: муж, память

о нем. Говорила, что главное — это жизнь. Здесь и сейчас. И когда не могла свести концы с концами — а она служила корректором в научном журнале на грошовом окладе, — продавала то одну, то другую.

— И продемонстрировала это сокровище твоему отцу, которому в ту пору было сколько — восемь? — недоверчиво нахмурилась Ксения.

— Она ему показала только одну. Но отец всю жизнь про нее рассказывал с придыханием: вот, мол, довелось держать в руках «Гавайских миссионеров».

— Гавайских — кого? — нахмурилась Ксения.

— Ну да. Вы же ничего в этом не понимаете, — ухмыльнулся Эдик. — Это я просек еще в больнице, когда подпустил вам под ноги «Пенни Блэк». А точнее, ее копию.

Ксения заметила, что он перешел на «вы». Впрочем, что в этом удивительного? Он снова стал для нее совсем чужим человеком.

— Зачем? — спросила она, хоть ответ и был очевиден.

— Хотел убедиться, что вы не приобрели квартиру ради мифических марок, — он на секунду задумался. — И понял, что это случайность. Счастливая для меня случайность, которой я могу воспользоваться.

— Поэтому предложил сломать все стены?

— В том числе. Да и вообще, быть дизайнером квартиры — это возможность узнать обо всех ее тайниках, разве нет?

Ксения кивнула. Злость отхлынула, не оставив — вот странно — после себя ни горечи, ни обиды. Только нездоровое любопытство, которое уже в который раз втравливает ее в истории.

— А потом Тамара Зазовна узнала в тебе черты отца — мальчика, с которым жила бок о бок несколько лет.

— Да. Узнала, — задумался Эдик. — Мы договорились созвониться и встретиться, поговорить. Но не поговорили...

— Потому что ты ее убил!

Эдик посмотрел ей в глаза:

— Нет. Потому что она упала с лестницы.

— Как удачно получилось, — недоверчиво улыбнулась Ксюша.

— Можете мне не верить, — пожал плечами Эдик. — Но не та это тайна, за которую стоит убивать, вот правда. Если бы я еще нашел альбом с марками... А так... Ради папиных сказок на ночь?

— Я вам не верю, — Ксения протянула ему ладонь — но не для рукопожатия, — и надеюсь никогда вас больше не увидеть.

И он правильно ее понял — жалко ухмыльнулся, полез в карман пиджака и отцепил с объемной связки ключ от ее квартиры. Положил ей в руку. Хотел взглянуть ей в глаза и рассказать кое о чем. Кое о чем еще, раз уж она так интересуется обитателями этой квартиры. Но передумал.

— Ну, прощай, — перешел он вдруг снова на «ты». — Не поминай лихом.

И, на ходу сняв с вешалки пальто, вышел за дверь. Щелкнул замок. Ксения без сил опустилась на подоконник — туда, где только что сидел Эдуард, прости господи, Пирогов.

— Ты веришь ему? — в комнату вошла Маша.

Ксения смотрела на грязный дубовый пол, на котором остался черный мокрый снег с ботинок ее бывшего дизайнера. Пожала плечами. Скоро вернутся с работы мама с отчимом. Видеть их не хотелось категорически. Маша прошла и села на подоконник рядом. Ксения мельком глянула на ее профиль: плотно сомкнутые губы, волевой, совсем не такой, как у нее, подбородок. Светлые прозрачные глаза сощурены.

— Знаешь, мы не думали об этом, но ведь крысиный яд мог подсунуть в еду старушке кто угодно... — она повернула к Ксюше сосредоточенное лицо. — Даже ребенок.

ВАЛЕРА. 1959 г.

> Мы глядим беде в глаза,
> От забот не прячемся!
> И друг друга любим за,
> За такие качества!
>
> *Из фильма*
> *«Неподдающиеся», 1959 г.*

— Маленький ишшо! — говорят Лерке пацаны, когда он пытается пристроиться сыграть с ними в «расшиши» или «пристенок».

— У меня пай есть! — ершится Лерка, демонстрируя всем собравшимся за дровяными сараями пятнадцатикопеечную монету. Суть в том, чтобы все скинулись паями и выстроили из монет башню — либо орлами, либо решками сверху. Дальше — удар битой, да так, чтобы монеты разом перевернулись с орла на решку или наоборот. Все, что перевернуто, отправляется в твой карман. В этом смысле Лерка — идеальный товарищ. Монетка у него всегда имеется, а по бите бьет плохо — ничего самому не достается.

Но пацаны презрительно плюют сквозь щель в зубах:

— Пшел отсюдова, жиртрест! Катись колбаской по Малой Спасской! Шмакодявка!

Лерке обидно: Кольку-то они играть берут, гады. Это из-за того, что у Кольки — старший брат, думает он, а у него только эта белобрысая мелочь — его сестра. Но с недавних пор все изменилось. Потому что папка купил ему марочный альбом, пинцет (о нем отдельно!) и несколько серий: про животных, с ледоколами и к столетию русской почтовой марки. А потом пошло-поехало, не оторвать уже Лерку от киосков «Союзпечати»: клянчит у папки серии с самолетами, с парашютами, со служебными собаками... Выяснилось, что многие из тех ребят, что отказывались с ним играть, тоже собирают марки. А тут ведь что самое интересное? Обменивать и спорить до хрипоты:

— С дуба рухнул? За один «Мозамбик» — две «Аргентины»?! В Аргентине в марте чемпионат Южной Америки по футболу проходил!

— Ну и что! Зато там слон, а на твоей Аргентине — самолет! Что я, самолетов не видел?!

— Тоже мне, слон! Хочешь на слона позырить — иди в зоопарк!

— Ладно, давай я тебе «Аргентину», а ты мне — «Швейцарию»?

И тут Лерка достает свой пинцет, с умным видом подцепляет «Швейцарию» и щурится:

— Ха! Барахло твоя «Швейцария»! Нет, давай ты мне «Португалию» и синюю пальму, а я тебе...

В общем, «ты мне ту, а я тебе эту» — так весь вечер и проходит. Довольный Лерка возвращается домой и сразу к себе в штаб — под стол. Под столом темновато — скатерть с бахромой свисает почти до самого пола. Но у Лерки есть фонарик, и теперь, укрывшись под столом, он ложится животом на прохладный паркет и листает альбом с новыми приобретениями. Довольно хмыкает — удачный случился день. И тут слышит: открывается дверь, и в поле его зрения появляются ноги, отцовские и материнские. Лерка тихонько выключает фонарик: мамка сейчас уроки погонит делать, а если не сразу найдет и сестра не наябедничает, то...

— Что ж ты, гад такой, перед всей квартирой меня позоришь! — слышит он голос матери и замирает, так странно-сдавленно он звучит. — Думаешь, никто о ваших шурах-мурах не догадывается?!

— Пошло-поехало! — притворно вздыхает отец. — Чушь порешь! То продавщицы у нее виноватые, то бухгалтерше в космы вцепилась! Уймись уже, бешеная! — Голос вроде как спокойный, насмешливый, но Лерка весь сжимается: такой голос у папки обычно бывает перед Леркиной поркой.

— Чушь, значит?! — голос матери прерывается, и Лера понимает, что она плачет. — Леночка с думочкой с нашей постели ко мне пришла, я говорю, что ты, доченька, с ней в обнимку ходишь?! А пахнет, говорит, уж больно вкусно, мамочка! «Пахнет!» Духами она провоняла, лахудры твоей грузинской!

С грохотом отодвигается стул — это отец садится за стол: огромные ступни его прямо у Лерки перед носом. И пахнут совсем не духами.

— Хватит, — говорит отец спокойно. — Дура, заткнись.

— Да я сама к Зазе пойду, все расскажу! Пусть на свою жену управу найдет! В партком заявление напишу — давно пора тебя, кобеля, укоротить! Все, все про твое воровство...

Сверху что-то падает, раздается звук удара с присвистом, материнское «ох!». Лерка втягивает голову в плечи.

— Ах ты, дрянь жидовская! Хочешь всех нас под монастырь подвесть?!

— Что? — голос матери звучит глухо, но она уже не плачет.

— Да уж как-нибудь! — торжествует отец. — Сама-то небось не слышишь, как ночью языком чешешь?

— Языком чешу... — растерянно повторяет мать, а Лерка обмирает, вспомнив, как решил, еще месяц назад, поделиться с отцом страшными подозрениями: его мать — немецкий лазутчик! Вон и в газетах, и по радио говорят про таких. И еще про болтуна — находку для шпиона. Отец тогда его выслушал, усмехнулся, записал, послюнявив карандаш, слова, что Лерка услышал ночью, и сказал, потрепав по затылку, что разберется. Мол, мать просто хорошо немецкий в школе учила, не то что Лерка, лодырь.

— Да уж, балакаешь от души! — в голосе отца слышен металл. — Зай гезунт! Чего от мужа скрывала-то? «Белоруссия! Родня! Погибли в войну!» — передразнивает он, а Лерке вдруг становится страшно.

— И погибли, — тихо отвечает мать. — Все погибли. И дети. И старики. Я одна осталась. Они пули пожалели, хотели одной трех пристрелить, и закопали всех скопом. Я выбралась.

— А про партизан потом, что, правда? — Чиркнула спичка, по комнате поплыл запах «Беломора». — Или тоже брехня?

— Про партизан — правда. Там много наших было. Из гетто. Семейные отряды. — Лерка услышал, как мать трубно высморкалась. — И я тогда решила: больше никогда. Никогда никто не должен знать. Чтобы не смел, как ты — жидовкой...

— Вот те нате! Значит, всю жизнь мне заливала, а нынче я же у тебя и виноватый? — перебивает ее отец, явно улыбаясь. И у Лерки чуток отлегает от сердца.

Мать молчит, только дышит тяжело — будто тяжелые сумки по жаре тащит. А отец вытягивает ноги — Лерка едва успевает увернуться, с шумом выдыхает дым.

— Мы теперь, Галка, другую жизнь начнем. С чистого, как грится, листа. И тебе она, ой, как не понравится. Ты слухай сюда...

КСЕНИЯ

— Я не знаю, что делать! — Ксения говорила шепотом, спрятав руки между коленями. — Я не могу отказать Нике, она же моя единственная подруга.

Любочкина внучка озадаченно нахмурилась:

— В чем отказать?

Ксения виновато улыбнулась — ну да, она сразу перешла к основному вопросу, без прелюдии.

— Несколько дней назад ко мне переехали мама с отчимом, у них сверху прорвалась труба и залила полквартиры, делать было нечего — не выгонять же их?

Маша кивнула.

— Ну вот, — вздохнула Ксения. — А вчера позвонила Ника, стала рыдать в трубку... Спросила: можно я пока у тебя поживу, я должна понять, что делать дальше. И тоже приехала. И мне пришлось срочно расплачиваться с Игорем и говорить ему, что мы больше не нуждаемся в его услугах.

— Подожди, — остановила ее Маша. — Ничего не поняла. При чем здесь Игорь?

Ксения вздохнула, покосилась на дверь.

— Игорь ушел от Ники. То есть ушла в результате она, но он сказал, что встретил женщину, которая ему... Которую он, так он сказал, должен поддержать. В общем, влюбился, — Ксения поморщилась. — И это ужасно.

Маша пожала плечами:

— Ужасно, но какая здесь связь? Мы все равно могли бы, чисто профессионально, продолжить...

— Не могли бы, — виновато взглянула на нее Ксюша. — Связь есть. Понимаешь, мне кажется, я знаю эту женщину мечты. И если это она, то выходит, я косвенно виновата в Никином несчастье, потому что это я их познакомила.

Ксения вновь взглянула на недоумевающую Машу и опять глубоко вздохнула — прошлую ночь она не спала, прислушиваясь к звукам из соседних комнат: отчим похрапывал, Ника — рыдала. Рассказать ли подруге, что новая пассия ее мужа — внучка обитательницы той самой квартиры, куда она пришла сегодня переночевать? — думала Ксения. А если рассказать, то тогда надо изложить и обстоятельства знакомства. А заодно показать фотографии молодой Тамары, чтобы Ника хоть в общих чертах представляла себе разлучницу.

— Не надо, — покачала головой Маша когда Ксения наконец объяснила ей свою дилемму. — Игорь, может, и влюблен, но Марико — просто в трауре и ищет плечо, к которому прислониться. Допускаю, что все еще вернется на круги своя. А пока, — и она ободряюще, как ей казалось, улыбнулась — попытаемся обойтись без Игоря. И, к слову, о вероломных мужчинах — у меня для тебя хорошие новости.

Ксения вскинула на нее глаза: хорошие новости сейчас были бы кстати. Жить в квартире стало почти невыносимо — уже в который раз она пожалела о своем приобретении. Иногда, проваливаясь в сон, Ксюша отматывала время на месяц назад — будто скоростной перемоткой на старой видеокассете. Не попади она в пробку, не остановись около этого дома, не будь на месте риелтор... И не влюбись она сразу в этот вид из окна, в рисунок из водяных лилий и в камин с Терпсихорой, то и жила бы теперь, как прежде, с бабкой, знать не зная никакого отчима и предателя Эдика, встречаясь по выходным с Петей. А вместо этого — вот, пожалуйста — прислушивается к чужим рыданиям и храпу в еще не отремонтированной квартире, с ужасом думая о том, что пора уж отказаться от надежды на прежнюю карьеру и идти сдаваться директору музыкальной школы. Ох, нет, она еще не готова.

— Ксения, ты меня слышишь? — Маша вернула ее в настоящее время. — Я тут обошла Эдиковы строительные объекты.

— А у него что, есть еще объекты? — криво усмехнулась Ксюша.

Маша улыбнулась:

— Ты не поверишь, но он и правда дизайнер, и действительно востребованный. Сейчас у него в активе четыре квартиры — три в разных концах города, а одна даже в пригороде. Так вот, я поговорила со всеми бригадами и...

— И? — задержала дыхание Ксения.

— Это не он, Ксюша, — рассмеялась Маша. — Он просто физически не мог столкнуть Тамару Зазовну с лестницы. Был в Гатчине.

— Гатчина — это отлично, — бледно улыбнулась Ксения, чувствуя, как легче начинает биться сердце — будто с него сняли каменную плиту. — А меня? Меня он столкнуть мог?

— А тебя — неизвестно, — посерьезнела Маша. — Но зачем ему это делать, сама подумай? Какая ему разница, где подстраивать с тобой случайную встречу?

— Да, — кивнула Ксюша. — Остановка автобуса подошла бы с тем же успехом.

— Вот видишь!

— Тогда как ты объяснишь запонку? — вспомнила Ксения основной аргумент в пользу Эдиковой виновности.

Маша пожала плечами:

— Он говорит, что потерял ее еще года два назад.

— А где потерял, не помнит?

Маша покачала головой:

— Нет. Матери решил ничего не говорить — чтобы не расстраивать, а просто положил оставшуюся запонку обратно в коробку.

— И ты ему веришь? — хмыкнула Ксюша. — Он же
врун!

Маша на секунду задумалась:

— Честно говоря, я даже склонна ему поверить. Но
сама подумай, может ли такое быть, чтобы запонку
нашел и потом снова потерял, уже в консерватории,
человек, совсем далекий от нашей истории?

— Я не очень сильна в статистике, — усмехнулась
Ксюша. — Но думаю, шансы подобного совпадения
равны нулю.

МАША

— Здравствуйте, Маша, — Маша не сразу узнала
в телефоне старческий голос. — Это Алексей Иванович.

Маша села на постели, протирая глаза:

— Здравствуйте.

— Я, наверное, рано, — старик прокашлялся. —
Простите меня, мы, пожилые люди, вскакиваем ни
свет ни заря.

— Ничего страшного, — успокоила его Маша, прислушиваясь к привычным звукам на кухне: ее бабка
тоже уже встала и готовит завтрак.

— Дело в том, что я просматривал все, что осталось
от семейных архивов, и нашел вырезку из газеты «Ленинские искры». Вы, наверное, и не знаете, что это.
Существовал такой орган печати для детей и юноше-
ства. Пионерского, так сказать, розлива.

— Коля там печатался? — Маша, прижав телефон
плечом к уху, уже натягивала джинсы.

— Печатался — громко сказано. Но они любили
продвигать молодые таланты, а Коля в своем фо-
токружке во Дворце пионеров считался лучшим.
Вот и...

— Думаете, где-то сохранились негативы?

— Почему нет? Мне кажется, это единственный способ найти интересующие вас снимки.

Попрощавшись и наскоро выпив с Любочкой положенную кружку кофе с фирменным бабкиным тостом (горячий черный хлеб, расплавленное масло, сыр), Маша села на телефон.

И вот что выяснила. Газета «Ленинские искры» до сих пор считалась «колыбелью питерского журнализма». Огромное количество ярких репортерских талантов начинали в качестве юнкоров в «Искрах». С 92-го года газета была переименована в «Пять углов» и в этом виде существовала и поныне, добавив к печатному изданию одноименный сайт. Из краткой беседы с секретарем Маша узнала, что архивы «Искр» хранятся в редакции. Пожалуйста, приходите.

В редакции, расположенной в давно не ремонтировавшемся здании недалеко от Суворовского проспекта, Маше выделили стол у огромного, в квадратных переплетах окна. Коробки с материалами она таскала сама — по одной. Почти с нежностью рассматривала хрупкие страницы: «Дружины, отряды и звенья! Ваш вожак — комсомол!», «Учитесь, ребята, готовьтесь стать хозяевами огромной, неистощимо богатой вашей страны! Ей нужны сотни тысяч умных голов...» Соревнования звездочек. Пионеры под Лугой собирают крапиву — витаминный корм для совхозных цыплят. Редакция объявляет конкурс на лучшую стенную газету. Информация о субботниках и воскресниках в городах и селах в помощь борющемуся Вьетнаму. Вот так-то. Маша с улыбкой отложила в сторону очередную подшивку.

— Здорово было, да? — на нее смотрела секретарь, девушка лет девятнадцати, с широко расставленными круглыми глазами. — Никакого насилия, порнографии для детей. Сборы макулатуры, металлолома, соревнования...

Маша на секунду зависла, глядя на девушку. Какое удивительное свойство восприятия мира! Ведь эта девочка совсем юна, так откуда эта тоска по прошлому? От родителей? Да, наверное. Маша могла бы сказать, что идеальное прошлое, впрочем, как и будущее, — это иллюзия. Кто-то лелеет образ России 1913 года — великой империи, которая так и не пустилась в полет, всему виной Первая мировая и последовавшая за ней революция. Кто-то — советского времени. Что она могла ответить этой восторженной почти сверстнице? Что революция не случается в идеальном обществе? Что, будь советская эпоха такой, какой она представлена в «Ленинских искрах», не выкапывала бы она сейчас одну за другой тайны старой коммунальной квартиры? Но Маша ничего не сказала, она вообще никогда не вступала в дискуссии с малознакомыми людьми. Тут и близких-то часто не убедишь в своей правоте, подумала Маша, вежливо улыбнувшись девушке с радостно распахнутыми глазами. Столько сил требуется. Нет, никогда она не поймет любителей жарких интернетных дискуссий на разнообразных форумах!

И она вернулась к газете 1959 года. Разворот с фотоконкурсом: «Жизнь нашего двора». Вот пять девочек в легких белых платьях взлетают на дворовых качелях — широкой доске, придерживая одной рукой панамки, а другой крепко вцепившись в веревку. Разношенные сандалики, белые носочки. А вот — любители поиграть в домино: серьезные мужчины — тюбетейки и кепки на головах, кто-то в мешковатом пиджаке и майке, кто-то в рубашке с закатанными рукавами. Вокруг играющих сгрудились болельщики — балагурят с папиросами в руках... Стоп! Маша склонила голову на плечо, вглядываясь: так оно

201

и есть! Она узнала мужчину в тюбетейке на первом плане — квартуполномоченного Пирогова, а значит... Маша скосила глаза и прочла под снимком: «Третье место — ученик второго класса Лоскудов Николай». Маша повернулась к девушке:

— Мне сказали, у вас в архивах сохранились негативы. Мне нужны те, что относятся к этому номеру. Не поможете?

Она пододвинула к девушке подшивку.

— Без проблем! — девушка встала и, перебирая, как козочка, ногами, обутыми в сапоги на платформе, выскользнула за дверь.

Пока ее не было, Маша просмотрела оставшиеся газеты и нашла еще несколько Колиных фото. Можно только догадываться, подумала Маша, какую гордость должен был испытывать Колька оттого, что его фотоработы печатались в «Ленинских искрах»! Однако она явно поторопилась озвучить секретарше свою просьбу — придется еще раз гонять ее в архив.

Но все обернулось как нельзя лучше.

— Смотрите, — девушка протянула ей плоскую коробку, схожую с теми, которые Маша обнаружила пустыми на даче у Алексея Ивановича. — Тут все фотоработы юнкоров, юных корреспондентов, за 1959 год. Даже фамилии есть.

И правда, открыв коробку, Маша увидела старые негативы, на которых белым по краю была выведена фамилия Лоскудов.

Маша с надеждой взглянула на секретаря:

— А я не могу забрать пленки с собой — буквально дня на три?

Девушка задумалась. Маша знала, в архивах при библиотеке такой вопрос показался бы святотатством. Но тут — детская редакция, старые, никому не нужные уже полсотни лет как пленки...

— Они даже не все были напечатаны, — поднажала Маша. — А я вам их оцифрую, и вы сможете их использовать, если придется к месту, в моменты круглых юбилеев вашей газеты. Чем плохо?

— Под расписку, — строго сказала девушка.

— Конечно! — с готовностью кивнула Маша.

* * *

— Еще мне понадобится лампа, штатив, кусок картона, матовый белый скотч, — диктовал им Юрий Антонович, отчим Ксении. — Вы не думайте, я на этом уже собаку съел. Все свои байдарочные походы оцифровал и выложил для одногруппников Вконтакте.

— Я все достану. — Маша честно записала в столбик запрошенное и еще через час вновь появилась на пороге коммуналки.

— Я и не подозревала, что он такой профи, — кривовато усмехнулась Ксения, открыв ей дверь. Виолончелистка, похоже, недолюбливала своего новоиспеченного родственника.

«Отчим вообще, — сказала себе Маша, вспомнив своего, — неблагодарная роль». Но какие бы претензии ни предъявляла Ксюша к новому супругу матери, действовал он и правда весьма умело. В листе картона проделал окошко размером с один кадр, заклеил его сверху куском матового скотча. Сбоку — прорези, чтобы вставить пленку. Согнул с двух сторон края картонки, чтобы получилось нечто вроде кукольного журнального столика. Затем поставил картонную конструкцию мостиком на две коробки от стройматериалов, а внизу между коробками поместил зажженную лампу. Ксения и Маша молча смотрели на его манипуляции. А Юрий Антонович установил фотоаппарат на штатив и направил объектив вниз — прямо на проделанное в картоне светящееся окошечко.

— Все, — повернулся он к ним. — Готово. Теперь выберем режим съемки «макро» и станем прокручивать вашу пленку кадр за кадром, снимая на фотоаппарат. Делов на десять минут максимум, девочки.

«Девочки» переглянулись и кивнули. Отчим оказался прав: если не через десять, то через двадцать минут все фотографии оказались загруженными в Машин лэптоп. Но в виде негативов.

— Фотошоп имеется? — крякнул Юрий Антонович, ставя ноутбук себе на колени.

Маша быстро нашла программу и наблюдала из-за его плеча, как Ксюшин отчим сначала отрезал от кадра все лишнее, а потом перевел негативы в черно-белые позитивы.

Один за другим рождались на экране картинки «коммунальной» жизни: играющие в футбол мальчишки, дворник в белом фартуке метет двор, пенсионеры в шляпах, между ними — шахматная доска, выставленное на подоконник первого этажа радио, мужчины собрались под окном — слушают трансляцию футбола...

— Что это? — Маша остановила руку Юрия Антоновича.

— Где? — не понял он.

— Вон там, смотрите, слева от скамейки.

— Да окошко какое-то подвальное, — недовольный, что его прервали, Юрий Антонович откинулся на спинку стула.

— А давайте мы его увеличим, — попросила Маша.

— Ну, давайте, — послушно покликал на плюсик с лупой Ксюшин отчим.

— Ты видишь это? — повернулась Маша к замершей Ксении.

— Вижу, — в наступившей тишине Ксения дернула горлом, сглотнув слюну.

— А кто это? — нахмурился Юрий Антонович и еще раз нажал на увеличение.

Теперь весь экран был заполнен черным провалом подвального окна. А в левом нижнем углу его зияла чья-то голова с пустыми глазницами. Пустыми, но невозможным образом уставившимися прямо в объектив юного фотографа.

КОЛЬКА. 1959 г.

Коля, Коля, Николай, сиди дома, не гуляй!

Из детских дразнилок

Скучно стало в квартире. Ну, вот правда! Раньше все собирались на кухне, давали детям попробовать вкусности, а Тома залезала на подоконник и вышивала — это если вдруг к тете Лали заходила клиентка на примерку и ей деться было некуда. Тетя Вера, учительница, помогала разучивать стихотворения — с ней все было проще, потому что она разбивала его на рифмы: чудесный — прелестный, взоры — Авроры. Иногда, распеваясь, входил дядя Заза: «Куда, куда, куда вы удалились, весны моей кислые щи!» И все смеялись. А теперь Пироговы не зазывают к себе даже посмотреть телемост с Таллином, постановку «Когда горит сердце».

— Навязываться не будем, — спокойно говорит брат. — Не зовут — и не зовут. Имеют право.

— А мы скоро купим телеприемник? — канючу я. — Я в «Огоньке» видел фото с американской выставки в Сокольниках — там штук двадцать моделей! А у нас новый «Темп-2» вышел. Деревянный, полированный. И ловит пять каналов!

— Скоро, — бросает брат, проводив взглядом только одного человека в нашей коммуналке, который не изменился, — тетю Зину. Тетя Зина выходит в китайском халате с драконами из комнаты и не спеша направляется в ванную. Золотые хвосты драконов извиваются от спины к ногам, и Лешка, кажется, совершенно заворожен этим волнообразным движением.

— Привет, Леш. Привет, Коля, — говорит она, и я понимаю, что нет — и она изменилась. Раньше тетя Зина нам только кивала. И то — не каждый день. Приятно.

А вот все остальные изменения — ну, просто из рук вон. Сам слышал: тетя Галя обвинила тетю Лали в воровстве, мол, тетя Лали из каких-то там обрезков с тети-Галиной юбки сшила мне крест на костюме мушкетера. А что ей с этих обрезков? Тетя Лали в ответ сказала, что, если бы тетя Галя не торговалась с нашей чухонской молочницей, она бы до сих пор нам носила деревенские молоко с творогом. И так раскричались, я думал, в домовой комитет жаловаться пойдут. Но нет — дядя Пирогов тихо с тетей Галей переговорил в комнате, после чего она почти перестала появляться на кухне. Теперь там толчется этот мерзкий Мишка — в комнате ему не очень-то и рады, но он, гад, глаз не спускает с Тамары. А она его боится, я ж вижу! И тоже запирается у себя.

— Слыхал, у Томки жених есть в Грузии, — сказал я однажды Лерке, так, чтобы эта каланча услышала. — Мандарины продает.

— Очумел? Она ж маленькая еще, — удивился Лерка.

— У них заранее все, — поясняю я.

— Как у королей?

— Ну. Один раз договариваются, потом не суйся — ножичком порежут и обратно в свою Грузию укатят, ага, —

говорю я громким шепотом и наблюдаю, как Мишка, переместив спичку из одного конца сморщенных в ухмылке губ в другой, засвистел футбольный марш.

Лерка пожимает плечами — мол, ему это неинтересно. У него сейчас одни марки на уме. И еще, конечно, «Три мушкетера» — это у нас просто самая главная книга. На нее в школьной и районной библиотеке очередища... Половина мальчишек во дворе уже ее проглотила, а другая половина, открыв рот, слушает тех, кто прочел.

— Защищайся, презренный!

— Смерть гвардейцам кардинала!

— На абордаж!

Из толстой проволоки получаются отличные шпаги — кончик только загнуть, а то поранишься (правда, Витька из двадцатой квартиры его, наоборот, напильником точит, чтобы, значит, все было по-настоящему). Можно залезть в подвал и там, в полутьме, между дровами и рухлядью, резко делать выпад из-за угла или, балансируя на поленнице: вжиг-вжиг-вжиг! — сражаться с англичанами. Вот и сейчас мы слышим, как со двора, закинув голову в облезлой ушанке и сложив рупором красные от мороза ладони, нас зовет Витька:

— Айда во двор!

Мы с Леркой переглядываемся, а потом одновременно, сталкиваясь в дверях, бежим в прихожую, натягиваем польта, на ходу на лестнице обматываемся шарфами и нахлобучиваем шапки. Витька ждет нас перед заколоченным окном в подвал — руки в карманах, рожа начищена «лиговскими».

— Все, — говорит Витька, ловко сбрасывая на снег соплю из-под носа. — Амба! Конец им! Своих с Сенной соберу, и стыкнемся!

Мы с Леркой молчим — нас на межрайонные драки не берут, малы еще.

— Все Бергман, холера! — продолжает обиженный монолог Витька. Бергман — из «лиговских», дрался, как бешеный. — Жид, по веревочке бежит! — обиженно сплевывает он, пролезая в подвал. А я смотрю на Лерку и вижу, как тот вдруг залился красной краской.

— Ты чего? — спрашиваю я.

Но Лерка только мотает головой и спускается вслед за Витькой.

— Слыхали, — говорит он, отряхивая штаны от подвальной пыли. — В этом году каждую минуту входит в строй один пятиэтажный дом! Ежедневно в свои квартиры вселяются двадцать тысяч человек!

Леркин папа слушает без остановки радио — вот Лерка иногда и шпарит, что твой диктор.

— Скоро и до нас дойдет, — говорит он уверенно, с опаской оглядываясь по сторонам. — А старые дома, вроде нашего, разрушат.

— Может, и хорошо, что разрушат, — почему-то ежится Витька. — Я тут, ребят, такое видел! Жуть!

— Что?! — вытаращиваем мы глаза, оглядывая полупустой подвал.

— Сейчас покажу, — внушительно говорит Витька. — Только уговор, мелюзга, — не вопить!

Мы небрежно пожимаем плечами, не обижаясь на «мелюзгу», ждем.

— Ладно, — сглатывает Витька. — Пошли.

Он ведет нас в глубь подвала — мы перелезаем через чью-то ржавую постель, тюки с тряпьем, доски, гнутые велосипедные колеса...

— Здесь, — уверенно говорит Витька.

Мы вытаращиваем глаза: сломанные ящики, рваные матрацы — вата торчит наружу.

— Помогайте! — пыхтит Витька, отодвигая от стенки в углу какую-то древнюю рухлядь. — Что встали?

Мы с Леркой бросаемся помогать — втроем дело идет споро, как на субботнике, мы по-молодецки ухаем, отбрасывая в сторону старые рамы, железки и связки пожелтевших журналов. Как вдруг Лерка, нагнувшись, чтобы схватить следующую порцию мусора, открывает рот, пытаясь вздохнуть, как вытащенная на берег уклейка, делает шаг назад и падает спиной в только что отброшенный утиль.

— А-а-а-а! — начинает хрипло кричать он, а Витька с мрачным лицом встряхивает его за воротник пальто и закрывает ему рот грязной ладонью.

— Замолкни! — шипит он.

А я наконец решаюсь сделать несколько шагов вперед и взглянуть туда, в темный угол.

Там, прямо в земляной пыли, белеет округлая кость. Зияют глазницы, пустой нос кажется курносым, ухмыляется челюсть, прижатая к плечу, — кажется, скелет заснул, пригревшись под подвальным старьем.

— Это не настоящий! — дрожащим голосом говорю я.

Витька сглатывает, не способный отвести глаз от полой грудной клетки.

— Думаешь? — говорит он с надеждой. Он отпускает Лерку, тот вытирает рот, кривится, но не торопится встать, чтобы снова взглянуть на череп.

— Он маленький, — говорю я. — Таких не бывает. Он, наверное, — я на секунду задумываюсь, вспоминая слово, — анатомический. Для студентов. Врачей.

Витькино лицо оживляется:

— Чума! Надо пацанов попугать!

Лерка криво улыбается — он уже достаточно испуган.

Возвращаемся мы из подвала тем же путем. Витька тараторит без остановки — в голове у него уже тысяча идей, что можно сделать с «черепушкой»: положить в авоську и ради такого дела не ехать на колбасе, а зайти в трамвай: «Ой, вы билетик не передадите, а то у меня руки заняты...» Или просто — выставить в окно подвала и ждать, пока кто-нибудь увидит... Я уже было открываю рот, чтобы сказать, что на всякий случай можно показать «черепушку» участковому, но не хочу снова говорить о страшилках и думать о скелете в подвале как о настоящем.

И только засыпая, под скороговорку радио Пироговых за стенкой: «...Театр имени Пушкина, спектакль «Они знали Маяковского». В главной роли лауреат Сталинской премии, народный артист СССР Николай Черкасов», я подумал: ведь у меня тоже маленькая голова, меньше, чем у взрослых. А что, если тот скелет в подвале — никакое не анатомическое пособие? Что, если это скелет ребенка?

МАША

Маша сидела на огромной бабкиной кухне: сумерки, сгустившись после трех дня, делали мутными распечатанные фото, в изобилии рассыпанные по льняной скатерти с мережкой. Маша, нахмурившись, встала, зажгла бра над столом и услышала, как хлопнула дверь, — это бабка вернулась с ежедневной прогулки, как она выражалась, «по рекам и каналам». Полчаса активной ходьбы вдоль по набережной, неизменная чашка чаю по прибытии. Маша уже пару минут назад поставила чайник на плиту. Любочка, пройдя на кухню, с удовольствием села за стол пить чай с мармеладной долькой, взялась просматривать одну за другой фотографии из «Ленинских искр». Непосредственно коммунальных

было только две: одна из кухни — очень живопис-
ная и одновременно полная бытовых деталей. Каждая хозяйка в профиль у своей конфорки — халат,
крепко запахнутый на груди, бигуди под косынкой.
Влажный дымок поднимается от закопченных кастрюль — кто-то варит суп, кто-то мешает деревянной палкой кипящееся белье, пар восходит к вы-
сокому потолку, пересекаясь с косым лучом света из
большого окна.

— Пирогова, — проводит пальцем по фотокарточ-
ке Любочка. — Эта краля — Аршинина. А вон тут торчит круп кого — Бенидзе?

Маша с улыбкой взяла фотографию:

— А может, Коняевой?

— Э, нет! Посмотри на этот истово выпрямленный
позвоночник и воинственно торчащие усики! Вряд
ли Галина Егоровна выдала бы такую реакцию на бе-
зобидную пожилую учительницу.

— Боже, а усики-то ты как разглядела?! — склонилась над снимком Маша.

— Дофантазировала! — подмигнула ей бабка,
а Маша, приглядевшись, согласилась — да, что-то
было в напряженном абрисе спины Пироговой, по-
зволяющее предположить конфликт.

— А вот, — Любочка взяла со стола вторую фотографию, уже явно постановочную: все жители коммуналки собрались перед объективом. Впереди —
женщины и дети. На заднем плане — мужчины. И все
обитатели в сборе.

— Смешные, — Маша посмотрела на фотографию
из-за ее плеча. Мужчины — такие серьезные, каждый, по примеру традиционных деревенских фо-
токарточек начала прошлого века, держал руку на
плече у жены. Две младшие девочки, Леночка и Аллочка, устроились на материнских коленях. Снизу
притулились мальчишки, Валера Пирогов и Алеша

Лоскудов, кажущийся совсем взрослым в модном свитере под горло и узких вельветовых брюках. Рядом с ним — нежная Тамара в платье с нарядным отложным воротничком. Кольки на фото нет — он остался за кадром, верный коммунальный фотокорреспондент.

«Как многое, — улыбнулась Маша, вглядываясь в фото, — можно понять даже по черно-белой фотографии!» Кажется, что Тамара счастлива своим соседством, она только что украдкой взглянула на своего кумира и сразу отвела глаза. Маше показалось, что она даже видит румянец, вспыхнувший от смущения на смуглых, покрытых пушком щеках.

— Куда она так смотрит?! — вдруг спросила Любочка. — Будто змею увидела?

— Кто? — не сразу ответила Маша, увлеченная любовной драмой пятидесятилетней давности.

— Да вот же! Ваша старушка! Отравленный божий одуван!

Маша перевела глаза на Ксению Лазаревну: белоснежная «парадная» блузка, седые букли на голове. Старушка, как бывшая владелица и старожил квартиры, сидела ровно по центру, между двумя молодыми женщинами — Ириной Аверинцевой, тогда еще серьезной девушкой с прямой челкой и прямым же взглядом: будущий химик, будущий доктор наук, мать Нины, бабка Ксении, и Зинаидой, женщиной с округлыми формами и скучающим лицом продавщицы сельмага, еще подходящей под пошловатое описание «все при ней», но уже на грани с полнотой. Дочка в торжественном платьице на пуговках, отделанном белым пикейным кантом, сидит на коленях... А Ксения Лазаревна смотрела не в объектив и даже не на своих соседок. Она смотрела куда-то вбок и вниз, и с таким выражением ледяного ужаса на лице, что Маша похолодела.

— Я уже видела эту фотографию, — сказала она медленно, тщетно пытаясь выцыганить у памяти воспоминание. — У Тамары Зазовны в альбоме есть очень похожая.

И помолчала. Очень похожая, но все же чуть-чуть другая. Не было на ней такого выражения лица ни у кого из присутствующих, она бы запомнила.

— Это вполне возможно, — бабка потянулась за сигаретами, открыла, не глядя, форточку над столом. — На общих фотографиях редко все получаются хорошо. Ваш Коля мог сделать несколько снимков. А потом раздарить их обитателям коммуналки — где кто лучше вышел.

— Может быть, это у нее такой тик? Или вспомнила что-то... страшное, — Маша оторвала наконец взгляд от искаженного гримасой ужаса лица. — Чего и кого ей было так пугаться? Аллочки?

Бабка поправила очки на носу:

— Нет, она смотрит не на ребенка, а куда-то ниже.

— Алеша? — недоверчиво произнесла Маша, вглядываясь в нижний ряд из мальчиков коммуналки. — Алексей Иванович Лоскудов?

КСЕНИЯ

— М-да, — Ксения задумчиво почесала нос. — Ничего себе. Странно, что мы этого сразу не заметили.

— Не странно, — покачала головой Маша. — Мы смотрели на ансамбль, так сказать. Яркие праздничные платья на женщинах, крупные мужчины, дети... На их фоне старушка ведь действительно была особой не сильно заметной.

Ксения усмехнулась:

— До тех пор пока не померла.

— До тех пор пока ее не убили, — поправила ее Маша строгим «профессиональным» тоном. — И именно поэтому, думаю, нам нужно собрать по семейным архивам все другие фотографии.

— Какие другие?

— Кадры были сделаны один за другим, — объяснила Маша. — Возможно, на прочих снимках у нас получится разглядеть какой-то элемент ДО или ПОСЛЕ. То, что стало первопричиной этого ужаса или как-то его объясняло.

— Некто, повернувшийся к старушке и шепнувший ей на ухо что-то ужасное?

— Например, — кивнула Маша. — Или мы хотя бы сможем точно понять, куда она так смотрит.

— Ладно. К кому ты хочешь, чтобы я пошла?

Маша на секунду задумалась:

— Значит, так. Про Коняевых мы знаем, что других детей, кроме крестьянского сына Миши, у них не было. Судя по документам, найденным Игорем, Михаил Коняев умер от обширного цирроза печени. Иными словами, от алкоголизма в родной деревне. Вряд ли там сохранились какие-то фотографии. Но похожая на эту карточка точно была у Тамары Зазовны.

— Я зайду к Марико. У меня остались координаты, — кивнула Ксения.

— Еще... — помялась Маша, — нужно пойти к вдове Валерия Алексеевича Пирогова.

— Матери Эдика? — усмехнулась Ксения. — Без проблем.

— Отлично, — с явным облегчением улыбнулась Маша. — А я тогда — в архив. Буду рыть информацию по Аршининым. Аллочка, Алла Анатольевна, — еще совсем не старая женщина.

— Вряд ли она, конечно, уже в маразме... Но не думаю, что имеет смысл рассчитывать на развернутые воспоминания четырехлетней девочки.

Маша кивнула:

— Верно. Однако попробовать стоит. Зине, Аллоч-
киной матери, сейчас должно быть хорошо за семьдесят. А мужу ее — за девяносто.

Ксения вздохнула:

— В нашей стране люди за девяносто живут редко.

— Да, на это шансов мало, — грустно улыбнулась
Маша. — Жалко все-таки... — начала она, и Ксения
увидела, как пропала, будто растворилась, на ее лице
улыбка.

— Что? — нахмурилась Ксюша.

— Жалко, что не сохранился архив Алексея Ивановича.

Ксения смотрела на Машу, ожидая продолжения,
но та ничего не добавила, а лишь глядела в окно ее
коммуналки, туда, где по темной зимней воде канала
медленно плыла чья-то покрытая мокрым брезентом,
совсем не туристическая лодочка.

* * *

На следующий день Ксения встретилась с Машей
в кафе на Рубинштейна. Настроение было отвратительное: вечером она на пару часов застряла в своем
очень эстетском, но очень старом лифте — чеканка
из водяных лилий, золотой петербургский модерн.
На исходе двух часов в ожидании мастера она уже
просто сидела на корточках в углу кабинки, опираясь
на обитые темным деревом стены и бессмысленно
тараща́сь перед собой. Мимо внезапно промелькнула
чья-то легкая тень, и Ксения уловила едва слышное,
уже знакомое шипение: ссс-с-сука. Она неловко вскочила, пребольно ударив локоть:

— Кто вы?! Что вам надо?!

До боли вглядывалась сквозь сетку, отделяющую
клетку лифта от сумрака лестницы. Но различи-

ла только белеющие в полутьме пологие ступени. И вдруг услышала тихое, будто детское, хихиканье. А потом — молчание, ни звука. Вся апатия Ксении пропала, выстрел адреналина отозвался бешеным ритмом крови в висках, сомкнутым в ужасе горлом. Она почувствовала, как на нее надвигается истерика: выпустите меня отсюда, Бога ради, выпустите! Ей не хватало воздуха, стало страшно в этой клетке, зажатой между этажами. И когда она наконец услышала железный лязг снизу, то вскрикнула, думая, что вот сейчас, в ту же секунду, лифт сорвется и полетит вместе с ней во тьму. Но нет, это наконец пришел по ее душу мастер-освободитель.

А сегодня она все утро провела, запершись в собственной комнате (ей последнее время казалось, что отчим подслушивает по углам — бред, конечно!) и делая упражнения для кисти руки. Хотела сыграть на инструменте хоть что-нибудь, до боли знакомое пальцам. Решилась на прелюдию из пятой сюиты Баха. Вещь трагическую, вполне подходящую по настроению. Но музыка, выходившая из-под ее смычка, казалась до отвращения тусклой, ученической. Стыдно было бы ТАК играть на Страдивари. Впрочем, подумала Ксюша, зря старается. Вряд ли ей снова выпадет играть на Страде. Какой из нее теперь концертирующий музыкант? Телефон, разрывавшийся уже через день после победы на конкурсе — в какой-то момент Ксюша боялась, что менеджеры просто передерутся между собой, предлагая все более выгодные условия турне, — теперь красноречиво молчал.

Куда теперь податься? — с тоской думала Ксюша. Кому она нужна? Может, все-таки в районную музыкальную школу? Ксюша усмехнулась, вспомнив угрозу своего вальяжного консерваторского преподавателя — признанного мастера и скрытого садиста: будешь плохо играть — отправлю «в контрабасы». Или хуже того — на работу в Петрозаводскую Консу. Тогда казалось — уж лучше дворником, чем такое падение. А теперь? Возьмут ли ее — даже в Петрозаводск? Ксюша отложила смычок, пытаясь сдержать слезы: кто из этих мэтров понимает, что такое быть женщиной в ее профессии? Как там говорил один гениальный дирижер? «Я не могу себе позволить иметь в оркестре существа, у которых один раз в месяц плохое настроение». И таких «существ» в перворазрядных оркестрах очень мало. В Филармоническом — ни одной. В Мариинке — по пальцам пересчитать. Когда ты играешь — все тебя любят, а когда перестаешь — ты одинока... «Нет, — думала Ксюша, — женщине в моей ситуации вдвойне тяжело».

А утром, выйдя на кухню, она увидела сидящую у окна зареванную Нику. Две дамы на грани нервного срыва в одной квартире — это перебор. Хотя Нике можно только посочувствовать. Игорь не проявлялся, весь захваченный свежим чувством. И посетив вчера внучку Тамары, Ксения застала ее вполне оправившейся от утраты. Оставалось только гадать: виной тому новый роман или...

— Получилось? — Маша поманила к себе официантку.

— Да, — очнулась от грустных мыслей Ксюша. — Я добыла-таки нам еще две фотографии.

Она усмехнулась, вспомнив, как наткнулась на карточку Эдика в доме его матери, и это лицо не вызвало у нее ровно никаких чувств. Даже странно. Но нельзя же страдать по всем поводам одновременно!

— Вот, — выложила она перед Машей две фотографии и пересела, чтобы смотреть на них в том же ракурсе.

Маша достала из внутреннего кармана пиджака распечатку третьей, положила рядом. Три черно-белые картинки.

Ксения сравнивала лица — чуть другой поворот головы, вот тут на губах у Коняевой неуверенная улыбка, а тут Пирогов уже не держит руку на плече у жены... Маша пару раз переложила фотографии туда-сюда.

— Да, — наконец сказала она. — Наверное, так.

И Ксения кивнула. Все правильно. Именно так.

Мини-фильм. Фотокомикс. Фотография первая — Ксения Лазаревна смотрит вниз и влево. Фотография вторая: та самая, из архива «Ленинских искр» — расширенные зрачки, перекошенное от ужаса лицо. Фотография третья: глаза закрыты, как часто бывает на неудачных фото. Только вот вряд ли старушка просто моргнула.

— Будто бы она увидела что-то ужасное и закрыла глаза, не в силах на это смотреть... — Ксения пригубила принесенный официанткой кофе. — Но я не понимаю — что? Все остальные — как сидели, так и сидят. Если что-то кошмарное и случилось, то они этого явно не замечают.

— Да, — кивнула Маша. — Но тот факт, что никто другой этого не видит, вовсе не значит, что ничего не происходит.

МАША

Маша прекрасно помнила слова вдовы Пирогова о золовке — мол, уехала на заработки на Север, повздорила с братом и семьей, там и осталась. И теперь не без удивления обнаружила, что затерявшаяся много лет назад где-то за Северным полярным кругом Елена Пирогова жива и более того — прописана в Гатчине. В той самой, оставшейся после обмена квартире, где тяжело умирал Пирогов-старший. Бывший квартирный уполномоченный. Любопытно. Маша, не удержавшись, набрала номер.

— Добрый день, я хотела бы поговорить с Еленой Алексеевной Пироговой, — чуть более официально, чем следовало, сказала она.

— Здрасте. Не знаем такой, — ответил ей мужской голос. И вдруг закричал Маше прямо в ухо: — Кать, а Кать! А у хозяина нашего фамилия какая?

Что сказала неизвестная Катя, Маша не расслышала и решила уточнить:

— Простите, вы снимаете эту квартиру?

— Ну да, — ответил товарищ. — Только у нас хозяин... это... мужик. С именем таким заковыристым. С ним моя жена контачит.

— Эдуард? — второй раз с начала этой истории угадала Маша.

— Ага! — обрадовался мужчина. — Валерьевич.

— Ясно. — Маша усмехнулась: конечно, какая же она идиотка! — Спасибо.

И повесила трубку, чтобы снова набрать — уже другой номер.

— Я слушаю! — раздался звонкий голос человека, который сам себе очень нравится.

Маша представилась и заполнила удивленную паузу вопросом:

— Скажите, пожалуйста, а где сейчас проживает ваша тетка, Елена Алексеевна Пирогова?

Эдуард хмыкнул, но ничего не сказал, и Маша уже собралась вновь задать тот же вопрос, когда он наконец ответил:

— А тетка моя уже лет сорок как проживает по адресу набережная Обводного канала, 9.

И только Маша собралась его поблагодарить и распрощаться, как он добавил:

— В психиатрической больнице № 76.

ЛЕРКА. 1959 г.

«Славный 1959 год подходит к концу. Он сохранится в народной памяти как год великих достижений. Наша могучая социалистическая промышленность перевыполнила государственный план, вошли в строй новые мощные заводы и шахты, доменные и мартеновские печи, электростанции и транспортные магистрали. Поднялось на новую ступень всенародное социалистическое соревнование, созданы первые бригады коммунистического труда. Мощный подъем переживает социалистическое сельское хозяйство. Повысилось материальное и культурное благосостояние народа».

Новогоднее поздравление Центрального Комитета КПСС, Президиума Верховного Совета СССР и Совета Министров СССР.

Вата между рамами вся в блестках — это мамка придумала: пустила на красоту одну битую уже игрушку — золотистую шишку. Завязала в старый платок и хорошенько прошлась папиным молотком. Вот и блестки. Получается, окно со шторами — будто занавес, а за ним — дверь в другой мир, как в «Золотом ключике». Там — мороз, темень, валит крупный снег, превращая дровяные сараи в новогодние сугробы. Здесь — густо натоплено, в воздухе смешиваются ароматы моченых яблок, купленных на рынке к утке, и буженины. Лерка последнее время задумчив. Вот и сейчас сидит и, склонив коротко стриженную рыжую голову, пытается прочесть строчки газет. Осенью они всей коммуналкой разрезали газеты на ленты, варили булькающий клейстер из крахмала — заклеивали рамы на зиму. Кусочки фраз складываются в смешную ерунду: «Типичный пример крупноблочного строительства...» «вышел на орбиту и успешно» «продемонстрировал макеты атомного комбината и ледокола «Ленин».

Лерка хоронится на кухне, в их комнате сейчас сидят за столом Леночка с Тамарой, делают подарки — бусы из журнала «Америка». Разрезают ножницами страницы на длинные треугольники и свертывают, как веретено, в твердые яркие бусинки. Сам журнал — с цветными фотографиями и плотными глянцевыми страницами — Лерка лично выпросил у Лешки Лоскудова. Колька тоже попросился бусы крутить — к Томке подлизывается, не иначе. Лерка вздыхает: ему ужасно жалко журнал, хотя бусы и правда получаются красивые. Сам Лерка уже приготовил поделки к празднику: одну гирлянду из цветных бумажных наборов и еще одну из половинок грецких орехов — их следовало еще позолотить. Но сегодня настроения не было — он глядел в окно и вспоминал ту марку, которую ему показала Ксения Лазаревна: темно-зеленая, как джунгли или камень изумруд. В коридоре звонит телефон, и Лерка уже соскальзывает было с подоконника, когда слышит Алешин голос:

— Алло!

Лерка садится обратно и начинает прислушиваться. Последнее время Алеша ведет по телефону малопонятные, но ужасно интересные разговоры. Вот и сейчас он, выслушав неизвестного собеседника, рассмеялся:

— Свободная хата? В Новый-то год? Шутишь!

И потом:

— Сразу не могу. Винилы-то нести? ... Ты же знаешь, я стилем танцевать не умею. Это ты у меня специалист по кадрежу, не я.

Раздается цокот каблучков, и в ванную дефилирует тетя Зина в халате с драконами, а голос Алеши почему-то становится громче.

— Нет уж, спасибо. Знаю я, как там у тебя будет: после кира и плясок — сплошное «динамо» от подходящих кадров. А «мочалки» мне и самому не нужны. Так что не проси, я — пас.

А тетя Зина выходит из ванной комнаты бледная, со злыми глазами, проводит невидящим взглядом по сидящему на подоконнике между тарелками со студнем Лерке и идет обратно — совсем не своей, усталой какой-то походкой.

«Как та самая утка, только без яблок», — думает Лерка и слышит тети-Зинин голос в коридоре, хриплый, сердитый:

— Зря вы, Алексей, отказались. Сходили бы, развлеклись. Дело молодое.

— Мне и здесь есть с кем потанцевать, — тихо говорит Алеша. И что-то еще добавляет, но Лерке уже ничего не разобрать. Зато ему прекрасно слышен последовавший раздраженный щелчок захлопнувшейся двери.

А через три часа стол уже накрыт в их комнате, рядом с елкой. Новый год всегда справляют у Пироговых. У них, как папа говорит, самый большой метраж. Это раз. А во-вторых, и главных, — у них телевизор. Зато радиолу — «Рекорд-53» — притащил Алешка: на ней и радио можно настроить, и пластинку сверху поставить. Еще соседи приносят стулья, хозяйки, уже красивые, но еще в передниках и с платочками на головах, скрывающих тугие бигуди, снуют между кухней и комнатой с подносами, салатницами, круглыми и овальными блюдами. На кухне производятся последние действа: Леркина мать щедрой дланью посыпает крошкой крутого яйца салат, сажает в центр хвост из петрушки, тетя Лали украшает блюда розочками из морковки и зернами граната — получается очень красиво. Папа, стоя с ней рядом, выкладывает с сосредоточенным лицом в хрустальные розеточки хрен для холодца. Переглянувшись с покуривающим у форточки доктором Коняевым, они — раз, два, взяли! — вытаскивают из-за окна гроздь заиндевевших водочных бутылок и парочку шампанского.

— Это — исключительно прекрасным дамам! — подмигивает папа доктору.

За горячее — ту самую утку — отвечают Ирочка Аверинцева с Колькиной мамой. За сладкое — фирменный рулет — тетя Коняева, у нее свой, секретный рецепт. Мама однажды даже подрядила Лерку на кухне подглядеть, и он доложил, что та скидывает на влажное полотенце тесто из яичных белков, сухарей и орехов, а потом быстро обмазывает кремом и скатывает. Только толку-то? Мама при тете Вере повторить этот рецепт боится — как бы не поссориться. Кроме рулета на сладкое есть еще пирожные — это Анатолий Сергеич, не надеясь на тетю Зину, плюс к привезенному из Грузии винограду отстоял огромную очередь в кондитерскую «Север». Красивые (шикарные! — как сказала мама) бело-синие коробки стоят уже в их комнате. Лерка видел, как Леночка к ним принюхивалась: чуть ли не нос засунула в тонкую щель картонки. Но зато поделилась ценной информацией: «Эклеры», — шепнула она, когда Лерка ее шуганул: мол, еще только твоего сопливого носа тут не хватало! Эклеры и буше. Лерка чувствует, как рот залился слюной — дождаться бы! И эклеров, и подарка от старушки Ксении Лазаревны — по ее улыбке он догадывается, что в подарок на Новый год его ждет марка, и не простая, а...

— Царский, царский подарок! — в унисон с полетом Леркиной фантазии восклицает тетя Вера Коняева. Лерка скашивает глаза. Тьфу ты! В серебряной вазочке, обычно стоящей у Ксении Лазаревны на верхней полке буфета, пузырится серая невыразительная масса. Икра. — Это же, наверное, из «Елисеевского»?

Ксения Лазаревна кивает. К празднику с ее стороны еще миноги и собственноручно сваренный морс. Старушка никак особенно не приоделась, думает Лерка, сам затянутый слишком узким воротничком белой рубашки. Разве что над темной кофтой торчит вместо обычного отложного воротничка нарядный крепдешиновый бант.

— Ну что ж! — это входит Алеша Лоскудов, неся под мышкой какие-то черно-белые круги. — По-моему, пора поставить музыку, для создания, так сказать, праздничного настроения!

— А оно и так у всех праздничное, — говорит сидящая со скучающим видом на диване тетя Зина. Халат с драконом она сменила на голубое платье с широкой юбкой. Лерка заглядывает в лицо с морковной помадой: не похоже, что она сильно радуется. Но тут же отвлекся на Лешкины «круги»: тот откидывает крышку радиолы и ставит один вместо пластинки. Завертевшись на проигрывателе, на темном круге еще явственнее проступают какие-то длинные белые линии.

— Это что? — спрашивает Лерка.

— Это кости, — усмехается Леша. — Но не только. Это Элвис, сынок.

И тут... Тут зазвучала музыка, и все вдруг пропало для Лерки: он уставился в накрахмаленную скатерть и — растерялся. Он чувствует, как все в нем — все «кишочки», как говорила его деревенская, папина родня, — откликается на эти звуки, дрожит, и рыданье подступает к горлу. Жарко становится щекам, а глазам — мокро от слез. Он отрывает взгляд от накрахмаленной складки и видит сидящую напротив за столом Ксению Лазаревну. Она тоже слушает и улыбается. У Лерки отлегло от сердца: значит, все хорошо, он не заболел...

— Как ты себя чувствуешь? — раздается тихий голос за спиной. И удивившись, что кто-то вроде как подслушал его мысли, Лерка оборачивается. А обернувшись, понимает, что вопрос предназначается не ему: это Алеша Лоскудов, медленно покачиваясь, танцует под музыку Элвиса с тетей Зиной. Странно — он кажется таким высоким и взрослым в темно-синем вельветовом костюме и свитере под горло. Тети-Зинины морковные губы растянуты в покровительственной улыбке, но говорит она что-то странное:

— Сволочь, гад, потаскун! Вам всем только бы...

Лерка в недоумении переводит глаза на Ксению Лазаревну. Она уже не улыбается, тоже вслушиваясь в Зинину злобную скороговорку.

— Ну-ка, ну-ка, долой вражескую пропаганду! — загромыхал, зайдя в комнату, отец и выключает Элвиса. — Вот еще, имперьялистов слушать!

И Лерка сразу будто вынырнул из глубокого пруда и снова начинает делать вдох-выдох, как положено. А папка, склонившись над радиолой, нажимает клавишу и почти сразу находит радио. «За окошком в белом поле сумрак, ветер снеговей...» — слащаво-проникновенно затянул козлиный мужской голос. И Лерка видит, как сейчас же отшатнулись друг от друга Леша и тетя Зина.

— О! — поднимает полный палец кверху папа. — Вот это — наша музыка!

А и верно, ну его, этого... Элвиса! Лерка облегченно вздыхает, словно и правда вернулся домой с этой песней. Домой — с другой планеты. И сразу же будто увидел всех заново: вон Тома в синем платье с гофрированной юбкой и отложным воротничком сидит на краешке стула и смотрит на Лешку, а Колька — с вечным своим фотоаппаратом — на нее. Вокруг елки бегает, как заводная игрушка, Аллочка: блестящие локоны летят за ней следом, раскраснелись щечки. Дядя

Толя глядит на дочку — не налюбуется. Зина снова уселась на диван, скучающе теребит искусственные цветки на талии. Папка, крякая, разливает по первой рюмочке себе с доктором:

— Ну что? За хоккей?

Это папин любимый тост. Лерка прислушивается к беседе — про хоккей он любит.

— Думают, окромя канадцев, их никто не достанет! Ха! А Швеция? А чехословаки? Потеряешь одно-два очка — разом золото в бронзу переплавят!

— Да... — тянет доктор. — Таких троек нападающих, как бобровская да уваровская, у нас в этом году нет.

— Эх... Год прошел, фьють! И не заметил! — И папа внимательно смотрит на тетю Лали — в модном капроновом платье и с забранными назад в тугой узел волосами она раскладывает по тарелкам мясные рулетики и не обращает на него никакого внимания.

— Ну как не заметили? — возражает дядя Толя. — А запуск первой межпланетной станции? Как-никак Луну облетели!

— А внеочередной 21-й Съезд КПСС? — строго кивает тетя Вера. — Как там Никита Сергеевич сказал? «О развернутом строительстве коммунизма!»

— И в Соединенные Штаты поехал! С Эйзенхауэром встретился!

— А советская выставка в Нью-Йорке! А американская — на ВДНХ! А французский кинофестиваль! А новое метро! А международный шахматный турнир в Москве!

Одним словом, выясняется, что много чего произошло за год.

— Много чего хорошего, — делает упор на «хорошем» папа. И вновь смотрит на тетю Лали.

Мамка хмыкает, сорвалась с вилки горошинка из салата, побежала по тарелке.

— Новое десятилетие... — грустно замечает старушка Ксения Лазаревна.

— Нынешнее поколение будет жить при коммунизме! — оптимистично вторит ей доктор. — А по мне, лучше бы нынешнее поколение жило каждый в своей квартире!

— А зачем нам отдельная?! Нам и тут неплохо! — папа вновь наливает себе рюмочку. — Правда ведь, Анатолий, Андрей Геннадьич? Вот ей-богу, даст мне партия новую квартиру — откажусь!

— Ну еще бы, — это, тихо улыбаясь, говорит дядя Заза. И Лера успевает застать взгляд, которым обменивается с ним мамка. Непонятный взгляд. Лерка слезает со стула и обходит стол — туда, где притулился на самом углу увлеченный едой Колька. Рядом с ним ведутся беседы между тетей Верой, тетей Лали и Колькиной мамой. Тома тоже тут, но молчит, как и Колька — слушает.

— В Париже Диор ансамблями продает все под платья: перчатки, туфли, украшения. А у нас так набегаешься за одной только тканью, уже ничего не хочется... — это тетя Лали.

— В Москву-то ваш Диор приехал, меха с жемчугами показал, и все на худых, — хмыкает тетя Вера. — А простые парижанки, разве они на работу в таком виде ходят? Или, может, тощие все, как селедки? Да никогда в это не поверю! Вот вы, Ксения Лазаревна, бывали в Париже в молодости...

— Ах, Вера Семеновна, это ж когда было! Девочкой еще, до революции! Что я помню!

Лерка про себя усмехается: да как такое может быть-то? Чтобы старая Ксения Лазаревна — и в Париж ездила?!

А вслух говорит Кольке:

— Пойдем марки посмотрим? Мне батя две новые серии принес.

— Погоди, не сейчас, — Колька, похоже, внимательно прислушивается к тому, что говорит его мама Тамаре.

— Глицерином протирать кожу! Как можно! Он же сушит! Просто умойтесь, потом жидкий крем — «Бархатный», например. А уж поверху жирненьким — «Спермацетовым» или «Янтарем», там есть витамин А.

Лерка обескураженно смотрит на Кольку: он что, совсем сбрендил? Чего тут интересного?

— Тебе, Томочка, при твоей коже вообще незачем этими глупостями заниматься! — ворчит тетя Вера. — А от пудры только прыщики появляются!

Тома краснеет, быстро бросает взгляд туда, где сидит Лешка. Но Лешка ничего не слышит, хмурит прямые брови и к тарелке, похоже, даже не притронулся.

— Так, всем приготовиться к фотографии! — вдруг объявляет Колька. Он, когда о фотографиях речь, становится как генерал.

Женщины бросаются к трельяжу, чтобы поправить прически и подкрасить губы, даже тетя Вера критичным взглядом оглядывает себя в зеркало. Одна Ксения Лазаревна позволяет Кольке усадить себя на место по центру и с улыбкой слушает его команды:

— Так, Лерка, тебе сюда, вниз. Аллочку — маме на колени. Дядя Леша, тетя Галя — вам в последний ряд. Надо, чтобы все поместились.

В конце концов все расселись. Колька долго пыхтит и наконец фотографирует, грозно прикрикнув: «Птичка!»

После чая Лерка, уже совсем сонный, выходит в коридор, прижимая к себе маленький конвертик с заветным подарком от Ксении Лазаревны. Ему не терпится еще раз его рассмотреть, а заодно проверить новый фонарик, положенный под елку родителями. Забравшись в прихожей на скамейку, он прячется под накрывающую его целиком теплую отцовскую дубленку и только вынимает фонарик, как слышит звонкий, какой-то удивительно юный голос Ксении Лазаревны.

— Извольте объясниться, как они к вам попали! — говорит Ксения Лазаревна так, будто она д'Артаньян, вызывающий противника на дуэль. И голос ее дрожит — но не от страха, понимает замеревший под густо пахнущей овечьей шерстью дубленкой Лерка, а от ярости.

— Вы обознались, — отвечает другой голос, он тоже так изменился, что Лерка не сразу его узнает. — Перепутали.

— О, нет, — говорит старуха. — Нет. Я опознала бы их из тысячи.

КСЕНИЯ

Никогда не стоит слишком надеяться. Вот и тут: Аллочка, которая по всем расчетам должна была быть еще вполне себе бодрой дамой лет шестидесяти, умерла от сердечного приступа лет двадцать пять тому назад, совсем еще молодой и, если можно судить по детским фото, красивой женщиной. Отец ее, к своему счастью, до этого дня не дожил. Мать, Зинаида Аршинина, оказалась до сих пор жива, но абсолютно недоступна для встречи — проживала, не выходя ни на шаг за обширную территорию элитного дома престарелых.

— Но, в конце концов, дом престарелых — это же не тюрьма? Мы ее сами можем там проведать.

— Бессмысленно, — вздохнула Маша. — В приемной мне по секрету сообщили, что старушка в глубоком маразме.

— Кстати, — нахмурилась Ксюша, поняв, что ее смутило в Машином описании. — А откуда у нее средства на приличный дом престарелых? Ника одно время хотела пристроить в один из таких свою тетку — это стоит сумасшедших денег.

— Все верно, — Ксения услышала, как Маша на другом конце трубки перелистнула пару страниц. — Думаю, дом престарелых оплачивает ее сын, Николай Анатольевич Носов.

— Сын? — нахмурилась Ксения.

— Да. Родился примерно через год после интересующих нас событий.

— И чего я так удивляюсь — Зина ведь была совсем молодой женщиной. Еще и замуж вышла, судя по фамилии сына?

— Еще и замуж. Однако со вторым мужем тоже развелась. Дело не в этом — у нас в истории появилось совсем новое ответвление. Это сын и внук Аршининых. Как тебе кажется, имеет ли смысл ими заниматься?

— Я не знаю, — нахмурилась Ксюша. — А ты как считаешь? Имеет?

Маша помолчала:

— Думаю, да. Информации у нас все равно с гулькин нос, поэтому стоит хвататься за любую ниточку. Сами они помнить ничего не могут, да и мать вряд ли им что-нибудь рассказывала. Но вполне возможно, что эти Носовы хранят старые семейные альбомы и у них тоже может заваляться парочка-тройка любопытных фотографий.

— Ты права, — закивала Ксюша, забыв, что Маша ее не видит.

— Только есть одно «но», — голос у Маши стал весьма озадаченным. — Этот Носов — не просто состоятельный человек. Он очень состоятельный человек. Совладелец банка «Русь», финансового холдинга «Астрель» и группы «Стройнефтьтранс».

— Ого! — присвистнула Ксюша.

— Да, «ого» — то самое слово. Пытаться пробиться к нему через армию секретарш с нашей, прямо скажем, совсем не банальной историей — абсолютно бессмысленное мероприятие.

— И что же делать? — растерялась Ксюша.

— Идти к его сыну, думаю, — хмыкнула Маша. — Хотя Носов и сам давно в разводе, а сын почти не жил с отцом.

— И кто у нас сын?

— Сын у нас, как ни странно, не бизнесмен, а врач. Хирург. Зовут Иваном Николаевичем. Работает совсем недалеко от твоего бывшего места жительства — в районной больнице в Веселом Поселке.

— Хм. Интересные дела. Что ж он с таким папой не оперирует в какой-нибудь частной клинике?

— Вот и узнаешь при личной встрече. Удачи!

* * *

Хирург Носов освобождался в семь. Ксения выяснила это в регистратуре, но ждать решила с черного хода, где ободранная лавочка — приют курящих эскулапов — позволяла обозревать всю больничную парковку. Неизвестно, какая машина имелась у доктора, но его толстую круглую физиономию она успела увидеть на Доске почета рядом с той же регистратурой. «Наши врачи» — гласила доска. То ли фотограф был бездарен, то ли коллектив так «удачно» подобрался, но ни одной симпатичной физией среди «Наших врачей» и не пахло. Все лица казались либо слишком слащавыми, либо угрюмыми и отталкивающими, как у того же Носова. Запах в клинике стоял тоже не из приятных и наводил Ксению на недавние больничные воспоминания, потому она и решила сторожить хирурга на улице. Однако мысль, вроде как вполне здравая: вечер, звезды, свежий воздух городских окраин — оказалась неудачной. Ксюша закоченела. Кроме того, репетируя про себя шепотом знакомство с неизвестным хирургом, она постоянно сбивалась: он явно примет ее за умалишенную. Зря она не попросила пойти с собой Машу. Захотела проявить самостоятельность. Тем временем дверь черного хода распахнулась, и на крыльцо вышли двое: один — огромный, медведеобразный, с коротким ежиком волос на голове. Вторая — субтильная блондинка, из-под зимней парки виднеется кромка белого халата. Медведь вынул из кармана сигареты, предложил блондинке, та вытащила одну и, откинув голову, кокетливо рассмеялась. Он дал ей прикурить — при этом его лапища заслонила ей пол-лица. Ксения выдохнула, встала со скамейки и, оправив пальто, подошла к крыльцу.

— Доктор Носов? — спросила она, поднимаясь на первую ступеньку.

— Он самый, — хирург с явным наслаждением выдохнул дым от сигареты в морозный воздух.

— Девушка, — строго сказала Ксении блондинка, — если вы по поводу прооперированных, то тут не место и не время. Иван Николаевич только что простоял шесть часов за операционным...

— Саш, брось, — толстый повернулся к Ксюше. — Что случилось?

— Я не по поводу ваших больных, — сглотнув, сказала Ксюша. — У меня... личный вопрос.

Блондинка бросила на нее быстрый ревнивый взгляд.

— Ну, я пойду, раз так, — проговорила она, сделав вопросительную паузу в конце.

— До завтра, — Носов похлопал ее по плечу. — Береги себя.

— Постараюсь, — простучав каблучками по ледяному бетону, блондинка спустилась с крыльца. Пикнув, ожила маленькая машинка в первом ряду. Ксения почему-то дождалась, когда та выедет с парковки. И только когда красные огни дамского «Фиата» влились в поток огней на проспекте, вновь повернулась к Носову. Он докуривал сигарету и смотрел на нее, сощурившись, явно пытаясь опознать.

Ксюша улыбнулась:

— Зря стараетесь. Мы никогда раньше не встречались. — Она сделала паузу, вздохнула и решилась: — У меня для вас есть история. Очень странная, но любопытная. Однако я не готова излагать ее вам на голодный желудок. Вы же голодны? Давайте я угощу вас ужином, а сама буду рассказывать. Есть здесь поблизости какое-нибудь теплое место?

Носов молчал, смотрел на нее, хмурясь и явно пытаясь оценить перспективу поужинать с неизвестной девицей с красным носом. Оценку Ксюша получила невысокую — он резко стал похож на необаятельного типа с Доски почета «Наши врачи». «Сейчас откажется», — подумала Ксюша. А вслух добавила:

— История касается вашей бабушки Зинаиды Ивановны и ее первого мужа Аршинина Анатолия Сергеевича.

— Даже так? — усмехнулся хирург. — Хорошо. Тогда пойдемте в «Бармалей».

Он спустился с крыльца. Ксюша, девушка высокая, едва доходила ему до плеча.

— Куда? — переспросила она, тщетно пытаясь попасть в его широкий шаг.

— «Бармалей» — это кафетерий тут поблизости. Варят отличную солянку.

— Кафетерий? — озадаченная, Ксения почти бегом шла за хирургом через больничный двор к выходу. И это — сын миллиардера? Интересно, машина-то хоть у него есть?

— Тут недалеко, — будто услышав ее мысли, сказал Носов. — Авто, увы, не владею.

— Ничего. Катаетесь на метро? — шмыгнула носом Ксюша.

— Катаюсь на такси. Уж простите мне такое барство, но после дежурства за рулем сразу засыпаю. Пару раз чуть не попал в аварию и решил не рисковать. А так — часик поспал в такси по дороге домой, и уже силы есть на ужин. Проходите, — он распахнул перед ней дверь заведения. Над входом лихорадочно дрожала красными огнями вывеска с пиратской мордой.

Ксюша вдруг развеселилась: в кафе было тепло, пахло супом — возможно, той самой солянкой. И народу много — хороший признак. Носов устало кивнул облокотившейся на стенку официантке в мини-юбке и кружевном фартуке и тяжело опустился на деревянную лавку перед длинным деревянным же столом. Ксения села напротив.

— Мне — как обычно, — подмигнул Носов официантке.

— А мне — чаю, — попросила Ксюша и, на удивленный взгляд Носова, закончила, — для начала.

— Ей тоже — солянки. И хлеба — прямо сейчас. Две корзинки, — кивнул он.

И повернулся к Ксюше.

— Я не люблю солянку, — улыбнулась Ксюша, пытаясь расстегнуть заиндевевшими пальцами пуговицы.

— А я люблю ужинать дома, перед телевизором. А смотрите, где оказался по вашей милости, — пожал огромными плечами Носов. Сейчас, сидя прямо напротив, он казался Ксюше еще больше. Но много симпатичнее, чем на Доске почета.

— Хорошо. Я попробую вашу солянку.

— То-то. А если не понравится, я ее доем, — улыбнулся он в ответ.

— Кого вы сегодня оперировали? — Ксюша решила начать со светской беседы, справедливо рассудив, что история о коммуналке лучше пойдет на сытый желудок.

Официантка принесла корзинку с хлебом, и Носов, взяв хлеб, стал отрывать от него куски и забрасывать в рот. Отрывать по кусочку, а не откусывать — этот медведь имел понятие об этикете. Более того, движения крупных рук с очень коротко подстриженными ногтями были почти музыкальными, завораживающими.

— Я занимаюсь общей хирургией. Желчный пузырь, вмешательства на почки, поджелудочная железа. Осложненные формы язвы, — сказал он. — Лапароскопические операции. А вы? — внезапно закончил он вопросом. И Ксения зависла, вглядываясь в это лицо: похож ли на бабку? Нет, совсем не похож.

— Что — я? — чуть покраснела она, застигнутая на откровенном разглядывании.

— Чем вы занимаетесь, кроме истории моей незадачливой семьи?

— Я виолончелист, — она почему-то убрала сомкнутые в замок руки со стола на колени.

— Хороший? — оторвал очередной кусочек хлеба Носов.

Ксения, проследив за его руками, пожала плечами:

— Да вроде как.

— Насколько хороший? — он не улыбался, а смотрел на нее пытливо. Черт! Зачем она только начала этот разговор?

Ксения выпрямила спину, подняла на него глаза:

— Была — одной из лучших в мире. А теперь — полный бекар.

— Полный — что?

Ксюша улыбнулась:

235

— Не обращайте внимания — музыкальный сленг. Имеется в виду — концерт отменяется. А в моем случае — все отменяется. Концерт длиною в жизнь.

— А что так мрачно? Разочаровались в профессии?

— Скорее она во мне, — усмехнулась Ксения. — Я сломала руку. Мне сломали руку. И, я думаю, это имеет какое-то отношение к тому, о чем я пришла с вами поговорить.

— Очень интересно, — хмыкнул Носов.

Официантка как раз поставила перед ними дымящиеся глиняные горшочки с супом. Ксения осторожно вынула руки из-под стола, отщипнула, как только что это делал Носов, хлеба, взяла ложку и вдруг поймала его быстрый цепкий взгляд на своих руках — и замерла.

— Мне очень жаль, — сказал Носов.

— Мне тоже, — кивнула Ксюша и отправила в рот первую ложку солянки. Это было очень вкусно и очень остро. Она резко задышала ртом.

— Много кайенского перца, — кивнул Носов. — И, по-моему, паприки. Хотя по правилам не полагается.

Ел он жадно, быстро опустошив свой горшочек, вплоть до последней оливки и лимонной дольки. И, сыто лоснясь большим лицом, отставил от себя горшочек, откинулся на деревянную спинку.

— Извините, проголодался. А вы не обращайте на меня внимания. Не торопитесь.

Ксюша и хотела есть быстрее — но не могла. Все время чувствовала на себе, на своих руках прежде всего, его любопытствующий взгляд — взгляд хирурга, и смущалась. В результате не выдержала и отодвинула от себя половину порции.

— Бережете фигуру? — улыбнулся ей Носов.

— Не то слово! — раздраженно заявила Ксюша, которая о тощей своей фигуре задумывалась всю жизнь только в сторону «как бы потолстеть». Солянку хотелось доесть зверски. Но этот взгляд... И добавила мстительно человеку-горе напротив: — Вам с **вашей** фигурой не понять!

Носов хмыкнул:

— Что ж вы хотите, я ж хирург, не менеджер Газпрома. — Ксюша вздрогнула. — Обед часто пропускаю — приходится наверстывать за ужином. Качаться мне противопоказано — руки могут огрубеть. Вам ли, как музыканту, этого не знать? Я и по дому ничего не делаю, балбесничаю.

— Бедная ваша жена.

— Не бедная. У меня ее нет, — и он повертел над столом больше похожей на лопату пятерней в бледных пятнах. На которой не было обручального кольца.

«Верно, лучше крутить романы с медсестрами больницы», — вспомнила Ксюша ревнивый взгляд девушки на крыльце. И, почему-то покраснев, полезла в сумку.

— Вот, — положила она перед ним новогоднюю фотографию образца пятьдесят девятого года. — Люди, которые обитали в квартире, где сейчас живу я сама. Это моя бабушка, — ткнула она пальцем в такое родное и еще такое юное лицо. — А тут, рядом, ваша...

— Я узнал, — кивнул Носов. — Но, прежде чем вы начнете мне что-либо рассказывать, должен сообщить вам пренеприятнейшее известие.

МАША

— Он мне понравился в результате. Спокойный какой-то. Настоящий. — Ксения пожала плечами под Машиным внимательным взглядом. — И на бабушку совсем не похож. Но...

— «Но»? — Маша налила гостье кофе из старого синего кофейника, пододвинула доску с горячими тостами и нарезанным твердым сыром. Ксения в задумчивости намазала тост маслом. Положила на тарелку, глядя, как оно плавится и впитывается в поджаренную ржаную мякоть.

— Но он совсем не общается со своим миллионером-отцом. Тот ушел из семьи, когда Ивану было лет пять. Деньги сделал уже позже. Связи между ними никакой не сохранилось, и он дал мне понять, что ради меня с моей безумной историей на контакт с Носовым-старшим не пойдет.

Маша подняла глаза на грустную Ксюшу — видно, Носов-младший действительно ей приглянулся, а подходящий повод для новой встречи им будет найти непросто. Тот работает по четырнадцать часов в сутки, а Ксюша слишком стеснительна, чтобы самой пригласить его на свидание.

Маша вздохнула. И с мечтой о новой порции воспоминаний и фотографий из архива Носовых-Аршининых придется распрощаться. Двери в прошлое захлопывались одна за другой. А на что она, собственно, надеялась? Истекло более полувека. Люди болеют, сходят с ума, умирают... Сходят с ума! Ну конечно!

— Психбольница! — сказала она, а Ксения вздрогнула. — Есть больные и больные. Я имею в виду — почти здоровые или с серьезными периодами ремиссии. — Она вспомнила вальяжного Глузмана в его шикарной клинике: идеально сервированный чай, частная библиотека, говорящий попугай. Скорее анахорет и чудак, чем психопат[1].

— Пирогова? — нахмурилась Ксюша. — Елена Алексеевна? Ты правда думаешь, что стоит...

---

[1] Подробно об этой встрече читайте в романе Д. Дезомбре «Призрак Небесного Иерусалима».

— Стоит. В отличие от того же Носова-старшего, свободного времени у нее навалом. И если она вменяема, то я уверена, с удовольствием нам поможет.

— А Носов?.. — Ксения водила ногтем по скатерти. — Я имею в виду сына, а не внука. Неужели нет никакого способа на него выйти?

Маша задумалась. Способ, конечно, имелся. Носов был слишком серьезным человеком, чтобы на него не оказалось досье в соответствующих органах. Она могла бы попросить Андрея связаться с его знакомцами в ФСБ. Маша поморщилась: все разговоры с Андреем в последнее время сводились у них к новостям о погоде: «Льет, говоришь? У нас на даче тоже не пройти без сапог», и к краткой сводке о Раневской: «Жрет, гад, как сволочь». Выходить за круг пустых светских тем было опасно. Маша ни слова не говорила о работе на Петровке и о своем повышении. Не обсуждали они и совместную жизнь, чтобы, не дай бог, не наступить на болезненный нарыв под названием «получившее отказ предложение руки и сердца». Что делать, как прервать эту идиотскую ссору — да нет, даже не ссору, а нечто более серьезное: экзистенциональный кризис в их отношениях, — она не знала. Вот и пряталась, как девочка в кусты, в метеорологическую сводку. Маша вновь вздохнула — еще тяжелее.

— Ты согласна? — услышала она и поняла, что Ксюша уже давно смотрит на нее вопросительно, а она и вопроса-то не услышала.

— Прости, я задумалась. С чем согласна?

Ксюша смущенно поерзала на стуле:

— Я не готова идти в психбольницу в одиночку. Я... Давай вместе?

Маша улыбнулась, кивнула:

— Давай.

* * *

Место оказалось благостным: совсем рядом — Православная семинария, Митрополичий сад, Свято-Троицкая Александра Невского лавра. Обводный канал блещет на чахлом зимнем солнце, канал непарадный, трудяга и пролетарий. Коллектор для сточных вод заводов и фабрик, выстроенных на его берегах, граница между, собственно, настоящим Петербургом и «новостроем». В ушах задуло с неприличной силой. Не сговариваясь, Ксюша подняла капюшон, а Маша надвинула на лоб одолженную у Любочки вязаную шапку — не до красоты. Совсем рядом катила посреди низких берегов свои воды Нева, оттуда и задувал уже совсем морской ветр-ветрило. Добравшись до места, девушки уставились на здание больницы. По сравнению с окружающим индустриальным пейзажем, кранами и вечными строительными заборами дом выглядел почти аристократически: сходящий на нет классицизм конца XIX века — высокие окна с полуциркульными проемами, парадное крыльцо, интеллигентный немаркий цвет беж.

Ксюша поежилась, взглянув на окна первого этажа, забранные совсем не изысканными решетками.

— Знаешь, Обводный еще называют каналом самоубийц, — она неловко улыбнулась: да, есть у нас и такие достопримечательности. — Говорят, их сюда «тянет». По сто человек за год, бывало, с мостов бросались. А в 93-м вообще рекорд — больше трехсот. По одному в день выходит, да?

Маша пожала плечами, бросив взгляд на современные здания на другой стороне канала. Чуть облагороженные сейчас хоть и тусклым, но солнечным светом, они, должно быть, навевали жуткую тоску под беспросветно серыми небесами. Неудивительно, что именно здесь всем хотелось немедленно расправиться с жизнью.

Маша ободряюще улыбнулась замерзшей Ксении:

— Я бы, честно говоря, ради такого дела проехалась до центра. Если уж бросаться с моста, так лучше с Троицкого, да с хорошим видом. — И, взяв Ксюшу под руку, решительно направилась к больнице. — Пошли.

* * *

Корочки — пусть московские, пусть с пространным и не особенно внушающим доверие объяснением ситуации — помогли. Сидящий напротив Маши невыразительный мужчина лет сорока с водянистыми глазами навыкате слушал их очень внимательно: им необходимо, объяснила Маша, побеседовать с одной из пациенток больницы о событии, происшедшем в далеком прошлом. Услышав фамилию, психиатр пожевал губами: да, он знает эту пациентку, она из «вечных», домой ее не отпускают уже давно. Диагноз — шизофрения.

— Но вы же понимаете, — постучал психиатр ногтями по покрытой стеклом столешнице, — память подобных больных — дело ненадежное: нарушение ясности сознания часто приводит к срыву процессов запечатления и последующего воспроизведения информации.

— Но ведь возможно и обратное? — склонила голову Маша. — Существуют же случаи гипермнезии?

Ксюша, сидящая рядом, бросила на нее испуганный взгляд. Маша усмехнулась про себя: чтение учебников по судебной психиатрии нельзя считать потерянным временем.

— Я имею в виду, — пояснила она Ксюше, которую только что туманно представила главе больницы как «нашего петербургского консультанта», — патологическое усиление функций памяти.

— Бывает, — кивнул головой глава больницы — стала видна круглая лысина, вроде тонзуры, на макушке. — Но, как вы, наверное, знаете, и она имеет хаотический характер. — Главврач встал. — Вряд ли вы сможете получить от Пироговой нужную информацию. Скорее сами запутаетесь в ее бреду. Но, как я понимаю, вы все равно хотите попробовать?

Ксения и Маша с готовностью поднялись с неудобных стульев со слишком прямыми спинками.

— Да, — кивнула Маша. — Хотим.

В коридоре больницы, где слонялись облаченные в халаты пациенты, пахло неопределенным супом, потолок давно не белили, пучился внушительными пузырями старый линолеум. Маша заметила, как Ксения, не решаясь оглядеться по сторонам, испуганно смотрит в пол. Маше тоже было не по себе: ей казалось, что суповой запах пытается забить совсем другой сомнительный аромат. И не обычный больничный амбре. Нет, тут пахло безумием. Этот запах за секунды просачивался сквозь поры внутрь, делался частью тебя, будто заражал сумасшествием, как гриппом. Маша нахмурилась: что за глупости лезут в голову? А главврач тем временем толкнул дверь в конце коридора. Они очутились в странном помещении: стены увешаны рисунками, на столах, больше похожих на сдвинутые вместе школьные парты, лежат краски, цветная бумага, карандаши. Казалось, они резко переместились в Дом творчества юных — в какую-нибудь студию по художественному развитию.

Ксения с любопытством разглядывала рисунки на стене.

— Смотри, — показала она Маше на чернильное пятно, похожее на быка. — Здорово. Экспрессивно.

Главврач поморщился, как от кислого, а Маша, улыбнувшись, медленно прошлась вдоль стены — кроме «быка» там имелся вполне натурально нарисованный цветными карандашами глаз, наполовину прикрытый ладонью, и набросок гуашью — краснолицый персонаж с устремленной вверх, как пламя костра, шевелюрой.

— Ар брют. Спонтанное, не имеющее никаких шаблонов творчество. Никакого разграничения между реальностью и чудесами в голове, — подмигнула она Ксюше.

— А по-моему, просто мазня душевнобольных, — жестко перебил ее главврач. — Выдумали термин! У тех, кто придумал, тоже, очевидно, было не в порядке с головой.

Маша почувствовала, как у нее сводит скулы — две фразы, и весь ее кредит уважения к этому человеку оказался исчерпан.

— Впрочем, — закончил, почувствовав смену Машиного настроения, главврач, — тут у нас кабинет психолога. Здесь все можно.

И он хмыкнул, будто удачно пошутил.

— Присядьте, я попрошу привести больную.

Главврач вышел из комнаты, а Маша с Ксюшей не сели, а продолжали разглядывать рисунки.

— Классно, — задумчиво сказала Ксюша. — Но почему-то не хочется вешать их у себя дома.

Маша кивнула — Ксюшина ремарка была эхом к ее стойкому ощущению в этих стенах: мы не делимся на больных и здоровых. Связь между мозгом и душой, где бы она ни находилась, похожа на хрустальную нить, тонкую и хрупкую — ей ли не знать, она и сама ходила по краю...

Раздался тихий стук в дверь — и на пороге появилась женщина с птичьим лицом. «Это не может быть Пирогова, — нахмурилась Маша. — Ей максимум лет сорок пять, а должно быть...» Тут женщина улыбнулась, и Маша на секунду перестала дышать: она узнала ее — девочку с фотографии, с острыми зубками и тонким носиком.

— Здравствуйте, — Маша сделала шаг вперед. — Елена Алексеевна, меня зовут Мария Каравай, и я хотела бы...

Она осеклась — Пирогова быстро подошла к ней, потянула носиком, задвигалась шишечка на конце:

— Нивеа. Мыло лавандовое. И еще — духи. Сейчас. Сейчас-сейчас.

Маша ошарашенно переглянулась с Ксенией — она и правда смазала руки перед выходом бабкиным кремом. И мыло в доме у Любочки всегда было лавандовым — Любочка очень любила этот запах. Но вот духи... духи были материнским подарком, привезенным из очередной командировки — редкий запах, найденный ею в парфюмерной лавке на Левом берегу в Париже. Маша к ним долго привыкала, но они нравились Андрею и потому...

— Мед... — зашептала себе под нос Пирогова, приблизившись к Маше почти вплотную. — Мед и имбирь. И бергамот. Чуть-чуть шоколада. Респектабельный, дорогой. Нет, так сразу не понять, что это, — Пирогова досадливо взмахнула сухой ручкой в слишком просторном для нее рукаве поблекшего фланелевого халата. Отступила на шаг, дернула носом в сторону Ксении:

— А у вас все просто. Слишком просто. «Аллюр» Шанель. И мыло — «Пальмолив».

Маша увидела, что Ксюша слегка покраснела.

— Все верно. Я ими уже сто лет душусь. Наверное, давно пора сменить.

— Пора. — Пирогова тем же мелким бисерным шагом пересекла комнату и села. Только тут Маша увидела за ее спиной невзрачного человечка в сером растянутом свитере и серых же джинсах, ростом чуть выше миниатюрной Пироговой. Человечек поправил массивную черную оправу очков на коротком курносом носу, протянул руку:

— Здравствуйте, я здешний психолог, Трофимов Михаил Петрович. Если вы не против, хотел бы поприсутствовать при вашей беседе.

— Да, конечно, — ответила Маша. — Это вы занимаетесь с больными рисованием?

Психолог кивнул, криво улыбнулся:

— Я. Нравится?

— Очень здорово, — серьезно сказала Маша, и Трофимов вновь улыбнулся, но уже совсем иначе — смущенной и по-детски счастливой улыбкой.

— Спасибо. Нам с моими подопечными это очень ценно. Здесь мало кто серьезно относится к таким занятиям...

Маша вдруг почувствовала спиной какое-то напряжение, сродни электрическому вольтажу, а обернувшись, увидела, как Ксюша с Пироговой, сидя напротив за столиком для рисования, не сводят друг с друга пристального взгляда.

«Что-нибудь не так?» — хотела было спросить Маша, но Ксения ее опередила.

— Мы знакомы?

В ответ Пирогова, как птица, презрительно дернула светлой — то ли седой, то ли пепельного цвета — головкой.

— Нет! Чтобы быть знакомыми, надо, чтобы вас представили.

— Меня зовут Ксения, — сказала Ксюша смущенно. — Ксения Аверинцева.

— И что вам от меня нужно, Ксения... Аверинцева? — улыбнулась, как оскалилась, Пирогова.

Маша увидела, как испуганно сжалась Ксюша. От этой маленькой женщины шло излучение ненависти такой силы, что даже ей стало не по себе.

— Мы хотели узнать, — пришла она на помощь, — что вы помните из своего детства? 59-й и 60-й. Год смерти Ксении Лазаревны, старушки из крайней, правой комнатки, она еще...

— Ничего не помню, — повернулась к Маше Пирогова, и Маше показалось, будто злобная ярость ушла в глубину блеклых глаз. Они словно затянулись бельмами, как у мертвой птицы. — Ничего. Оставьте меня в покое. Не трогайте. Я старый человек, старый и больной, уйдите отсюда, ясно вам?

Речь ее, убыстряясь, становилась все тише, пока не превратилась в еле различимый шелест. Пирогова сидела, сжав костлявые кулачки между обтянутых фланелью острых коленей, и смотрела в стену.

— Мы, пожалуй, пойдем, — Ксения, бросив на Машу полный паники взгляд, уже пыталась выбраться из-за стола.

— Да, — Маша посмотрела на растерянного психолога. — Наверное, ты права.

Они уже направлялись к двери, когда Маша услышала тихий, спокойный голос:

— Серж Лютенс. Файф о клок с имбирем.

ОН

Он снова и снова прокручивал оставленное на автоответчике сообщение. Перезвонить? Или лучше просто проигнорировать, и морок рассеется? Машинально переставил бронзового медведя — антикварная чернильница, подарок подчиненных к прошлому юбилею, — на другой конец стола. Да, пожалуй, можно оставить все как есть. Эти люди — любители. Они, как кроты, копают по всем направлениям. Он же подчистил следы так чисто, что... Слишком чисто, — твердил ему испуганный внутренний голос. — Мало просто изъять все документы из общих городских архивов. Надо было положить на их место новые, придумать другую историю, похожую на настоящую. Но — не настоящую. Пустота — это тоже след. Просто он ведет в никуда, хмыкнул он. Пусть ищут. Конечно, те, другие, сверху, тоже могут его утопить. Но вряд ли они будут копать так глубоко, если столько его грешков плавает почти на поверхности. Разве что никому в органах не выгодно опускать его на дно. Знают: он утянет остальных, что повыше. Он посмотрел в окно, на волнующуюся осеннюю реку свинцового цвета. Вспомнил залив в тот день, когда решил-таки навестить сестру. И, отправив отдыхать телохранителей, поехал в ее вонючую избушку. Погода была такой же отвратительной, как и сегодня. Тот же вечный осенний сезон, как его ни называй: лето, весна, зима. Те же дождь и слякоть. По дороге заскочил в супермаркет — не в тот, куда ходила его домработница, а в дешевый, при съезде на пригородное шоссе, где закупались на выходные дачники. Купил закуси — какой-то нарезки, залитых майонезом безобразных салатов, хлеба... Водки — ей. Минералки — себе. И отправился в путь. Он вздохнул. Она не рада была его видеть — и он тут же пожалел, что приехал. Но деться было уже некуда. Первым делом вынул водку, что существенно улучшило ее настроение. Одного он не рассчитал: водка развязала ей язык, она ударилась в воспоминания.

— Папочка, — сказала она, всхлипнув. — Папулечка! Лучший человек был на свете, день рождения же у него сегодня...

Он промолчал. Да и что он мог сказать? Папочку — живого — он не помнил. Да и вообще считал своим настоящим отцом отчима. А судя по тому, как быстро мать снова выскочила замуж, она по первому мужу тоже не очень-то убивалась.

— В Большой дом вызвали меня. Чего узнать хотели? — сестра приканчивала уже второй захватанный стакан. К нарезке и салату почти не притронулась. За последний год она сильно сдала: мелкие сосуды, будто детальная география русла неизвестной реки, стекали по крыльям носа на щеки, глаза слезились, волосы — бывшая семейная гордость — из золотых локонов превратились в пожухлые спутанные космы. «Она вообще когда-нибудь причесывается?» — подумал он, отпивая из своей бутылки с минералкой и делая вид, что слушает.

— Следователь, сволочь, все допрашивал меня, не верил, что я ничего не знала. Да папа бы никогда! Он нас с мамой берег, — она ударила тощей рукой по липкой клеенке. — Зачем, зачем он мне рассказал, а?! Что мне с этим делать было: я ж молодая совсем была! Папа — как свет в окошке, один меня любил...

Он виновато вздохнул — мать и правда была к его сестре абсолютно равнодушна. Материнский инстинкт проснулся лишь при его рождении. Дочь скорее раздражала: сначала своей распускающейся, как майская роза, красотой, задвигающей стареющую мать в тень. После — постыдным своим затворничеством и алкоголизмом.

Он снова поднял глаза на сестру и нахмурился, услышав «убийца». Автоматически отреагировав на нетривиальное слово, стал прислушиваться. А она, почувствовав к себе столь редкое сейчас внимание, начала рассказывать. Она выложила ему все — и про то, что говорил ей майор в Доме на Литейном. И про настоящую, не подретушированную материнской цензурой, отцовскую смерть... Он смотрел на нее, вытаращив глаза от ужаса, а сестра, закончив, уронила с глухим звуком голову на стол и захрапела.

Он помнит, будто это было вчера, как вышел из убогой хибары, подставил лицо невидимой в ночи мороси. Качаясь, с трудом дошел до машины — а ведь пил-то одну минералку. Проехал пару километров, тем временем дождь припустил не на шутку, джип то и дело вздымал цунами из придорожных луж. В какой-то момент он резко затормозил, распахнул дверь джипа, его вырвало на обочину. Потом, достав из бардачка бумажные платки, вытер рот, откинулся на сиденье. Тяжело дыша, тупо смотрел, как двигаются влево-вправо дворники, сдвигая потоки воды и на мгновение добиваясь ясной картинки. Хорошо бы хоть на секунду получить такую ясную картинку в собственной голове. Тихо играл расслабленный джаз. «Думай!» — сказал он себе. Дело явно не находится в свободном доступе. А все, что в нем находится, можно уничтожить. Представим себе, что бумажных следов он не оставит. Тогда остается другая опасность. Да, человеческий фактор. Пьяная болтовня. Слезные признания и воспоминания детства — отрочества — юности. Вот в чем таилась наибольшая опасность. Вот что нельзя было пустить на самотек. Вся будущая политическая карьера, да что там — вся жизнь его оказалась поставлена на карту из-за этой старой и страшной истории, и допустить этого было никак нельзя. Она наверняка все так же лежит щекой на липкой клеенке, полностью отключившись от нежеланной реальности. Видит ли сон, и что же ей снится? Плечи отца, шарики в руках и широкий, заполненный первомайской толпой Невский? Сквозь кумачовые флаги светит, слепит весеннее солнце, налито прозрачной голубой свежестью высокое небо над головой, и кажется, впереди — безбрежное будущее, до краев заполненное радостью, одной только радостью...

Ночь, дождь. «Деваться некуда, — сказал он себе. — Она не оставила ему выбора своим сегодняшним признанием. Сама виновата». Он вгляделся в отвесно падающую штриховку дождя в свете фар, вздохнул. Тяжелый джип медленно развернулся на сельской дороге и поехал обратно.

Ничего-ничего. Этот город хоронил и не такие секреты.

КСЕНИЯ

Сердце колотилось, Ксюша почти бежала по коридору — скорее, скорее на воздух! Ведьма, сумасшедшая ведьма! Она узнала — нет, не лицо и не злобное выражение блеклых глаз! А чуть подпрыгивающую походку, будто дуновение сухих листьев, и этот шепот-шелестение: ссссу-ка.

— Подождите! — раздалось у них за спиной, и Маша дотронулась до ее плеча: постой. Ксения, превозмогая желание броситься грудью на входную дверь, притормозила. Их догонял здешний психолог. Трофимов, так он, кажется, представился? Вид у него был крайне расстроенный.

— Извините, что так вышло. Даже странно — обычно Елена Алексеевна спокойнее и рассудительнее прочих.

— Ничего, — Маша протянула психологу руку. — Это вы нас простите, мы, очевидно, затронули болезненную тему и испугали вашу пациентку.

«Это кто кого еще испугал — большой вопрос», — подумала Ксюша, но решила промолчать.

— Мы, по правде говоря, не очень рассчитывали на успех мероприятия, так что... — продолжила Маша, а Трофимов помотал головой:

— Подождите. Мне кажется, я знаю, как вам помочь.

— Знаете? — Маша посмотрела на Ксению. Та пожала плечами, бросив на Машу умоляющий взгляд:

пожалуйста, ну пожалуйста, давай уйдем отсюда, и поскорей!

— Пройдемте, — психолог показал на отросток полутемного коридора рядом. Вдоль стен стояли несколько пластмассовых стульев.

Маша опустилась на один из них. Ксюша, вздохнув, нехотя последовала ее примеру. Трофимов сел у стеночки напротив, снял и протер свои старообразные очки.

— Что вы знаете о гипнозе, Мария... простите, не знаю, как по батюшке.

— Федоровна, — нахмурилась Маша, чуть побледнев, а Ксения бросила на нее удивленный взгляд: странная реакция.

— Так вот, Мария Федоровна. Меня тут все считают чуть ли не шарлатаном. Знаете, есть такая милая традиция у психиатров — пинать ногами психологов: мол, с больным не разговоры говорить надо, а дать таблеточек. Так сказать, немного химии для приведения в баланс психики. Заплакал — укол, разозлился — привяжите к постели и снова уколите, — он осекся. — Впрочем, это наша внутренняя кухня, вам вряд ли интересная. Так вот, я в последнее время потихоньку практикую в этой больнице гипноз, — Трофимов бросил на них чуть испуганный взгляд. — Конечно, бредовые формы психозов являются прямыми противопоказаниями — но это если больной и так считает, что его загипнотизировали пришельцы. Приходится учитывать и степень гипнабельности плюс иметь в виду возможные осложнения — истерические припадки или, к примеру, переход глубокого сомнамбулического гипноза в гипнотическую летаргию... — он осекся, поймав совершенно потерянный взгляд Ксюши, кашлянул, вновь поправил очки. — Одним словом, я предпочитаю эриксоновский гипноз, главным отличием которого является косвенный характер внушений.

Маша кивнула:

— Я слышала о таком. Вы прорабатываете воспоминания с помощью речевого воздействия.

Ксения переводила взгляд с одного на другого:

— Простите, но я не поняла, о чем речь.

Трофимов улыбнулся:

— Гипнотическая актуализация воспоминаний — вот как это еще называется. То, что пациент находится в состоянии транса и релаксации, во много раз усиливает эффективность психотерапии. Так у нас появляется возможность напрямую работать с бессознательными слоями психики, минуя контроль сознания, понимаете?

— Смутно, — смущенно улыбнувшись, призналась Ксюша. Но, бросив взгляд на Машу, заметила, что та собралась, как спортсмен перед прыжком. «Она-то все поняла, — усмехнулась про себя Ксюша. — Кто бы сомневался!»

— Если кратко, — кивнул Ксении доктор, — в подсознании хранятся все ваши воспоминания. И с помощью гипноза мы могли бы их извлечь на поверхность.

— Насколько она гипнабельна? — повернулась к нему Маша.

Психолог пожал плечами:

— Я еще ни разу не гипнотизировал Елену Алексеевну. Но мы можем попробовать помочь ей войти в состояние транса.

— Как? — подалась вперед Ксюша.

— Вы же точно знаете год и даже месяц, к которому ее отсылает, — пожал плечами Трофимов.

— Запахи. Она очень к ним тропна, — кивнула Маша. — Нам надо воссоздать, хоть частично, запахи квартиры в 1959-м.

— Вы правы! — врач встал, прошелся взад-вперед по коридору. — Но лучше бы не только запахи, а еще и звуки, свет. Надо понимать, что люди, подобные ей, крайне чувствительны к малейшей смене обстановки — ведь она уже несколько десятков лет безвылазно живет в этих стенах.

— А вот тут, я думаю, вы ошибаетесь, — не выдержала Ксюша. — Мне кажется, что Пирогова нашла способ покидать больницу.

— Это маловероятно, — мягко улыбнулся ей психолог. — Больные ее типа не имеют права самостоятельно выходить на улицу.

— Не имеют, но выходят, доктор, — Маша встала. — Если бы это было не так, вряд ли она опознала бы редкие духи, выпущенные ограниченным тиражом пару лет назад. Да что там — даже узнать отдушку крема для рук и сорт мыла ей было бы не под силу.

* * *

После долгих дискуссий Ксения дала себя уговорить: хорошо, пусть сеанс гипноза пройдет в ее квартире. Она и сама понимала, что лучшего места, чтобы вернуться в прошлое, не существует. Но все ее существо противилось приходу этой злобной ведьмы с молодым, будто застрявшим вне времени, лицом в тот дом, который она уже привыкла считать своим. «Следственный эксперимент пятьдесят лет спустя», — думала она, поеживаясь и до последнего надеясь, что у Маши не получится организовать выезд Пироговой «на дом» в машине «Скорой помощи» в сопровождении санитара и психолога. Но у Маши, как всегда, все получилось. Сама она пришла к Ксюше заранее — часов в десять утра. Ее жилье, в последнее время полное друзьями и родственниками, опустело: мать, отчим и Ника — все убежали на работу. А они с Машей задумчиво обошли квартиру: комнатки Ксении Лазаревны больше не существовало — стены были снесены еще московскими, предшествующими Ксении, владельцами, пространство объединилось с той каморкой, где обитала после институтского распределения Ксюшина бабушка, Ирина Аверинцева. Сама же Ксения жила сейчас в комнате Пироговых и планировала организовать в бывших двух комнатушках большую ванную комнату с окном и гардеробную.

— Сюда ее вести бессмысленно, — сказала она Маше.

— Согласна.

Маша медленно прошла по коридору — от входной двери до кухни. Посмотрела на Ксюшу, та кивнула. Коридор, этот позвоночник, логическая организация всей квартиры, оказался наиболее сохранен и, как следствие, наилучшим образом подходил для их целей.

— Надо принести сюда стулья. И раскладушку — если он захочет ее уложить во время гипноза, — предложила Ксюша.

— Хорошо. И вот еще, — Маша забрала от двери объемный пакет. Вынула из него старенький переносной магнитофон с сидиромом. Потом двойной диск. «Песни нашей молодости» — гласил заголовок. На обложках дисков фигурировал коллаж из черно-белых фотографий исполнителей, из которых Ксюша опознала только Магомаева и Бернеса. Далее из Машиного пакета появились: духи «Красная Москва», мыло «Земляничное» в выцветшей обертке, банка квашеной капусты, пачка папирос «Беломор», пакет с надписью «Нафталин» производства Солнечногорского завода полимерных изделий и коробка с красно-синей этикеткой, на которой был изображен пенистый таз. «Стиральный порошок «Новость», — прочла Ксения. — Применяется для мытья натурального и искусственного шелка, шерсти, меха, фетра, трикотажных изделий».

— Где ты это раздобыла? — спросила она, поставив коробку на место.

Маша довольно улыбнулась:

— Ну, во-первых, ты не представляешь, сколько в Интернете сайтов, торгующих подобным старьем — для ностальгирующих по советской эпохе. А во-вторых, я нашла на Васильевском острове чудесный маленький музей повседневной культуры Ленинграда, посвященный двум послевоенным десятилетиям в истории города. Там мне все и присоветовали.

— И как... — запнулась Ксения, глядя на все выложенное великолепие, — мы это будем использовать?

— В коридоре должно пахнуть так, как в 1959-м. Или хотя бы похоже.

— Предлагаешь распрыскать повсюду духи «Красная Москва»?

— Да. И не только. Ароматы должны смешиваться, быть сложными, как в духах: верхние ноты, ноты сердца, ноты базы. Положим нафталин в карманы пальто. Помылим мыло для химического «земляничного» благоухания, выкурим папиросу — тогда все мужчины курили, запах курева был повсеместным. — Маша улыбалась, но явно серьезно собиралась мылить, курить и раскладывать по карманам.

— Ясно. А капуста? — Ксения взяла в руки банку. — Капуста-то тебе зачем?

Маша пожала плечами:

— Мы ее потушим. Не может быть, чтобы такой базовый для российской кухни продукт ни разу не использовался во времена ее детства.

— Хорошо, — Ксения послушно понесла банку на кухню. — Еще бы примус найти, чтобы уж совсем по-настоящему.

— Ничего, — Маша вошла за ней следом, а в коридоре уже зазвучало фортепьяно — вступление из старого шлягера. — В интересующую нас эпоху в центре города уже вовсю использовались газовые плиты.

«Всем известно, что морщинки женщин мало украшают, всем известно, что морщинки женщин очень огорчают...» — кокетливо запела из коридора Клавдия Шульженко.

— Бабушка очень ее любила, — улыбнулась Ксюша, вываливая капусту в новую, только что купленную кастрюлю. Символично, — подумала она, мрачнея, — что «гипнотическое» варево, служащее целью вызвать воспоминания у сумасшедшей Елены Пироговой, будет первым, что в ней приготовят.

«Но стараюсь я к морщинкам относиться, не печалясь, ведь они и от улыбок, и от смеха появлялись...» — продолжала Шульженко, и Ксения, поведя носом, почувствовала, как вслед за песней из коридора потянуло сладковатым дурманом «Красной Москвы». И ей показалось, что она сама сейчас выпадет из действительности в навеки исчезнувший мир. Но тут, к счастью, в дверь позвонили.

* * *

— Закройте глаза. Думайте о сне, отбросьте все посторонние мысли. Дышите спокойно, равномерно и глубоко. Ничто вам не мешает, вас не тревожит, не беспокоит. Никакие посторонние звуки вы не воспринимаете. Вы все время слышите мой голос и погружаетесь в сон. Дыхание становится все ровнее, все глубже. Вас охватывает дремота, сонливость... Ваше тело приятно тяжелеет, расслабляется, точно наливается свинцом. Я буду считать, и с каждой цифрой сонливость будет усиливаться. Раз... два...

«Этот психолог действительно хорош», — думала Ксения, глядя, как перестают дергаться тонкие пергаментные веки Пироговой. Она расположилась на стуле в коридоре, одетая на этот раз в длинную шерстяную юбку и свитер под горло. Напротив, держа ее за тонкое запястье, сидел Трофимов. Маша, прислонившись к стене и сложив руки на груди, стояла рядом. Ксения примостилась на раскладушке, бок о бок с дюжим санитаром. В руках она держала магнитофон.

— Сейчас вы откроете глаза, и вам снова будет шесть лет. Вы собираетесь идти в первый класс и живете с родителями и братом в этой коммуналке на канале Грибоедова.

Маша кивнула Ксюше, и та включила магнитофон: музыка заиграла совсем тихо, будто и правда доносилась из пятьдесят девятого года.

«Море шумит грозной волной, чайка летит рядом с кормой, что ж вы, друзья, приуныли, песни морские забыли...» — запел томный баритон.

— Мама... — вдруг услышала Ксюша тонкий девчоночий голосок. — Мама, а она точно мертвая?

Вздрогнув, все присутствующие уставились на Пирогову. Глаза ее теперь были широко распахнуты и смотрели прямо перед собой.

ЛЕНОЧКА. 1960 г.

«В 1960 году будет построено 2,4 миллиона квартир, куда переедут более 10 миллионов ленинградцев».

«Ленинградская правда». 1959 г.

Противная эта Аллочка! Леночка смотрит, как та бросает в слезах новые ботиночки, купленные отцом, кричит, размазывая по пухлым щекам текущие градом слезы:

— Я старые, старые хочу! — И Аллочкин папа — вот дела! — не сердится, а просто поднимает их с полу и уносит в комнату. Леночка успевает принюхаться — ботиночки пахнут свежей кожей, и тут дверь захлопывается. Леночка вздыхает: ей ужасно хочется поделиться с остальными детьми квартиры впечатлениями — сегодня они с мамой впервые ходили в баню. Настоящую, для взрослых, там, где одежду складывают в шкафчиках. Мама оставила Леночку караулить свой тазик, а сама пошла стоять в очереди за горячей и холодной водой. Леночка даже испугалась: мама сразу пропала из виду. Вокруг обжигающим туманом клубится пар, едва мерцают под потолком электрические лампочки, пахнет распаренной кожей и моченым веником; шум льющейся воды, грохот тазов, перекличка десятков моющихся женщин сливаются в один протяжный гул. То тут, то там из клубов пара возникают тела — иногда полные, как мамино, а иногда темные, страшные, с искривленными спинами.

— Это от труда непосильного, — вздыхает, вернувшись, мама. — Думаешь, они старые? Им же лет сорок пять от силы!

«Сорок пять! Очень, очень старые», — хочет сказать Леночка, с испугом вглядываясь в чужую наготу. А вырывается:

— Какие же все некрасивые!

— Чего ж все-то? — мылит ее мама. — Вон, гляди, у той — отличная фигура!

Мама кивает подбородком на полускрытую в парном мороке тетку. Леночка недоумевает: и что же в той фигуре красивого? Вот лицо — это да, с ним понятно, а тут...

А потом обе с облегчением вышли в прохладу предбанника — остывать и пить клюквенный морс, он продается в пивном ларьке. Вспомнив кисловатый, свежий привкус на языке, Леночка быстро, по-лисьи, облизнулась. Хорошее было утро. Жаль, сейчас делать совсем нечего. Леночка теребит в руках пупса-голыша: Тома недавно подарила ей собственноручно скроенные из лоскутков юбочку, сорочку и даже маленький платочек на голову. Но Лене скучно играть одной. От скуки она и делает непозволительное: снимает со школьного передника и пришпиливает пупсу на грудь октябрятскую звездочку — и теперь прижимает голыша к себе, чтобы никто не увидел такого святотатства. Укачивает и думает о своем. Папа обещал сводить ее в Цирк на Фонтанке — туда сейчас как раз приехал Борис Манжелли с конюшней дрессированных лошадей «Карнавал», но со смертью старой Ксении Лазаревны папа будто забыл о своих обещаниях. Все сидит, мрачно трет лоб, даже радио меньше слушает. Леночка пожимает острыми плечиками: и что тут расстраиваться? Ну, умерла. Вот уж кто был совсем старый — не жалко! Но нет, сегодня все снова собрались на кухне — уже в который раз! Плотно прикрыли дверь — пришлось им с Леркой подслушивать из туалета, оттуда на кухню выходит забраное стеклом окошко — для экономии электроэнергии.

— Дверь на черную лестницу была закрыта, — говорит папа негромко, но им с Леркой слышно.

— Хотите сказать, это кто-то из нашей квартиры? — взвивается голос тети Веры. — Что за глупости!

Все разом загалдели: мол, неслыханно, да это мог быть кто угодно, старушка, может, с революции какое добро не распродала! Но все голоса перекрывает только что прорезавшийся бас Алеши Лоскудова.

— Это не мог быть кто угодно, — говорит он. — Ключи есть только у своих. Обе двери — парадная и черная — закрыты и не взломаны. Все дома, и все могли зайти к старушке и подсыпать ей яд, ведь это был крысиный яд, Андрей Геннадьевич?

— Стрихнин, если быть точным, — прокашлявшись, отвечает доктор.

— Да, но кому-то это было сделать проще, верно? — это дядя Заза — когда он волнуется, еще явственнее слышен акцент.

— Вы кого-то конкретно имеете в виду? — впервые слышен голос тети Иры, Ирочки, как ее называла Ксения Лазаревна, жившей рядом с ней в проходной комнатке.

— Боже упаси, Ирочка, никто вас не обвиняет! — тетя Люда, мама Леши и Кольки, говорит мягко, будто извиняется.

— Говорите за себя! — подает голос — визгливый, взвинченный — тетя Зина, Аллочкина мать. — Да и наследовать там только вам и было!

— Мы никого не обвиняем! — снова вступает Леша Лоскудов, и Лерка с Леночкой переглядываются — странно, что Лешка, еще совсем недавно сам их товарищ, теперь явно перехватил инициативу у взрослого папы. — Нам просто нужно решить, что говорить милиции...

Лерка вдруг спрыгивает с унитаза, на который они взгромоздились, чтобы лучше слышать, и выскальзывает в коридор.

— Ты куда? — шепотом окликает его Леночка.

— Куда-куда! К покойнице! — Лерка делает страшные глаза.

Леночка испуганно сглатывает:

— Ты что! Зачем?!

— За марками, конечно, балда! У нее же еще много осталось!

Леночка вся дрожит, но бежит за братом. Он уже у дверей Ксении Лазаревны, тихо поворачивает ручку двери, еще секунду — и они оба окажутся в той комнате, где жила мертвая старушка. Леночке не это страшно — после скелета того мальчика, что обнаружил участковый у них в подвале, ее таким не испугаешь. Нет, она до ужаса боится, что ее поймают, — и тогда вся страшная тишина, все тайные подозрения, вся опасливая ненависть, скопившаяся с тех пор, как убили бабушку Ксению, обрушится на нее, Леночку, — за то, что нарушила правила.

— Лера, что ты делаешь? — слышит она голос Томы. Та стоит на пороге своей комнаты и недоверчиво смотрит на уже наполовину исчезнувшего за дверью Лерку.

Леночка успевает — бесшумно, как только она одна и умеет, — проскользнуть под укрытую ковриком скамейку, над которой висит телефон. Скамейка очень узенькая, так что заподозрить под ней такую большую девочку, как Леночка, просто невозможно. А она умеет сжаться в плотный комочек, прижав к тонкому тельцу тощие ножки и ручки, будто жучок или паучок. Эта скамейка — лучшее место для пряток. Леночка выглядывает в зазор между ковриком и полом и слышит, как Тома распекает Лерку. От Томы пахнет толстыми тяжелыми косами, глаженой шерстью школьного платья и кремом «Миндальный», от Томы пахнет — взрослостью, и это почему-то очень злит Леночку. Да, Тома красивая и добрая, но Леночка чувствует раздражение от одного вида ее ног в кокетливых шелковых тапочках. А ее мама, — думает Леночка, — ходит в войлочных. Коричневых. Чтобы не злиться, Леночка переводит взгляд на выцветшие обои рядом. И замирает: на стене, как раз на уровне ее сложенных, как циркуль, колен, она видит запись, сделанную химическим карандашом.

МАША

Маша поймала себя на том, что, открыв рот, слушает тоненький голосок, — такой разительный контраст был между детской манерой речи и женщиной, сидящей напротив с открытыми глазами, но явно видящей перед собой совсем иные картинки. Леночка оказалась послушной девочкой и даже не бегала смотреть на страшный скелет из подвала, хотя мальчишки, в том числе ее брат Лерка, давали показания в милиции и болтали, что на нем были следы зубов — детские страшилки. Но, когда она дошла до надписи, сделанной химическим карандашом, Маша затаила дыхание и сделала знак психологу. Тот согласно кивнул, склонил голову набок и спросил все тем же вкрадчивым голосом:

— Леночка, что там написано?

— Значок какой-то, — сказала Елена Алексеевна. — Не помню, что значит.

Маша переглянулась с Ксюшей.

— Это Ксения Лазаревна написала, — мелко покачала головой Пирогова. — Перед самой смертью. Она же там и упала на пол — видно, хотела позвонить, да не успела.

— Точно не помните? — не выдержала Маша, сделав шаг от стены и натолкнувшись на неодобрительный взгляд психолога.

Пирогова повела шишечкой на носу, будто пыталась понять, кто еще появился в комнате.

— Семь, — начал считать психолог. — Шесть, пять, четыре... Сейчас я положу свою правую руку вам на голову, а левую на затылок. Закройте глаза и сделайте три глубоких вдоха и выдоха. Вы полностью выйдете из транса и забудете все неприятное, что было в сеансе. Привязанности ко мне нет!

Пирогова прикрыла веки, а Трофимов, досчитав: три, два, один — отпустил голову пациентки. Елена Алексеевна вновь распахнула глаза, но теперь они уже не были пустыми — в них возвращалась реальность. Она уставилась на Ксюшу, лицо ее перекосилось от отвращения, будто перед ней вдруг оказалось мерзкое насекомое, а Ксюша от испуга нажала на кнопку, увеличивающую звук. Ретромузыка из магнитофона стала оглушающей:

> На реке волна колыхается едва,
> Сколько нежных слов ты слышала, Нева.
> Сколько раз над этой темною водой
> Обнимал меня мой милый, дорогой.

— Ненавижу тебя, ненавижу, ненавижу... — голос Пироговой, поначалу едва слышный за песней, рос, взмывал истерично вверх, добираясь до совсем верхних, визгливых нот. И пока Ксюша, отвернувшись, дрожащими пальцами пыталась совладать с кнопкой магнитофона, Пирогова, уже не делая паузы между словами «ненавижуненавижунена...», забилась в руках дюжего санитара.

— Простите, не понимаю, что на нее нашло, простите, — Трофимов неловко копался в сумке, вынул наконец ампулу и одноразовый шприц. — Еще раз, извините...

Игла проткнула истончившуюся кожу, проколола вялую старческую вену, двинулся поршень шприца, вводя успокоительное. И еще минуту, пока действовало лекарство, все сидели, застыв, будто парализованные происходящим.

— Это я ее убила, — раздался вдруг четкий и ясный голос. — Нечего было мешать моему мальчику.

МАША

— Парадокс, верно? Такую развел конфронтацию — мы и они. Мы — за лечение психики словом, они — за нейролептики. А что получается? Сам же и вколол ей...

— Кто это может быть — ее «мальчик»? — перебила его Маша. Они находились в том же полутемном коридоре психбольницы, только теперь Трофимов сидел рядом, согнувшись и обхватив голову неожиданно крупными для такого тщедушного тела руками. — Брат, которого она только что вспомнила мальчиком? Но зачем, господи, ей было подсыпать яду той старухе?

— Какой старухе? — повернул к ней расстроенное лицо психолог.

Ах да, он же ничего не знает! Маша улыбнулась одними губами, вновь уставилась на покрытую грязно-розовой краской стену напротив. А если этот мальчик — вовсе не брат, а...

— Она уже вышла из гипноза. Так что речь явно не о пятьдесят девятом, — перебил ход ее мыслей Трофимов. — И, честно говоря, единственный мальчик, ради которого она способна на убийство, да и вообще единственный, кто ее навещает, — это племянник.

— Эдуард, — ровно сказала Маша, не отрывая глаз от стены.

— Ну да. Она на нем просто помешана: Эдик то, Эдик это. Эдик красавец, Эдик талантливый. У Эдика нет девушки, да и где та принцесса, под стать столь идеальному мальчику?

Маша перевела взгляд на Трофимова — тот развел руками: что ж тут поделать, синдром навязчивых состояний.

— Елена Алексеевна, похоже, вообразила себя его ангелом-хранителем, — продолжил Трофимов.

«Да, — думала Маша, — конечно, вообразила». А вслух спросила:

— Как часто он ее навещал?

— Да вы знаете, часто. Так и сыновья, бывает, не навещают. Я прохожу мимо общей комнаты, а он сидит рядом, держит за руку, рассказывает что-то.

Я поначалу думал — какой молодец! Елена Алексеевна ведь десятилетиями оторвана от реального мира за стенами больницы, и он, получается, поддерживает между ней и этим миром некую связь, как может. А потом...

— А потом, — усмехнулась Маша, — вы поняли, что Эдик не из породы гуманистов.

— Да, — помолчал Трофимов. — Наверное. Скорее это она для него — вроде исповедальни. Можно все ей рассказать, ничего дельного больная на голову тетка, может, и не посоветует, но внимательно и сочувственно выслушает и, за неимением возможности «вынести сор из избы», никому не выдаст его тайн.

Маша кивнула:

— Более того, ради сохранения этих тайн легко пойдет на преступление.

— Что вы имеете в виду? — вскинулся психолог. — Вы же не можете серьезно...

— Когда я могла бы с ней поговорить? — Маша взглянула туда, где короткий тупиковый коридорчик впадал, как ручей в речку, в большой больничный коридор, центральную артерию отделения. Проплывали в проеме двери пациенты — кто в халатах, а кто — вполне цивильно одетый: так, наверное, выглядела и Пирогова, когда...

— Не сейчас, — твердо сказал врач. — Дайте ей время. Она пока все равно под галоперидолом.

— Завтра, — поднялась Маша со стула. — Я приду к вам завтра.

* * *

Ее нашли на следующее утро — на покатых, по-деревенски поросших пожухлой травой берегах Монастырки, речки, впадающей в Обводный канал. Она лежала, прижимая сухую ручку ко впалой груди —

мертвая птичка, вечное дитя, убаюканное собственным безумием.

— Сердце, — сказал Маше Трофимов по телефону. — Я, возможно, вколол слишком большую дозу. И не прислушался к вам — был уверен, что из больницы ей никуда не деться.

Маша молчала: цепочка смертей, бравшая начало в коммунальной квартире на Грибоедова, все удлинялась. Невозможно было не связать ее желание узнать больше о прошлом с неудачными последствиями гипноза в виде передозировки успокоительного. И далее, далее — с гибелью на берегу узкой речушки, протекающей так близко и от психиатрической клиники, и от Александро-Невского монастыря с его знаменитыми некрополями. Они помолчали, и Маша уже хотела попрощаться, когда доктор добавил:

— Но знаете, что мне показалось странным?

Маша замерла: она будто ждала этой фразы.

— Обычно первым признаком передозировки является сонливость, затем — глубокий сон...

— И вам удивительно, что в таком состоянии она нашла в себе силы одеться и выбраться из больницы?

— Да. Но патологоанатом отверг все мои сомнения на этот счет как лица заинтересованного.

«Конечно, — подумала Маша, — вся эта история с вывозом на частную квартиру, обострением болезни в результате гипноза и последовавшей за ней смертью больного грозит и так не слишком уважаемому в стенах этого медучреждения психологу как минимум потерей работы».

— У меня есть ответное предложение, — сказала она. — Давайте подадим иск на независимую экспертизу. Я найду судмедэксперта.

Легко сказать — сложнее сделать. Положив трубку, Маша некоторое время провела в задумчивости, а потом решительно набрала номер Андрея.

АНДРЕЙ

Впервые — впервые почти за месяц — они поговорили нормально. Нет, не о высоких чувствах, а — кто бы сомневался? — о работе. Но в их беседе не было привычного уже напряжения. И Андрей приободрился: за прошедшее время он успел раз отругать себя за идиотское предложение никому не нужных верхней конечности и внутреннего органа, уйти в глубокую тоску, от которой традиционно лечился работой и долгими вечерами в обнимку с Раневской. И вот сегодня, после разговора с Машей, вдруг почувствовал — как чувствуют весну по изменению в воздухе и настойчивому чириканью птиц, — что все еще возможно, что Машин отъезд — не навсегда, что она еще приедет на дачку и ляжет на продавленный матрац с ним рядом, уткнувшись ему в плечо, а он, в свою очередь, зароется носом в шелковистую волну волос и будет лежать так вечно... Пока Раневская не разлучит их поутру, требуя жратвы. Жратвы и выгула на шести сотках участка.

Итак — у Маши оказалось для него два задания. Первое: найти в Питере дельного судмедэксперта. Тут он справился легко — лишь отзвонившись Паше, патологоанатому.

— Есть у меня для тебя в Питере человечек, — оживился, выслушав просьбу, Паша. — Завкафедрой патологической анатомии. Звезда, между прочим.

— Отлично, — записал номер Андрей. — Значит, сработаются с Каравай.

— Ага, — хохотнул Паша. — «И звезда с звездою говорит». Вы там, кстати, как?

— Мы там — хорошо, — помрачнел Андрей.

— Вот и не затягивайте, ррребята! Дети, совместный быт сближают. Пора-пора!

— Не всем же троих строгать, — улыбнулся, не выдержав, Андрей. Павел был счастливым многодетным отцом.

— Всем, всем, — заурчал Паша. — А совсем хорошим людям можно и четверых.

— Да ладно!

— Через полгода, — самодовольно хмыкнул Паша. И, прервав поток Андреевых поздравлений, закончил: — Денег он с Машки не возьмет, а вот коньяк, желательно имени одного французского императора, хорошо бы и поднести.

Андрей заверил, что коньяк будет, и даже сам набрал телефон питерского светила с целью: а) обозначить свою территорию, чтобы не вздумал с Машей кокетничать; б) попросить копию экспертизы — с тем же намерением контроля, только на этот раз не романтического плана. Андрею не нравилось, когда рядом с Машей появлялись трупы. Пусть даже пожилых дам с психиатрическими отклонениями.

Экспертизу он получил быстро — то ли коньяк сработал, то ли Машино обаяние. И прочитав ее, Андрей крякнул и вновь набрал номер в Северной столице.

— Он уверен? — спросил Андрей поднявшую трубку Машу. Голос ее звучал глухо:

— Что это не тот след, который остался от инъекции, сделанной в квартире? — Маша прочистила горло. — Уверен. Это была повторная доза. Кололи в другую руку и в другую вену. Остались синяки — следы пальцев на плече, там, где он прижимал старуху к земле, вкалывая ей лекарство. Все тот же галоперидол. Только на этот раз она впала в кому. Из которой уже не вышла.

— Кто еще мог знать о вашем эксперименте?

— Много кто, — на секунду задумалась Маша. — Главврач, да и другие врачи, я полагаю. Медсестры.

Санитары «Скорой помощи». Проверить их всех нет никакой возможности.

Они помолчали.

— По второй твоей просьбе, — вступил Андрей, открывая свои записи.

— Носов?

— Да. Вся информация, которую я тебе изложу — исключительно для твоей оценки ситуации и человека, — официально никуда пойти не может.

— Я поняла, — вздохнула Маша. Фээсбэшные штучки. Ладно, пусть хоть так.

— Николай Анатольевич Носов, усыновлен отчимом в пятилетнем возрасте, 1960 года рождения. Вкратце — городская шпана, отчим — слесарь на Кировском заводе. Начал свою карьеру в 90-х, занялся бартером. А именно: обменивал высоколиквидное сырье на продовольствие. Участвовал и в Комитете продовольствия, и в Комитете по торговле. Тогда это была отработанная схема.

— Я что-то читала про это, уже давно, — прервала его Маша. — Люди из мэрии пользовались выделенными квотами на бартер и создавали десятки мелких подставных фирм.

— Ну да. Фирмочки потом получали лицензии, и дорогостоящее сырье на миллионы долларов — нефть, лом черных и цветных металлов, сотни кубометров леса — уходило за рубеж. А продовольствия в обмен на этот самый бартер не поступало. Неплохой фокус, согласись?

— Неплохой. Значит, Носов — один из фокусников?

— Один из солистов, я бы сказал. И никто не вякнул против этой прекрасной инициативы, опаньки! Потому что как же можно — это же Петербург-Ленинград! У правительства только одна мысль в голове — нельзя допустить вторую блокаду в городе на Неве! И не раз, заметь, не два, а несколько лет подряд. — Андрей почувствовал, что его колотит: — Я не понимаю, черт, я не понимаю, как этого можно было не видеть, а продолжать отдавать сырье в обмен на пшик! Сюр какой-то!

Маша молчала на другом конце трубки, пережидая волну его возмущения, а потом спокойно сказала:

— А ты и не поймешь. Для этого надо там родиться и вырасти. Это блокадная история, обросшая небылицами, бездарными и талантливыми книгами и фильмами. Детским фольклором, чисто ленинградским, про дистрофиков... А главное — живой людской памятью, пронизанной этим ужасом. Питер не мог больше пережить голод, логика, критическое мышление не имеют к этому никакого отношения. Только инстинкт: быстро бросить в пасть этому чудовищу все, что есть под рукой. Любой «бартер».

— Это девяностые, — не сдавался Андрей. — Прошло уже сорок лет с тех пор, пора бы...

— Еще, — жестко перебила его Маша. — Еще сорок лет. Я как раз в девяностые, совсем маленькой, приезжала к бабке на каникулы. И она кормила меня кашей, манной. Ненавистной. Выбора-то особенно не было. И каждый раз, когда я не подъедала подчистую всю тарелку, она мне говорила: «Блокады на тебя нет!» И эта присказка, Андрей, она в каждом доме, за каждым ленинградским окном! Эдакий невроз по месту жительства. Можно вырасти, заработать много денег и питаться исключительно в гастрономических ресторанах в европейских столицах. Или даже ездить в модные швейцарские клиники на лечебное голодание. Но у каждого из этих взрослых, холеных людей в голове есть тайная дверца. А за дверцей — зверь. Вечно голодный зверь.

Она замолчала. И Андрей остыл. Он соскучился. Он так соскучился, что готов был сейчас же вскочить в машину, поезд или самолет.

Но вместо этого сказал:

— Продолжим. Носов был чекистом. Причем чекистом, связанным с криминалом — Тамбовской группировкой, например. Тоже — портрет времени. Потом, ясен пень, эти люди вполне благопристойно распорядились приобретенными миллионами: скупили недвижимость на разнообразных побережьях, Баренцево и Белое моря не предлагать. Носов чуть-чуть огляделся, а затем ушел в большой бизнес: банки, финансовые холдинги, транспортные компании, вездесущая нефть. И теперь еще политика. Претендует на кресло губернатора Петербурга, не больше и не меньше.

— Одним словом, — усмехнулась Маша, — мужчина весьма широких интересов.

— Опасный мужчина, связанный и с властью, и с криминалом, — Андрей сделал паузу и добавил — хотел приказным тоном, а получилось чуть ли не умоляюще: — Прошу тебя, Маша, держись от него подальше.

КСЕНИЯ

Ксюша удивленно оглядывалась по сторонам, с трудом сдерживаясь, чтобы не хмыкнуть уничижительно. И это — место обитания блестящего дизайнера? Мужчины, одетого исключительно в вещи класса люкс? Вот эта убитая квартира, с загаженным паркетом, одним диваном, покрытым синтетическим покрывалом? Как говорила про таких ее бабушка: «На брюхе шелк, а в брюхе — щелк».

— Я игрок, — правильно истолковал ее взгляд Эдик. Сегодня он изменил своей любви к ярким цветам. Стоял, подпирая дверной косяк, в черном свитере и брюках, элегантный даже в трауре. Еще из нового — двухдневная щетина, мешки под покрасневшими глазами, бледная рука держит потухшую сигарету и чуть дрожит. Ксюше стало его жаль. — Тетка единственная меня понимала. Знала все мои тайны и заранее прощала. А я, получается, — голос Эдика прервался, несколько секунд Ксюша терпеливо пережидала, пока он справится с комком в горле, — ничего о ней не знал! Клянусь! Не подозревал о ее побегах из больницы, черт! — он вытер тыльной стороной руки воспаленные глаза.

— Ты рассказывал ей о квартире? — выдохнула Ксюша, уже зная ответ.

— Да. Эта коммуналка с марками на миллионы долларов, которые никто так и не нашел, была нашей семейной легендой. Помешательством для меня и отца. Мать относилась к нам снисходительно, а тетка... Тетка верила во все, во что верил я.

— Значит, когда я купила квартиру...

— Я об этом сразу узнал — попросил риелтора держать меня в курсе. Сам хотел купить, но даже продай я все, денег бы не хватило.

— Почему она меня так ненавидела? — сморгнула Ксения за очками с сильной диоптрией. Сегодня она даже не надела линзы, чтобы поприличнее выглядеть — ради кого?

Эдик пожал плечами:

— Очевидно, потому как считала, что ты стоишь между мной и мифическими миллионами. Знаю, бред.

— А запонки?

— Запонки... — он вздохнул. — Не хотел говорить твоей приятельнице из полиции. Ну да. Она попросила какую-нибудь память о папе. Я решил — запонок-то мать точно не хватится, — он поднял на нее глаза. — Я не думаю, чтобы она действительно хотела тебе навредить. Просто порыв, знаешь, она все-таки была нездорова.

— Нет, — покачала головой Ксюша. — Это не было порывом. Она меня преследовала — я это чувствовала: и до нападения в консерватории, и после. — Ее передернуло от одного воспоминания о тихом шелесте и змеином свисте: сссу-ка.

— Прости, — Эдик схватил ее руку, — я и представить себе не мог, что моя откровенность сможет тебе навредить!

— А Тамара Зазовна? Чем Тамара тебе помешала? — отобрала из Эдиковых мягких влажных рук ладонь Ксения и незаметно вытерла об юбку.

— Что? — поднял он на нее безумный взгляд. — При чем тут... Да нет же!

— Она призналась нам, Эдик, — Ксюша встала, взяла свою сумочку — ей хотелось побыстрее уйти отсюда. — Мы не сразу поняли, кого она имела в виду. Но почерк тот же: твоя тетка столкнула Тамару Бенидзе после того, как Тамара узнала тебя у нас в гостях.

— Я не виноват! — вскочил Эдик. — Ты же не думаешь, что я виноват?!

— Какая тебе разница, что я думаю, — пожала плечами Ксения. — Разбирайся со своей совестью сам!

Оказавшись на улице, она глубоко вздохнула: кончилось, боже мой, кончилось! Стыдно, наверное, чувствовать облегчение и радость после чьей-то смерти, но именно это она и испытывала! И быстро пошла по направлению к метро. Мобильный зазвонил на эскалаторе. Она вынула телефон: номер, высветившийся на экране, был ей не знаком.

— Ксения? — услышала она голос, от которого бешено забилось сердце, кровь бросилась к щекам.

— Да? — Ксения сглотнула, сделав вид, что не узнает звонящего — бледное кокетство!

— Это Иван Носов вас беспокоит. Я все-таки позвонил своему отцу и рассказал о вашем деле.

— Спасибо, — тихо сказала Ксюша, но он ее услышал.

— Не благодарите. Мне пришлось. Я просто не мог придумать другого повода, чтобы вам позвонить.

МАША

Маша во все глаза смотрела на Ксению: та без умолку болтала, подливала чай матери, Нике, Любочке и отчиму, шутила, сама смеялась своим шуткам. На щеках горел румянец, волосы падали блестящей волной. Очки она сняла, и глаза, не уменьшенные диоптриями, сияли — еще более огромные в опахалах длинных ресниц. «Да она красавица!» — подумала Маша и тут же, почувствовав легкий удар под столом, наклонилась к сидящей рядом Любочке.

— По-моему, Ирочкина девочка влюбилась! — прошептала ей бабка. Маша снова взглянула на Ксюшу: Любочка, как всегда, права.

Они ужинали на бывшей коммунальной кухне. Верховодила Ника, отличная кулинарка — это с ее легкой руки была куплена духовая печь, где сначала томился к трапезе свиной окорок, а потом румянились творожные печенья. По негласному соглашению, разговоры за столом обходили тему погибшей Пироговой, убитой Тамары и эпохи конца 50-х. Но на какие бы невинные темы ни шла застольная беседа, Маша без конца прокручивала в голове заключение судмедэксперта. Какая-то странная история: только кажется, что все закончилось, хилая ниточка из прошлого оборвалась — и слава богу, — как вдруг... Как вдруг за спиной одного персонажа — почти призрачного, многолетнего заключенного в доме скорби, встает тень другого. И эта тень густая, плотная, не сравнить с сумасшедшей Леночкой Пироговой, убивавшей из любви к племяннику. Так чья же это тень? И зачем было умерщвлять полоумную старуху? Маша задумчиво склонила голову, делая вид, что слушает отчима Ксении — он с жаром рассказывал о заливших их соседях, наглых «понаехавших», вовсе не торопящихся выплачивать им компенсацию. «Кто еще остался в живых? Кто? — продолжала диалог с собой Маша. И сама же себе ответила: — Ты задаешь себе не тот вопрос. Почему? Вот что ты должна узнать. И тогда ответ на вопрос «кто?» придет сам собой».

В дверь позвонили: краткий, нетребовательный звонок. Маша заметила, как Ксения переглянулась с матерью, а потом бросила взгляд на часики на запястье. Время не больно позднее, но уже малоподходящее для случайных визитов.

— Я открою, — поднялся отчим. Вскоре в коридоре раздался мужской голос, и на пороге появился Игорь.

Ника, сидящая по другую руку от Маши, заледенела лицом.

— Что ты тут делаешь? — спросила она голосом Снежной королевы.

— Я пришел мириться, — лицо у него было испуганным. — Можно с тобой поговорить?.. Наедине?

Ника встала, без слов прошла к двери.

— Добрый вечер, кстати, — неловко улыбнулся Игорь всем присутствующим. — Простите. Не ожидал найти здесь такую компанию.

— Ничего, — ответила за всех Любочка, как самая светская из дам. — Идите уж, миритесь. А мы пока чайник снова поставим.

* * *

Они вернулись через полчаса, держась за руки. Ника была явно смущена. Игорь — доволен собой. Что бы ни произошло за эти пару недель с Марико,

он снова был рядом со своей Никой — два растянутых свитера, две пары очков, похожие, как однояй-
цевые близнецы. Настоящая пара. Подвигаясь, чтобы уступить Игорю место за столом рядом с женой,
Маша вдруг с грустью подумала, что они с Андреем
никогда, никогда не станут так похожи!

При Игоре избежать темы расследования оказалось уж никак невозможно, и Маше с Ксенией пришлось рассказывать всем присутствующим историю
гипноза.

— Ах вот почему в коридоре до сих пор пахнет
смесью «Красной Москвы» с нафталином! — смеялась
Нина.

— Знак? — закурила Любочка, прищуривая рысьи
глаза. — Знак карандашом на стене в коридоре?

— Да, — кивнула Маша. — Или буква — инициалы.

— Хотела бы я его увидеть... — стряхнула задумчиво Любочка пепел в блюдце.

— Послушайте! — Ксения замерла, выпрямившись
на стуле. — А ведь, может быть... Может быть, мы сможем его найти!

— Что найти? — Ксюшин отчим непонимающе
уставился на падчерицу.

— Помнишь, я рассказывала тебе, как отыскала
фамилию бабки, отодрав рядом со звонками наслоения из приклеенных бумажек с именами всех по-
следующих обитателей? — Ксюша схватила Машу за
руку.

Маша, ни слова ни говоря, вскочила и бросилась
в коридор. Ксюша, с грохотом отодвинув стул, за
ней.

— Хорошо, что коридор еще никто не трогал, не
ремонти... — начала она, а Маша уже присела на корточки рядом с торчащими в метре над плинтусом те-
лефонными проводами.

— Смотри, — вскинула на нее глаза Маша. — Тут

был телефон. Рядом висела полочка с телефонным справочником, к которой и был привязан тот самый химический карандаш. Тут, — она кивнула на исцарапанный паркет, давно нуждающийся в реставрации, — тут она лежала.

— Кто? — это снова встрял Ксенин отчим.

— Тихо! — шикнула на него Нина.

Они теперь все стояли в коридоре, уставившись на Машу. Маша им улыбнулась: шансы на то, что они смогут что-то отыскать, были равны — скольким? Пяти, десяти процентам? Да и вообще, нельзя сказать, что ей с самого начала очень везло с этим расследованием.

Игорь присел на корточки рядом:

— Значит, надо принимать во внимание вот этот кусок стены.

Маша достала из сумки ручку и пометила двумя вертикальными черточками: от сих до сих. Что дальше делать, она не знала и растерянно поглядела на Игоря.

— Обои нужно от потолка снимать, — они обернулись. Юрий Антонович показал руками резкое движение сверху вниз, — и еще — хорошо бы их составом специальным обработать.

— Только у нас его нет, — раздраженно заметила Ксения.

— А можно просто паром попробовать, — примирительно кивнул отчим. — Кастрюля-то у тебя в доме найдется?

Ксюша кивнула.

— Давай, наполняй водой и ставь на плиту, — Юрий Антонович, довольно покрякивая, засучил рукава домашней фланелевой рубахи. Маша переглянулась с Любочкой: никогда не знаешь, — говорила ее иронично приподнятая бровь, — кто возьмет на себя руководство мероприятием.

* * *

Розовые в цветочек. Оранжевые кирпичиком. Серые с геометрическим орнаментом. Зеленоватые с арабесками... Обои слезали, как старая кожа.

Маша держала в руках ту самую фотографию Кольки Лоскудова: вся коммуналка в сборе. Новый год. Через открытую дверь пироговской комнаты виден кусочек коридора. Маша всматривалась в обои: мелкий рисунок, цветы.

— Помню я такой подвид, — хмыкнула бабка, вынимая у нее из рук фотокарточку. — Отвратительного желтоватого цвета.

— Уверена, что желтоватого? — Маша с беспокойством оглянулась на мужчин, сгрудившихся возле оголяемой стенки.

— Ха! Думаешь, советская промышленность выпускала много вариаций на тему? Это, заметь, еще самая приличная.

Маша подошла к Юрию Антоновичу, продемонстрировала фото. Он кивнул: вид у него был почти угрожающий. В руках нож — для прокалывания дырок в обоях. Отверстия облегчают задачу пару — объяснил он.

— Старая бумага размягчается, тут главное — не перестараться, чтобы они не сошли единым куском.

Еще один слой. И еще.

«В среднем, — думала Маша, — обои переклеиваются раз в пять–десять лет. Для коммуналки этот срок скорее десять, значит...»

— Осторожнее! — сказала она Игорю, поддевающему очередной слой стамеской, оставшейся после Эдиковых рабочих.

Полосочка, узор, похожий на бежевое кружево. А под ней...

— Вот оно! — закричала она, схватив Игоря за плечо. Он уже почти по колено стоял в мусоре: пыль, обрывки старой бумаги. А перед Машей был кусок стены: букеты, перевязанные лентой. Те самые — на невыразительном желтом фоне. Маша услышала, как ахнула за ее спиной Любочка. А повернувшись, увидела, как все присутствующие уставились на эту, вынырнувшую из глубин времени, стену. «Словно борт «Титаника» или выкопанный остов доисторического чудовища», — подумала Маша и положила на нее ладонь, точно одно это прикосновение могло что-то объяснить. Но рука нащупала лишь неровности на бумаге: Маша пригляделась: К23335 Люся, А48212 Ленгосстрах.

— Это номера телефонов. До 68-го года рядом с цифрами использовались буквы, — пояснил Игорь.

— Писали прямо на стене, если ничего не было под рукой, — бабка нацепила очки и улыбалась старым телефонным номерам, будто давним знакомым.

— Так, ладно, — не выдержала Маша. — Переходим к делу.

Все замолчали. Маша встала на колени и стала сантиметр за сантиметром изучать поверхность обоев в полуметре от пола. Букет, промежуток между ним. И снова цветы: васильки, розочки, тюльпаны...

— Нашла! — Маша обернулась, сердце бешено стучало. — У кого-нибудь есть фонарик в мобильнике?

КСЕНИЯ

То ли перевернутая Ш, то ли Т прописью — так им показалось вначале. Все по очереди вставали на колени и светили телефонами. Вот оно — предсмертное письмо, оставленное старухой. Послание в будущее, казавшееся ей справедливей настоящего. И каждый, убедившись в реальном присутствии этого послания, отходил от стены с растерянным лицом. Что бы оно значило? Ксюша перечисляла про себя фамилии и имена: Лоскудовы, Пироговы, Бенидзе, Аверинцева, Коняевы, Аршинины. Алексей, Галина, Вера, Андрей, Людмила, Анатолий, Зина. Никакого намека ни на Т, ни на Ш.

— Может, это схематический рисунок? — крутил в руках телефон с увеличенной фотографией непонятного иероглифа Игорь. — Знаете, такие загадки были популярны лет тридцать назад. Детская игра, ребус: мексиканец на велосипеде в виде круга, из которого тянутся две прямые. Круг — это шляпа, вид сверху. Прямые — колеса велосипеда, тоже с высоты птичьего полета.

— И я помню! — закивала Ника. — Был еще такой: медведь лезет на дерево, видны только полукружья лап и две параллельные линии — ствол.

— Ну и что это тогда такое? — озадаченный Юрий Антонович вглядывался в экран через материно плечо.

— Может, это она пыталась изобразить рельсы-рельсы, шпалы-шпалы? — мама взглянула на Ксюшу, явно ожидая одобрения с ее стороны.

Ксюша одновременно с Машей пожала плечами:

— Не очень похоже.

— Старушку отравили стрихнином, — не сдавалась Нина. — У нее руки свело судорогой, тут не до аккуратности.

— А кто у нас железнодорожник? — спросил Юрий Антонович, явно пытаясь ее поддержать.

— А железнодорожник у нас... — начала отвечать Ксюша и резко повернулась к Маше.

— Да, — кивнула та. — Железнодорожник у нас тот, чье имя в уменьшительном варианте начинается на Т.

— Анатолий Аршинин. Проводник. Толя для пожилой Ксении Лазаревны.

Маша повернулась к Игорю:

— Что ты успел на него накопать?

— Ничего, — виновато пожал плечами он, бросив испуганный взгляд на Нику. — Не успел. Но могу заняться им на следующей неделе. Готов даром, в качестве извинения за перерыв в работе.

* * *

Но не сдержал слова — и не потому, что не хотел. Не смог. Уж на что запутанной оказалась архивная история с Коняевым, но тут... Игорь пришел к Ксюше с пустой папкой. Смущенно разводил руками. Ниче-го о путейце. Ни до войны, ни после. Будто и не существовало такого простого парня, мужа и отца семейства.

— Но так же не бывает! — нахмурилась Ксюша. — Чтобы уж совсем ничего!

— Не бывает, — кивнул Игорь. — Но факт. Вот, — он полез и вынул из папки единственную ксерокопию. Газета «Красный путиловец».

«Полигон высоких скоростей, — прочитала Ксюша. — С 1957 года на Октябрьской магистрали началась подготовка линии Москва — Ленинград... самые передовые методы организации поездной работы... ежесуточно курсирует до 50-ти пар только дальних поездов». — И подняла вопросительный взгляд на Игоря.

— Не там смотришь, — он ткнул пальцем на нечеткую черно-белую фотографию ниже.

«Вручение значка «Почетный железнодорожник» непосредственному участнику событий... Аршинину Анатолию Сергеевичу, за своевременную эвакуацию пассажиров... после столкновения...»

— Да он герой! — Ксюша вернула Игорю листок с фотографией, на которой все равно нельзя было разобрать ничего, кроме обширной лысины товарища, прикрепляющего значок к далеко не молодецкой аршининской груди.

— Похоже на то, — согласился Игорь, вздохнув. — Но если так, то где ж все его документы? Ведь я даже родительских метрик не нашел, понимаешь? Все подчистую! Не проводник, а призрак какой-то!

— Надо позвонить, рассказать Маше, — Ксения уже набирала номер.

— Вплоть до десятого колена? — хмыкнула Маша в трубку, услышав их историю. — Ну-ну.

— Похоже, — нахмурилась Ксюша, переглянувшись с Игорем, — ты понимаешь, что это значит?

— Это значит, мы нащупали что-то, Ксюша. Что-то очень интересное.

МАША

Маша почему-то не удивилась, когда Ксюша пришла с хирургом Носовым. Слишком уж та была расстроена его нежеланием позвонить отцу и тем продолжить знакомство и, напротив, осчастливлена последующим появлением.

— Вы хорошо помните свою тетку? — спросила она человека-гору, едва они выехали за пределы города.

— Что вы! Был в курсе, что она существует, — вот, пожалуй, и все. Какие-то смутные детские воспоминания, как однажды она водила меня в зоопарк на Горьковской, кормила черносмородинным мороженым и даже посадила покататься на пони — сумасшедшая расточительность, моей матери не свойственная.

— Но что-то вы про нее знаете? — умоляюще взглянула на него Ксюша.

— Знаю, что тетка никогда не была близка с бабкой. Та больше любила сына, моего отца. Знаю, что дед мой погиб — несчастный случай. И бабка почти сразу выскочила замуж за Носова, который носил то же имя, что и ее первый супруг — Анатолий. Во времена моего детства в семье циркулировали шутки на эту тему. Но из-за раннего развода отца с матерью я мало общался с той частью родни. Бабушка Зинаида никогда особенно не рвалась со мной посидеть, а мама была слишком горда, чтобы настаивать, — он помолчал, пожал огромными плечами. — Да и я не сильно ее привечал: она меня пугала — всегда накрашенные красным ногти, подведенные глаза и химические кудри на голове. Тогда это называлось «женщина следит за собой». Тетка моя этого явно не унаследовала, ходила в чем придется, а потом и вовсе удалилась от мира.

— В каком смысле? — нахмурилась Ксюша. — В монастырь?

— А?.. Нет, конечно. У нас в семье с набожностью большая проблема — отец не верит ни в Бога, ни в черта, а я, — он повернул, будто впервые видел, перед собой огромные кисти рук с розоватыми пятнами на белой, незагорелой коже, — и вовсе сую свои лапы в Божественное творение и режу, режу... Одним словом, тетка работала смотрительницей при каком-то маяке в Финском заливе, недалеко от Кронштадта. А потом, когда маяк автоматизировали, осталась жить в домике смотрителя. Пенсию, по словам отца, пропивала.

— Ваш отец не нашел у себя никаких фотографий эпохи? — спросила Маша, глядя, как проплывает за окном маршрутки северный пейзаж: облетевшие березы, густой ельник. Посверкивало меж кронами солнце. Маша сощурила глаза.

— Нет, — виновато поглядел на нее Носов. — Говорит, что не сентиментален — тут не поспоришь, отсутствие отцовской сентиментальности я испытал на себе. Историей семьи не интересуется. Фотографий, альбомов не хранит — все в электронном виде, в компьютере и телефоне.

— Ясно, — кивнула Маша, обменявшись быстрым взглядом с Ксюшей. Взглядом, не укрывшимся от хирурга.

— Похоже, вам ясно чуть больше, чем мне, — склонил он голову на плечо.

Ксения улыбнулась:

— Скорее нам не известно больше, чем вам. Нам не известно, кто и зачем уничтожил все данные на вашего деда, Анатолия Аршинина.

— Что значит — все?

— Все, — кивнула Маша. — Нет ни единого документа, подтверждающего его существование. Ни свидетельства о рождении, ни копии паспорта, ни трудовой книжки, ни эвакуационной карты во время войны. Кто-то проделал большую работу, чтобы полностью зачистить жизнь Анатолия Сергеича.

Носов посерьезнел:

— Но ведь у него была какая-то вполне мирная профессия, разве нет? Что-то связанное с...

— Железными дорогами, да.

— Думаете, он тайный шпион? — усмехнулся Носов.

— Думаю, это делалось уже много позже его кончины. Если бы он пытался сам уберечь свою репутацию, то, скорее, переписал бы себе биографию: липовые справки, копии... Но тот, кто это сделал, уже не заботился ни о деталях, ни о правдоподобии, а просто уничтожил все.

— Пустота — тоже след, — задумчиво кивнул Носов. — И многозначительный.

— Вот именно, — Ксения поглядела на него серьезно. — Только, к сожалению, совершенно неясно, куда он ведет.

— Думаете, смерть тетки — из того же списка?

Маша пожала плечами:

— Я пока ничего не думаю. Поэтому мы и решили поехать — осмотреться.

— На кладбище? — поднял брови Носов.

— У нас там назначена встреча, — светски сказала Ксения. И на недоверчивую ухмылку Носова пояснила: — У нас теперь такое в порядке вещей.

* * *

Современное кладбище находилось впритык к старому некрополю. Проблему места, типичную для старых захоронений, решали путем строительства колумбарных стен. Разбитый асфальт дорожек, мусорные урны, звезды и кресты надгробий, пни на месте старых, слишком разросшихся деревьев. Студеный ветер с залива, особенно гулко шумящий в ушах на острове Котлин. Мелкий колкий дождь, режущий лицо. Маша поглубже натянула капюшон, приглядываясь к мокрым могильным плитам: штурманы, капитаны, адмиралы. Специфика островной, военно-морской жизни. Подруга Аллы Анатольевны уже укрылась от злой мороси под арочным сводом маленькой часовни: коричневый кирпич, серая жестяная крыша с маковкой под серыми же небесами, тон в тон. За храмом тоскливо стучали голыми ветвями деревья. Подойдя к часовенке, Маша переглянулась с Ксюшей: подругу покойной Аллы Анатольевны она нашла нетривиальным способом — позвонила в администрацию кладбища и выяснила, кто ухаживает за могилой. Вот эта женщина, оставившая свое имя — Наталья Петровна Чернякова — и номер мобильного, одна только и навещала усопшую. Наталья Петровна — грузная женщина в зимней, потемневшей от дождя дубленке и в ярко-красном берете — при их появлении приветственно привстала и широко улыбнулась. Сверкнула в глубине рта золотая коронка и прореха в зубах — прямо по центру.

— Здравствуйте, — протянула ей руку Маша, размышляя про себя, что Чернякова оказалась много моложе своей покойной приятельницы. — Я Мария Каравай, мы с вами беседовали по телефону.

— Горе-то какое! — проигнорировав ее ладонь, бросилась к ней Наталья Петровна, прижала к мягкой груди. На Машу пахнуло плохо выделанной шкурой и дешевым алкоголем. — Бедная Аллочка, вот жизнь-то не пожалела!

Из-за плеча Натальи Петровны Маша увидела насмешливое лицо Носова и чуть испуганное — Ксюши. Осторожно высвободилась из тесных объятий.

— Погибла при исполнении служебных обязанностей, — пояснила Маша больше Носову — Чернякова-то была в курсе смерти Аллы Анатольевны в ледяной воде залива.

— Служебных обязанностей? — Наталья Петровна отступила на шаг назад, будто бы решила приглядеться теперь к Маше повнимательней. — Это кто вам такую глупость сказал?

— Так было написано в заключении о смерти, — Маша спокойно взглянула в глаза Черняковой. Что-то такое она уже начала подозревать. — А у вас имеется какая-нибудь другая вер...

— Напилась она, вот и утонула! — энергично кивнув, перебила подруга покойной. — Я ей в тот день сама чекушечку в долг продала — я ж там в ближайшем лабазе подрабатываю. Виноватая я, — вновь бросилась она к Маше с объятиями, но та уже не да-

лась — остановила Наталью Петровну в ее порыве,
взяв за плечи.

— Почему вы считаете себя виновной? Она ведь не
в первый раз выпивала? — последний вопрос был чистой воды предположением, но скажи мне, кто твой
друг...

— Не в первый, — опустив голову на грудь, пробормотала Чернякова. — Но ведь день рождения был
папаши ее покойного, а она в этот день всегда... Но
обычно — со мной. А тут я не могла — хахаль ко мне
заявился, начал буянить. — Чернякова глубоко вздохнула. — Вот Аллочка и пошла на берег и в воду-то
с тоски и бросилась.

— «Бросилась»! Вы так говорите, — хмыкнула Ксюша, — будто у нас тут можно с высокой скалы броситься в глубоководье. А не песчаные пляжи с Маркизовой Лужей...

Наталья злобно зыркнула в сторону Ксюши:

— Маркизова! Много пьяной надо-то?

И Маша не могла с ней не согласиться. И, представив Черняковой внука покойной, предложила пройтись до могилы. Носов, настоящий джентльмен, сразу
подал Наталье Петровне руку, чем весьма облегчил
жизнь Маше и Ксюше, шедшим за ними следом. Время от времени до них долетали фразы: «святая была
женщина», «вас сильно любила и папашу своего, деда,
значит, вашего», «надо б помянуть». Носов хранил
мудрое молчание, а Маша только иронически переглядывалась с Ксюшей: вот она, разгадка быстрого
согласия «Петровны» на встречу... Как вдруг сбилась
с шага: совсем недалеко от нее двое мужчин — один
в спортивной куртке не по сезону, другой в сером
пальто — подошли и горестно встали под одним зонтом у могилы неподалеку. На кладбище в будний день
и в такую неласковую погоду не было ни души, поэтому Маша совершенно точно помнила, что двое под

зонтом уже стояли у могилы в двух шагах от часовни — с тем же скорбным выражением лица. А до того притормозили на входе у стены колумбария... Вполне возможно, что они — коренные жители острова и на этом кладбище у них похоронена дюжина предков и дальней родни, но...

— Ты тоже заметила? — наклонилась к ней Ксюша. — Они ехали с нами от города, вошли вместе со мной в ва...

Маша вздрогнула, повернулась к Ксении:

— Как ты сказала?

— Что видела их в метро — я на нем доехала до Черной речки... — И добавила, испуганно глядя круглыми птичьими глазами: — Что-нибудь не так?

— Ничего, — Маша потянула ее за внуком Аршинина вперед. Ей нужно было подумать. Итак. Носов, по словам Андрея, опасный человек и аферист. Документы на отца Носова уничтожаются. Его сестра тонет в заливе. А за ними начинает следовать мрачноватая пара под черным зонтом. Сам же впереди идущий хирург... Ну, конечно! Она повернулась к Ксюше: — Вспомни, пожалуйста, что я тебе говорила вчера по телефону?

Ксюша, нахмурившись, остановилась:

— Что ты вышла на знакомую Аллочки Аршининой. Что вы договорились встретиться. Что я могу к вам присоединиться, ты вышлешь на мобильный координаты. И выслала.

— Координаты кольца 405-й маршрутки. Да. А дальше?

Ксения бросила беспомощный взгляд на Носова с Черняковой, уже подошедших к скромной могилке со стандартным бетонным памятником. Алла Анатольевна Аршинина.

— Дальше я переслала их Носову.

— И больше никому не рассказывала, куда едешь?

Ксения медленно покачала головой, не отрывая глаз от застывшей перед могилой квадратной фигуры.

Маша хмыкнула:

— Не думаешь, что твой хирург имеет к тем двум типам самое непосредственное отношение?

Ксения сглотнула и повернулась к Маше:

— А ты что, думаешь?

Маша пожала плечами:

— Пока рано делать выводы.

— Меня мог случайно услышать кто-нибудь из домашних...

— А потом случайно же позвонить Носову-старшему? Ведь это он, Ксюша! Он заметает следы. Безумная Пирогова рядом с Монастыркой. Пьянчужка-Аллочка лицом в Маркизовой Луже. Выпотрошенные архивы. Неизвестные под большим черным зонтом... — Маша бросила взгляд через плечо. Они все еще стояли там, эти двое. Перевела глаза на несуразную фигуру пьянчужки Петровны прямо по курсу. Андрей прав. Бегом отсюда — с этого кладбища, с этого острова, из этого города с его страшной историей.

— Ты хочешь все закончить? — Ксюша продолжала не отрываясь смотреть в массивную спину Носова.

— Нет, — покачала головой Маша. — Напротив, все самое интересное, похоже, только начинается.

КСЕНИЯ

Обратно они решили выбираться на двух машинах. Ивану она ничего не объясняла, просто села рядом в такси. Маша поехала следом. Сидели не разговаривая — Иван пару раз начинал беседу, но Ксюша просто не в силах была притворяться, что все отлично. В голове крутилась лишь одна мысль: вот человек рядом, от которого идет ровное тепло и еще что-то, отчего смыкается в горле и сжимается все внутри. До такой степени, что она боится посмотреть ему в глаза, чтобы он все там не прочитал. Да что там в глаза, она боится бросить взгляд на его руки, боится случайно прижаться в тесном, пропахшем сладковатой химической отдушкой салоне такси. Ксения отвернулась к окну — они выезжали из Кронштадта на дамбу.

— Ни разу до сегодняшнего дня здесь не был, — вновь попытался завести разговор Иван.

— Я тоже, — Ксения все так же смотрела в сторону.

— Забавно. Помните, как в детстве по радио объявляли: «Вода выше ординара»? И я, хоть и жил с мамой на окраине, где вышедшая из берегов Нева нам уж точно не грозила, обмирал от страха.

Глядя на серую зыбь залива по обе стороны дамбы, Ксения улыбнулась своим воспоминаниям. Она тоже не забыла этих объявлений по радио, часть метеорологической сводки: порывы ветра до двадцати четырех метров в секунду, уровень воды поднялся на метр восемнадцать сантиметров выше ординара...

Дождь перестал, и узкий прорыв в облаках высвободил луч солнца, легший сверкающим лезвием на мелкую пепельную волну.

— И ты думаешь, — сказала Ксения вслух, провожая взглядом блестящую полосу, — если вода поднимется разом во всех каналах, выйдет из гранитных берегов и зальет первые этажи, то можно не идти в музыкалку...

— И как удачно все-таки сложилось, что ты живешь на шестом, — подхватил Иван. Ксения почувствовала, что он улыбается. — Но у тебя есть старая надувная лодка, и если ее только надуть...

— То можно поплыть в школу между домами, будто в Венеции, — Ксюша повернулась и наконец взглянула на него.

— И как же это круто. — Он сидел, откинувшись на спинку и повернув к ней крупную голову, и ухмылялся, скаля зубы в сумраке салона. «Неужели это все-таки он? Он сдал их своему вездесущему папе? Нет, не может быть!» — думала Ксения, не в силах отвести от него глаз. А он внезапно посерьезнел: — Что ты качаешь головой?

Она качала головой? Ксения сглотнула и опустила веки, чтобы отгородиться, не пускать его в себя. «Да он уже в тебе, бродит, как вирус. Поздно отгораживаться».

А вслух сказала:

— Я хочу спать, извини.

И ни один из них не заметил, как они перешли на «ты» без всякого брудершафта.

Минут пятнадцать попритворявшись спящей, Ксюша и в самом деле заснула. Проснулась она от толчка — машина подпрыгнула на ухабе, и Ксения сквозь тень дрожащих ресниц увидела бордовые ворсинки. А чуть приоткрыв глаза, поняла, что заснула в тепле и уюте, потому что он обнял ее, и она лежит у него на груди, пристроившись как раз под подбородком. Щекой на бордовом свитере. Боясь пошевелиться, она осторожно вдыхала его запах и жалела, что она не Леночка Пирогова — никак не разложить ей этот аромат на составляющие. Но продолжала принюхиваться, как животное, подтверждая еще и еще раз: это свой. Родной. Близкий по крови. И почувствовала легкое движение воздуха над затылком и одновременно — почти незаметное пожатие своей ладони, которая, конечно же, лежала все это время в его огромной лапище. Будто он так же втянул носом воздух в миллиметре от ее волос, и это пожатие тоже означает: своя. Моя. Спи.

Но она выпрямилась, отстранилась он него:

— Извини. Я, по-моему, серьезно заснула.

Он усмехнулся, поиграл плечами, будто разминая затекшие члены.

— Ничего. Видишь, как хорошо, что я не занимаюсь спортом?

— А? — Ксения вздрогнула, почувствовав, что порозовела: она думала совсем о другом, неконтролируемо прирастая взглядом к его губам, как глухой — к сурдопереводчику.

— Я не мускулистый, а мягкий, — пояснил он, перебирая ее пальцы в своей руке. — Как деревенская перина.

— Это да, — она повернулась к окну и осторожно отняла руку. — Где мы едем?

— Мы катаемся по центру уже минут десять как, — протянул он обиженно, как ребенок, у которого отобрали сладкое. — Не хотел тебя будить.

Она почувствовала, что улыбается, но сделала вид, будто внимательно провожает взглядом какой-то дурацкий розовый лимузин.

— Поехали домой, — сказала она.

К тебе или ко мне? — хотела она добавить сама или ждала его вопроса. Но он ничего не спросил, и Ксюша продиктовала водителю адрес своей коммуналки.

— Я провожу девушку, — сказал Иван, рассчитываясь с шофером. — Подождете?

— Нет уж, — ухмыльнулся тот, развернув между спинками сидений небритую физиономию с ухмыляющимся лягушачьим ртом. — А то, не дай бог, задержитесь.

И подмигнул, а красная Ксения выскочила из машины в остужающий морозный воздух. «Даже таксист, — думала она, — почувствовал это предгрозовое электричество. Бежать! — приказала себе Ксюша. — Бежать без оглядки!»

— Не надо меня провожать, мне не пять лет! — в раздражении сказала она Ивану.

— После пяти это еще опаснее, — подмигнул он ей. — А интеллигентный кавалер должен проводить девушку до самых дверей.

— Излишняя предосторожность, — она уже вынимала ключи, пискнул замок парадной, Носов толкнул, распахнув перед ней, дверь.

— Прошу.

Ксюша уже ничего не ответила. В голове крутилась одна мысль. Лифт или лестница? Лифт маленький, тесный. Даже если они смогут туда на пару поместиться, одна мысль о таком соседстве заставляла сильнее биться сердце, кровь бросалась к щекам. Нет, лестница безопаснее. Но, уже поднимаясь все быстрее и быстрее по ступеням на свой последний этаж и слыша его шаги, будто поступь Командора за спиной, она поняла, что все бесполезно, конечно же, паникуй не паникуй. И когда он развернул ее к себе, прижав в полутьме к стене — она так и не озаботилась освещением лестничной клетки своего этажа, и слава богу, — Ксения вдруг совершенно успокоилась, чувствуя гулко бьющее в висках и горле сердце. И бесстрашно подняла на него блестящие глаза.

* * *

«Три часа поцелуев в моем возрасте — это почти неприлично, — сказала себе Ксения. Но главное — Иван не мог, не мог быть виноват — виновные так не целуют!» Абсолютно обессилев, она села на стул в прихожей и принялась снимать сапоги. Так она не уставала даже после редких занятий спортом. Сколько же она потеряла калорий? Ксения хихикнула — очень много! Не надевая тапочек, бесшумно прошла на кухню. Там, не зажигая света, открыла холодильник, вынула бутылку минералки. И вздрогнула: в темноте кухни она увидела тень. Выскользнув, бутылка со звоном разбилась об пол.

— Кто здесь?! — вскрикнула она испуганно. Шипя и пенясь, вода залила ноги.

— Это я. Юрий, — отчим включил свет.

Ксения, тяжело дыша, смотрела на невыразительное лицо. Господи, и как же он ей не нравился, весь: непропорциональная голова-тыковка, бледные глазки, тощая, будто вогнутая, грудь. И бабушка — бабушка тоже его на дух не переносила!

— Это вы, — вдруг сказала она, чувствуя, как холодно и мокро стало ступням в колготках. — Это вы всегда подслушиваете и рыскаете по моей квартире! Это вам больше всех нужно! Делаете вид, что помогаете, а сами — шпионите за мной!

Отчим, замерев, смотрел на нее — маленькие глазки, казалось, стали больше размером.

— Ксюша, что ты такое говоришь... — начал он, дернув головой-тыковкой. — Ты же сама меня просила — с фотографиями. И обои, я просто...

— Что он вам пообещал?! — она уже кричала — все напряжение сегодняшнего дня, с тех пор как она увидела две угрожающие фигуры в черном, вся невыносимость ее подозрений к Ивану вылились в этот крик.

— Кто?! — продолжал стоять истуканчиком отчим.

— Носов или кто-нибудь от его имени! — уже вне себя наступала на него Ксюша. — Эту самую квартиру в наследство?!

— Деньги, — вдруг услышала она такой знакомый голос за спиной. И резко обернулась. В дверях стояла ее мать — бледная, в длинной ночной рубашке. — Этот мужчина пообещал мне деньги и сказал, что, чем больше он будет знать, тем проще ему тебя защитить. Сказал, что ты в опасности.

Ксюше показалось, что она заледенела. Мама? Она сглотнула.

— Кто... сказал?

Нина пожала плечами:

— Он подсел ко мне в столовой на работе. Объяснил, что ты со своим расследованием ввязалась в опасную историю.

Ксения нащупала спинку стула и, не сводя с матери глаз, опустилась на сиденье.

— А ты?

— Я сказала, что полностью согласна. Рассказала о том, что вы делаете — о смерти этой несчастной больной из психушки. Об инициалах под обоями. Он оставил на столе конверт.

— С деньгами, — кивнула Ксюша, чувствуя какую-то странную пустоту там, где еще совсем недавно, на лестничной клетке, счастливо и сильно билось, отдаваясь в висках, глупое сердце.

Мать виновато кивнула:

— И с телефоном.

— И ты начала подслушивать, — подсказала ей Ксения, потому что матери стало все сложнее говорить, но Ксения уже и так все поняла.

— Нам же тоже надо делать ремонт. После потопа, — шмыгнула совсем по-детски носом мать. — А у тебя просить неудобно, сама понимаешь.

Сама понимаешь... Ну да. Ксения выдохнула — это был долгий выдох. Юрий Антонович тем временем обогнул Ксюшу и трогательно взял жену за руку, чтобы обозначить свою поддержку: совет да любовь. Но она больше не смотрела на него. Она во все глаза смотрела на свою мать. Что с ней сделаешь? С ее таким виноватым и одновременно вызывающим выражением лица? Не ударишь, не наорешь, не бросишь чем-то тяжелым. Она отвернулась и тихо произнесла:

— Уходите. Вон из моего дома.

МАША

Маша поняла, что завидует этим двоим: предчувствие любви и счастья расходилось от них кругами, дрожало в зимнем воздухе, как радиационное поле. Захотелось позвонить Андрею. «Хочешь — сделай», сказала себе она. Мобильный, вынутый из кармана, оказался безнадежно севшим. Она подошла к бабкиному домашнему телефону — допотопному аппарату из зеленоватого пластика. На секунду замерев над трубкой, набрала московский номер. Гудок, еще один и еще... Маша крепко прижимала трубку к уху, судорожно думая, что сказать... Ведь надо, необходимо, наконец, найти слова, которые расставят все точки над «i» и вернут им их прошлую свободу и легкость в отношениях. Может быть, именно потому, что она так вслушивалась в эти гудки, Маша и расслышала его. Щелчок. Сухой, как выстрел из пневматики с глушителем. И вздрогнула. Звук в трубке стал чуть-чуть иным — в нем послышалась гулкость, возможность эха, будто она внезапно оказалась над пропастью. Она резко положила трубку обратно. Вот те на! Такого Маша не ожидала. Большие возможности — одно дело. Но для того, чтобы воспользоваться ими, нужно иметь мотивацию, и серьезнейшую. Почему-то она только сейчас по-настоящему поверила, что безумную Леночку Пирогову — убили. Даже не потому, что она могла выболтать что-то лишнее, а просто — на всякий случай. Чтобы даже не оглядываться в ее сторону: знает — не знает? Значит, убьют и ее, и бедную влюбленную Ксюшу, если они вдруг вступят внутрь того информационного круга, который господин Носов считает неприкасаемым. Маша задумалась. Итак, по телефону разговаривать не стоит. Это раз. Второе — ни в коем случае не следует впутывать в эту историю людей, каким-то образом связанных с коммуналкой. Прежде всего, старика Лоскудова. Ей почудилось, что она вновь открыла глаза в каком-то кошмарном сне, где длинный полутемный коридор коммуналки с обвалившимися стенами уходил в темноту, а по обе стороны стояли двери, двери, двери. И все они были закрыты.

Все, кроме одной.

Маша посмотрела в окно, за которым снова начал отвесно падать снег, превращая в студеную кашу черную, бликующую под ночными фонарями поверхность канала. Ей надо придумать им с Ксюшей путь к отступлению. Иначе и эта дверь захлопнется навсегда.

* * *

— Либо с Пестеля на Фонтанку. Либо проходная анфилада у Капеллы. Или уж ехать на Петроградку и там убегать в проходных дворах Дома Бенуа. Но не советую — сами раньше потеряетесь.

— Ясно. — Маша одевалась серьезнее, чем обычно: носки, пара свитеров, шапка и шарф. — Тогда вызови, пожалуйста, такси через час к Большой Конюшенной. И не отпускай машину, как бы они тебе ни названивали.

— Не нравится мне это, Машенция. — Любочка, склонив голову набок, внимательно на нее смотрела, будто размышляла, как в детстве: отпускать внучку одну гулять во двор или не отпускать?

— Я буду звонить, но кратко, — Маша зашнуровала высокие зимние ботинки, подняла на бабку глаза. — Это не опасно. Только хлопотно.

Любочка хмыкнула:

— Я так и поняла. Наталье-то что говорить?

Маша вздохнула: мать волновалась сейчас о дочери сильнее, чем в ее десять лет.

— Я сама ей позвоню, — кивнула она Любочке. — Не переживай. Если не успеем вернуться засветло, лучше снимем гостиницу на месте.

— Деньги есть? Вот, возьми, — бабка полезла к себе в сумочку.

— Любочка! — взмолилась Маша. — У меня все есть. Пока.

И она чмокнула морщинистую щеку.

— Никакие старые тайны не стоят... — начала Любочка. И, сбившись с наставительного тона, вздохнула и потрепала внучку по щеке. — Ладно. Иди, с Богом.

На место встречи она пришла чуть пораньше, чтобы оглядеться. Лоток с мороженым слева, справа — кричит в микрофон, рекламируя автобусные туры гостям Северной столицы, маленькая женщина в дубленке и лохматой шапке. Не заметив ничего подозрительного, Маша шагнула в глубь арочного проема на выходе из метро. Мимо нее дефилировала по Невскому неплотная в будничное дневное время толпа. Ксению она заметила еще на другой стороне проспекта — та шла, полностью погруженная в свои мысли: на носу очки с сильными диоптриями, большая сумка перекинута наискось через плечо и опасливо прижата к боку пуховика. Маша с удовольствием ее оглядела: в СМС она предлагала «прогуляться за городом», и сейчас Ксения являла собой воплощение интеллигентского стиля «выезд на природу» — невнятные шерстяные штаны заправлены в теплые сапоги, богатая шевелюра упрятана под пуховый платок. Маша усмехнулась — наверное, сама она выглядела не менее комично. Вот Ксения перешла дорогу и стала вертеть головой по сторонам, еще больше, чем обычно, схожая с птицей. Маша ждала, борясь с желанием сделать шаг вперед и прекратить Ксюшино трогательно-беспомощное ожидание. И дождалась — мужчину в синей спортивной куртке. Он выуживает мелочь из кармана джинсов, что-то говорит притопывающей от холода ногами продавщице мороженого. Она достает ему из лотка вафельный стаканчик в яркой упаковке и ждет, потому как мужчина смотрит совсем в другую сторону. Он смотрит на Ксюшу. А где второй? — щурится Маша. — Неужто свалился после вчерашней кладбищенской прогулки с внезапной простудой? Второго не видно. Что ж, пора. Маша сделала несколько шагов вперед и дотронулась до Ксюшиного локтя.

— Привет.

Та обернулась — глаза за стеклами очков испуганно моргнули, красные, воспаленные от слез.

— Что случилось? — сжала она Ксюшин локоть и увидела, как горестно, по-девчоночьи, поползли вниз уголки губ.

— Мама, — сказала Ксюша, шмыгнув носом. — Это был не Иван, а мама.

Маша вздохнула, потрепала ее по плечу:

— Зато это был не Иван. Попробуй посмотреть на это, как на частично хорошую новость.

Ксюша попыталась улыбнуться и взяла ее под руку:

— Куда мы идем?

— Мы идем отрываться от слежки — для начала. — Маша одернула готовую уже испуганно обернуться Ксюшу. — Ты же любишь пышки?

— Люблю — что?

— Любочка говорит, что самые лучшие всегда были и будут — тут, совсем рядом. На Конюшенной. Можно взять с собой, только на таком холоде они быстро остынут...

И она потянула Ксюшу вперед, в сторону тускло светящегося в сером свете бессолнечного дня шпиля Адмиралтейства.

В пышечной они отстояли положенную очередь и пошли в направлении Мойки, поедая пышки и отряхивая от сахарной пудры воротники.

— Вкусно. Я их не ела со студенческой поры, — призналась Ксюша. Она только что изложила Маше историю материнского предательства, и ей стало легче дышать — даже пончики казались не жирным куском теста, а, напротив, воздушными творениями в сахарной пыльце.

— Теперь слушай внимательно, — сказала, не сбавляя шага и не меняя интонаций, Маша. — Сейчас ты достанешь свой телефон и выбросишь вместе с грязной салфеткой в урну.

— Что? — ошарашенно воззрилась было на нее Ксюша, но Маша потянула ее вперед.

— Делай, как я говорю.

Ксюша, сглотнув, вынула из кармана пуховика телефон, вложила в салфетку, чуть замешкалась у гранитной урны. Секунда — и рука в шерстяной перчатке нырнула обратно в карман.

— Дальше — так, — по-московски вальяжно растягивая гласные, продолжила Маша, будто случайно оглянувшись. Мужчина в темно-синей куртке внимательно изучал просторные витрины ДЛТ в паре метров за их спиной. — Когда я скажу тебе бежать, мы дружно беремся за руки и бежим вперед, поняла?

Ксения искоса взглянула на нее и испуганно кивнула.

— Отлично, — Маша чуть прибавила шагу. Кафе, часовой магазин, пустынные люксовые бутики и, наконец...

— Сейчас! — скомандовала Маша, схватив Ксюшу за руку.

Они метнулись в полуоткрытые воротца в арочном проеме и побежали, полетели вперед. Эхо гулко следовало за их шагами, бросались в сторону кошки и туристы. Тень арочных проемов сменилась длинным дворовым проходом, небольшая галерея, кафе... Маша резко повернула влево, толкнула тяжелую деревянную дверь.

— Добро пожаловать в нашу гостиницу, — услышали они мелодичный голос, и обе, тяжело дыша, уставились на молоденькую белокурую девушку в черной жилеточке с логотипом отеля. А она — на них.

— Пять минут, — сказала Маша, не уточнив, пять минут — до чего. Слушая, как гулко бьется в висках кровь, выглянула из узкого окошка рядом с ресепшен. Двор был пуст.

— Почему ты мне не сказала, что хочешь отрываться проходными дворами? — сглотнула Ксюша. — Это же дворы Капеллы, их все знают как свои пять пальцев, туристическое ме...

— Тихо! — Маша дернулась, спрятавшись за бордовую портьеру с кистями.

Мимо отеля с выпученными глазами пробежал тот самый спортивный товарищ в темно-синей куртке.

— Это... за нами? — Ксюша проводила неизвестного ошеломленным взглядом.

Маша кивнула, накинула на голову капюшон.

— Все знают, — сказала она, улыбнувшись обомлевшей девушке-консьержу и толкнув дверь, — что эти дворы выходят к Капелле, а именно — на Мойку, перед Эрмитажем, где толпа туристов и автобусы. Они будут искать нас там, а мы спокойно вернемся назад.

«Спокойно» было явным преувеличением — Ксюша без конца оглядывалась, но они действительно прошли, уже вполне себе в прогулочном режиме, под теми же арочными проходами обратно к Конюшенной. Чуть правее у тротуара припарковалось желтое такси. Маша открыла дверцу, пропустила перед собой Ксюшу.

— На имя Каравай, — пояснила она таксисту, открывшему уже было рот, чтобы объявить: занято!

— Долго заставляете себя ждать, девушки, — ворчливо сказал тот, отчаливая от тротуара.

— Простите. Я возмещу. — Маша откинулась на сиденье, выдохнула и прикрыла веки. Первая часть плана, похоже, удалась. — На Черную речку.

— Маша, — она почувствовала, как Ксюша теребит ее за рукав, — обернись!

КСЮША

Ксюша боялась смотреть назад. Она узнала человека, который минутой позже их стал махать рукой, пытаясь остановить машину. Они еще не успели продвинуться и десяти метров в пробке перед светофором на Невский, как какой-то частник лихо свернул к тротуару. Мужчина, вчера прятавший свое лицо под большим зонтом, сел в автомобиль, что-то быстро говоря в мобильник.

Маша сидела с черным, как туча, лицом:

— Это моя вина! Они шли по отдельности. Одного я вычислила, а второй остался сторожить выход...

— Есть один двор, — прервала ее Ксюша. — Только он на Фонтанке.

Маша вскинула на нее глаза, кивнула.

— Мы едем на Фонтанку, — приказала она водителю. Тот поглядел на них через зеркальце, покачал головой:

— Хозяин — барин.

— Ты уверена? Я имею в виду, в своем дворе? — сказала Маша негромко, наклонившись к Ксюше. Та пожала плечами.

— Много домов уже приватизировали. Поставили ворота, кодовые замки. Думаешь, можешь по привычке срезать путь к метро, ан нет... — Ксения сняла перчатки в жарко натопленном салоне, нервно заправила под платок выбившуюся прядь. — Но остались еще места на Петроградке, на Ваське. Они, может, не такие парадные, как твои дворы Капеллы или Толстовский дом, но...

— Но толку от них будет явно больше, — усмехнулась Маша, все еще переживая провал операции.

— Будем надеяться, — Ксюша пожала плечами. — Знаешь, для питерца проходные дворы — это свобода. Возможность пробраться к нужному месту по тайным городским лабиринтам, показать городу, что ты свой.

— Помнишь, в пятидесятые еще были дворники — охраняли дворы, закрывали на ночь? — улыбнулась в ответ Маша. «Помнишь» — как будто они могли это помнить! Но им обеим искренне казалось, что они — помнили. Ксения вздохнула. Кажется, уже сто лет назад еще живая, ах, такая живая Тамара Зазовна рассказывала им за чаем про важных дворников с бляхами, смазными сапогами и бородищей-лопатой:

— Запирали дворы и парадные ровно в час ночи, после осмотра лестницы и двора на предмет нарушений. И никаких тебе похабных граффити.

Ксения кивнула:

— Бабушка говорила, Питер поначалу застраивался по периметру улиц. А за фасадами доходных домов чего только не было — и огороды, и сараи, и конюшни с ледниками. А потом стали уплотнять и квартальное нутро.

— Оставляя жителям дворы-колодцы и норы-переходы. — Маша смотрела в окно вперед: свернув под носом у Клодтова коня направо, они двинулись вдоль реки.

— Да, — Ксения кивнула на розово-кремовый фасад дворца Белосельских-Белозерских, — это парадный вариант города. Для приезжих. А там, во дворах, ты будто вторгаешься в его личную жизнь. Там интим, не предназначенный для чужаков.

— Дети пинают мяч, старики режутся в домино, белье на веревках, бабушки судачат о соседях? — грустно покачала головой Маша. — Этого уже нет, оно умерло, Ксюша, ты говоришь о другом измерении.

Ксюша вздохнула:

— Может быть. — И добавила, уже таксисту: — Остановите, пожалуйста, вот тут.

Маша протянула водителю заранее подготовленную купюру. Они выскочили из машины прямо на проезжей части, чуть не попав под колеса мини-автобуса.

— Сюда! — показала Ксюша на черный угрожающий проем арки двухэтажного особняка.

Нырнули внутрь. Бегом, бегом — не останавливаться, нет времени оглядываться назад! У Ксюши почти сразу предательски закололо в боку. Перед глазами раскачивался вздыбленный серыми растрескавшимися пузырями асфальт. Тут, справа, мусорные баки. Там — шахта лифта-«градусника» стеклянным червем ползет к последним этажам дома-колодца. Промельк неба над головой — такого далекого и такого серого. За углом — обвалившийся кусок стены с кирпичной изнанкой, превратившийся в липкую жижу от непрерывных дождей картон каких-то коробок.

Но они бегут дальше, дальше. Вот уже следующая арка: наскоро побеленные стены, сверху лианами висят оборванные провода. За спиной уже слышен гулкий топот — преследователей снова стало двое, эхо несется ввысь по каменному колодцу, резонирует от старых стен, будто кто-то враждебный следит за ними из черных глазниц окон — не уйдешь. «Они, наверное, тоже нас слышат!» — в панике подумала Ксюша, и Маша, будто почувствовав, быстро сжала ей ладонь: ничего не поделаешь, вперед!

Выскочив во второй двор, Ксюша затравленно огляделась и вздрогнула, узнавая на стене между двумя коленчатыми жестяными трубами страшную бородатую морду-граффити. Да, это тут. Теперь надо повернуть... Она запнулась на асфальтовом вздутии и упала бы, не поддержи ее Маша.

И снова проход — господи, этот лабиринт бесконечен, как страшный сон! Кротовая нора в толще здания, совсем низкий, черный, будто закопченный потолок. Лаз, пахнущий мочой и кошками. За ним — кованые ворота. Ксюша рванула их на себя, больно поранив ладонь о струпья ржавчины. Ворота со скрипом распахнулись.

— Сейчас, — прошептала Ксюша, — налево.

С недовольным шумом, вздымая за собой душную волну помойной вони, взлетело облако голубей. Они пробежали еще несколько шагов и встали, уткнувшись взглядом в кодовый замок на железной калитке, за которой шумела оживленная улица. Ксюша неверяще схватилась за прутья — на этот раз покрытые свежей краской, — дернула с силой отчаяния. Маша, тяжело дыша, всматривалась в цифры кода, пытаясь понять, какие из кнопок нажимались чаще. Но замок был совсем новый, блестящий ровным серебристым металлом. Чужой.

Выдохнув, Маша схватила Ксюшу за руку и бросилась в сторону ближайшей парадной, из которой, прихрамывая, выходила согнутая почти под прямым углом, обмотанная дырявыми серыми платками старуха.

— Гули-гули-гули! — заскрипела она, вынимая из полиэтиленового мешка четвертинку плесневелого хлеба.

За их спиной раздался шелест крыл и гром шагов. И за секунду до того, как захлопнулась за бабкой дверь парадной и те двое забежали в тупиковый двор, Ксюша и Маша проскользнули в теплое смрадное нутро подъезда.

КОЛЯ. 1960 г.

Льдины движутся гурьбой
В страхе и в тревоге,
Будто стадо на убой
Гонят по дороге.
Синий лед, зеленый лед,
Серый, желтоватый,
К верной гибели идет,
Нет ему возврата!

С. Маршак «Ледоход».

Мама выгнала меня на улицу: шлея ей под хвост попала — полы натирать в комнате. Это в апреле-то месяце! Лешка, вздохнув, взялся за мастику, и скоро даже в коридоре стало пахнуть так, что «хоть святых выноси», как сказала тетя Галя. Я попытался высвистать Лерку, но Лерка гулять отказался — дождь, мол. Ха! Когда это дождь нам гулять мешал? — думал я, обиженно пиная скрипучую качель. Просто он опять, как Кощей, марки свои перебирает. «Точи-и-и-льщик! — донеслось из соседнего двора. — Точить ножи-нооожницы! Ножи-нооожницы точить!» «Нашего» точильщика — жилистого дядьку Степана — мы любили: больно ловко качает педаль на своей деревянной станине, а как летят яркие искры из-под ножей — что твой праздничный салют! Хочется поймать такую искру в ладонь и принести к себе домой, как светляка. А тот, бывало, еще и напевает: «Ветерком пальто подбито, а в кармане ни

гроша, а на воле поневоле затанцуешь антраша!»
Ксения Лазаревна мне однажды даже показала, что
это за антраша: такой смешной прыжок, дрыганье
ножками, мы с мальчишками тогда прыгали весь
вечер — животики надорвали. Но сейчас, под дождем, не хотелось никуда бежать: ни смотреть на
дядю Степана, ни в лапту играть, ни в «колдуны», ни
в казаки-разбойники. Даже подкладывать гвозди на
трамвайные рельсы, чтобы делать из них ножички,
и то не хотелось. А хотелось забраться с Венькой
и Витькой под крышу дровяного сарая, где пахнет
влажным деревом и стружкой, и чтобы они хваста-
лись, показывая, как бились на кулаках в бомбоубежище 309-й школы: до первой крови. Или — еще
лучше: травить друг другу по очереди страшные
истории, в которые и не веришь, а все равно сердце
сладко обмирает от ужаса. «А еще, слыхали, взаправ-
ду было: пацана нашли в пионерлагере в Сиверской.
Все встают, а он лежит, синий, и не дышит. А один
мальчик говорит — это «Красная рука» прилетела.
Ну, никто, конечно, пацану сперва не верит...» Или:
«А у них в квартире был дистрофик — сквозь щель
пролезть мог, такой тощий. Форточку откроешь —
с горшка сдувает. Вот однажды просыпается мальчик — а дистрофик у него прямо на груди сидит...»
И я уже начинаю придумывать свою историю — про
отравленный пирожок, — как дверь подъезда открывается, и из него выходит старушка Ксения Лазаревна, а за ней — профессор Кудрин. У этого Кудрина,
Лерка болтал, целых две комнаты на третьем! В руке
у профессора трость, а на голове — шляпа. Мама
говорит про профессора: «из бывших». И из каких
таких бывших, думаю? Я спрыгиваю со спрятанных
под крышу дровяного сарая козел и иду к ним, нащупывая битку в кармане и легонечко насвистывая.
И слышу, как профессор говорит Ксении Лазаревне:

«Ком си, ком са, ма шер. Па маль». У них такое бывает, не раз с ребятами слышали, когда никого из взрослых рядом нет, лопочут не по-нашему. Витька говорит: буржуи недобитые! А мне так очень нравится. Тут профессор приподнимает шляпу, Ксения Лазаревна склоняет голову, похожая одновременно и на высохшую птичку, и на царствующую особу. И я впервые думаю, что она — единственная, кого никто не зовет ни Лазаревна, ни тетя, ни, тем более, баба Ксения. А только по имени-отчеству.

— Сдала что-то после Нового года наша Ксения Лазаревна, — недавно услышал я от тети Веры на нашей кухне.

— Что вы хотите, годы берут свое, — вздохнула в ответ тетя Галя.

Не понимая, зачем я это делаю, я иду за Ксенией Лазаревной по переулку в сторону площади. Переступает по только что вычищенному дворничьей лопатой тротуару осторожно, как балерина. Я чуть-чуть отстаю и тут — не выдерживаю — колочу со всей силы ботинком по водосточной трубе: где-то там, наверху, совсем рядом с небом, зарождается глухой шум, а я перебегаю на другую сторону улицы и луплю по второй трубе: бум! бум! бум! А потом несусь к следующей — и через несколько секунд ледяные прозрачные цилиндры с грохотом выскакивают на тротуар: один, еще один, еще... Как канонада! А Ксения Лазаревна, обернувшись, встает, прижав к животу ридикюль, и с улыбкой смотрит на меня:

— Пойдем, Коля, куплю тебе мороженого, хочешь?

Ха! Кто ж от такого откажется! Вообще-то, она добрая, Ксения Лазаревна, вот и Лерке дарит какие-то страшно ценные марки, и поэтому мне жалко, что она «сдала». И, пристроившись сбоку и с легкостью приноровившись к ее шагу, я решаюсь спросить — почему?

Ксения Лазаревна перестает улыбаться.

— Я кое-что узнала, — говорит она, не глядя в мою сторону. — Очень плохое. Про одного человека. И мне нужно об этом рассказать.

— Вы в милицию? — широко открываю я глаза. Вот уж повезло так повезло! — Можно я с вами?

— Нет, — она чуть хмурится. — Я в другое место. Такими делами занимаются другие люди.

— Разведчики? Ого! Ничего себе! Вы шпиона опознали?!

Нет, ну разве это справедливо?! Мы с мальчишками их везде высматриваем, Витька рассказывал, раньше его старший брат, Темка, аж на крыше дежурил — следил за военнопленными фрицами, что разрушенные дома отстраивали. Вдруг среди них шпион окажется? Тогда Темка перехватил бы важное донесение или просто — заманил бы немца в ловушку. Я вздохнул: теперь уж такого нет, всю немчуру домой отправили, а мы все равно мечтаем, как опознаем одного — и...

— Не шпиона, — прерывает полет моей фантазии Ксения Лазаревна. И добавляет, совсем тихо: — Хуже.

Я смотрю на нее, открыв рот: хуже шпиона?! Это как? Но Ксения Лазаревна больше ничего не добавляет, и лицо у нее становится такое, что я не решаюсь ничего спросить.

Мы выходим на площадь Мира, которую все все равно зовут Сенной. Мама говорит: «по старой памяти». У меня вот память — новая, думаю я и улыбаюсь. Еще куча всего может туда вместиться! В глубине над площадью возвышается церковь Спаса на Сенной, мимо нее идут трамваи — от Московского по Садовой к Невскому. Совсем недавно с другой стороны на доме появилась красивая надпись: «Храните Ваши деньги в Сберегательной кассе». Хранить мне особенно нечего, поэтому я перевожу заинтересованный взгляд на синюю тележку с мороженым.

— Как пусто — все мне не привыкнуть... — вздыхает Ксения Лазаревна, вынимая из потрепанного ридикюля круглый кошелечек с мелочью. — Раньше здесь был рынок, и какой!

Я обвожу площадь глазами — чистую, просторную. Ровные ряды деревьев справа, рядом припаркованы блестящие автомобили. Рынок? Здесь? Вот Кузнечный там или Ситный... Вот уж где ор, толкотня, нищие, цыганки, а у входа сидит старик с облезлой белкой — вытаскивает из коробочки записки с желаниями. Я раз уломал Лешку достать одну и получил смятую бумажку с карандашными каракулями: «Иди по левой стороне улицы и найдешь денежку». Лешка надо мною тогда хохотал, еще неделю подначивал: мол, не по той стороне хожу. А еще там кричали старьевщики: «Старье берем!» и «Стекло берем!», и можно было, выпросив у мамы старый, штопаный-перештопанный чулок, обменять его на раскидай или свистульку. Нет, такого на площади Мира и представить себе невозможно! А Ксения Лазаревна уже передает мне с улыбкой мороженое — стаканчик сливочного. Я от благодарности могу только шмыгнуть носом и кивнуть. А она треплет меня по голове с чубом, говорит, указав на ушанку, торчащую из кармана: «Надень, простудишься». И семенит к трамвайной остановке. Несколько секунд я в задумчивости смотрю на подходящий трамвай — с номером 5 на плоской красной морде. А потом, дождавшись, когда закроются двери, бегу за ним и вскакиваю на «колбасу».

* * *

Чем дальше по Литейному, тем медленнее идет Ксения Лазаревна, а когда впереди замаячил Большой дом, и вовсе останавливается, прислонившись к стене здания. Я уж было бросился к ней — вдруг плохо с сердцем? Но тут она снова выпрямляет спину и идет, будто преодолевая встречный ветер, вперед. Честно говоря, мне и самому не по себе: вроде дом как дом, только уж очень огромный и совсем не похожий на те, что вокруг. Рядом же какие стоят? Цветные, старые, маленькие. Уютные. А этот... От него несет холодом — от большущих, будто бельма чудовища, стеклянных окон, от тяжелого гранита понизу и даже от противного желтого цвета штукатурки. Меня передергивает, и я делаю вид, что остановился отдохнуть, а на самом деле — дрейфлю, конечно. А Ксения Лазаревна бесстрашно идет вдоль фасада и с трудом тянет на себя высоченную дверь с медными ручками. Я прохожу мимо, скашиваю взгляд на дощечку справа от входа: «Управление Комитета государственной безопасности по г. Ленинграду и Ленинградской области». Из-за стекла двери на меня зло зыркает человек в форме, и я — стыдно сказать! — отворачиваюсь и припускаю вперед. А как только домина оказывается у меня за спиной — вот же чудеса! — мне сразу становится вроде как проще дышать — и я даже говорю себе: глупости! Холодом несет не от Дома, а с Невы: вот сейчас выйду на нее, прогуляюсь — и домой, греться! Я выхожу на набережную и, услышав знакомый скрежет, бросаюсь к парапету: так и есть! Ура! Ледоход! Ледоход начался! Вот же дурак — забыл фотоаппарат! Ну и что, что погода такая серая! Какие кадры пропадают! Льдины идут огромные, белоснежные — эти с Ладоги наносит. Наш-то, городской лед, посерее будет. Я крепко подвязываю под подмороженным уже подбородком ушанку — все мужчины, спешащие по Литейному мосту, держатся за шляпы, а женщины — за шляпки и платки. Удивительно, думаю я, спускаясь по гранитным ступеням к самой воде, то появляющейся, то пропадающей под наплывом

льда. Такой холод, а все равно чувствуется, что вот-
вот весна — небо будто стало выше, просторнее,
а скоро Нева совсем освободится и из серой станет синей, блестящей на солнце. А потом, щурюсь
я в еще совсем неласковое небо, Первомай: в школе
будет пахнуть горьковатыми почками — мы заранее поставим в тепло ветки тополей, чтобы листоч-
ки распустились к празднику. Девчонки нарядятся
в платья народов мира, а мы с мальчишками будем
кричать «ура» нахимовцам и суворовцам, таким серьезным и нарядным в своих синих и черных фор-
мах, когда они станут строем маршировать по Хал-
турина... А потом сами промаршируем в колоннах
демонстрации трудящихся по Дворцовой и подпе-
вая репродуктору:

Страна моя любимая,
На всей земле одна,
Стоит никем непобедимая
Моя Советская страна!

А потом корюшка пойдет. Я втянул носом воздух:
мне показалось, я уже чувствую ее свежий огуречный
запах. «А потом и лето, — думаю я, улыбаясь во весь
рот, как малахольный. — Лешка дачу обещал снять,
настоящую! Где-нибудь в Каннельярви — мама давно
о дачном домике мечтала: чтобы черника с парным
молоком, и щавелевый суп, и блины с пенками от
варенья. И лесное озеро. Там, на бывших финских
землях, этих озер — просто завались! А в дождь ста-
ну играть с Лешкой в подкидного дурачка или залягу
с томиком какого-нибудь Майн Рида из местной библиотеки — его ж можно читать даже после полуно-
чи, не тревожа мать светом лампы — белые ночи, они
и на даче белые ночи. А потом...»

— Ты о чем со старухой говорил? — вдруг слышу
я голос за спиной. Вздрагиваю от неожиданности

и поворачиваю голову. Ко мне — и надо же было так
случайно столкнуться, успеваю удивиться я! — подходит дядя Толя: но как-то странно — вроде как быстро,
а вместе с тем пружиня, как, бывает, подбирается
к нам, когда идем драться стенка на стенку, лиговская
шпана. И лицо у него странное: тонкий рот червяком
растянут в улыбке, а глаза — ну ничего себе! — совсем другие у него глаза, чем дома, когда, бывало, он
что-нибудь мастерит дочке в углу нашей коммунальной кухни. Не белесые сонные, а напротив — очень
живые. И я вдруг страшно пугаюсь.

— О мороженом... — почему-то вру я.

— А зачем ты за ней шел? — щурится он, склонив
голову на плечо.

«А вы — зачем?» — хочу спросить я, но не решаюсь.

— Совсем она сдала, — говорю я — ровно с инто-
нациями тети Веры. — Боялся, вдруг сердце прихва-
тит.

— Врешь! — делает он шаг вперед, и я сразу вспоминаю все страшные истории, что рассказывают
мальчишки в дровяном сарае. Вот оно, думаю я, замерев и глядя ему в прозрачные жуткие зенки: он
был мертвый, а сейчас проснулся, как в страшилке
про черного человека с кладбища. А в голове всплы-
вают слова Ксении Лазаревны: плохой человек, хуже
шпиона! Так вот оно что! Не отводя от дяди Толи ис-
пуганных глаз, я делаю шаг назад: река у набережной
нанесла целые штабеля похожих на грязный ши-
фер льдин. Стоя почти вертикально, они двигаются
по волнам вверх-вниз, содрогаясь от столкновения
с плывущими мимо льдинами. Галоша моя соскальзывает вниз, я взмахиваю руками, с трудом удержав
равновесие.

— Ты куда? — дядя Толя начинает спускаться по
гранитным ступеням вниз — все ближе и ближе, а я
замираю, как соляной столб, и только гляжу, как он

вот уже — на предпоследней ступеньке. И тут понимаю — нельзя! Нельзя, чтобы он до меня дотронулся — это как в салках: раз! И проиграл! Я оглядываюсь назад и, резко повернувшись, прыгаю на большую тяжелую льдину в полуметре от берега. Она качается подо мной, я скольжу вперед, пытаясь устоять. И у меня получается! Едва выровняв дыхание, я смотрю на другой берег — до него так далеко — как до луны. Но тут, на этом, стоит страшный человек Ксении Лазаревны: он снимает картуз и вытирает платком лысину, потом качает головой: — Не дури, Колька, давай руку!

Я сглатываю: оттого, что он назвал меня так по-домашнему, по имени, мне почему-то становится только страшнее. Я снова смотрю вперед — на огромное ледяное поле в трещинах. Трещины становятся то уже, то шире, в проемах темнеет вода. Льдины тыкаются друг в друга, будто соперничают за место на Неве: зло скрежещут, наваливаясь на соседку и сминая ее, скрипят, как несмазанное колесо, встают дыбом. «Надо выбирать те, что побольше, — говорю себе я. — И прыгать с них, с одной на другую, как девчонки в классики, вот и все». Вот и все! Проще сказать, чем сделать — я примеряюсь и — рраз! — оказываюсь на гигантской льдине рядом. Как крепкий корабль, та почти не дрогнула под моим весом. Я улыбаюсь, бросаю довольный взгляд на похожий на лазоревую табакерку особняк Нахимовского училища чуть дальше по правому борту. Тут же торчат трубы все еще закованного в лед крейсера «Аврора»: я отдаю ему пионерский салют. Мне становится весело — черная фигура на набережной уплывает все дальше, я слышу, как кто-то ахает на мосту: «Глядите! Мальчонка, мальчонка на льдине!», но даже не оборачиваюсь. Совсем не обязательно, думаю я, перепрыгивать с одной льдины на другую — возможно, мою, как лодку, просто прибьет к берегу. В сторону Малой Невки мой корабль не поплывет, скорее всего, его отнесет к Петропавловке. Здорово! В мае можно туда с ребятами прийти позагорать — правда, они больше там на теток в купальниках пялятся. А купаться в Неве опасно — течение сильное, того и гляди — унесет. Нет, лучше уж поехать на «взморье» на Ваське — где речка Смоленка разделяется на несколько рукавичков, там вода теплее и дно близко...

Я совсем забываю о дяде Толе и о Ксении Лазаревне в Большом доме, и даже о Томе забываю, хотя о ней думаю почти всегда, особенно когда смотрю на красивое. А сейчас красивое — повсюду вокруг. В ушах победно гудит ветер с Балтики, пахнет водой и весной, над головой кружат удивленные чайки. Внезапно я чувствую толчок, будто чужая льдина наскочила на мой корабль, и оборачиваюсь — дядя Толя стоит у другого конца льдины и улыбается. Между нами метров пять, я испуганно сглатываю — времени изучать соседние «лодки» нет. Я беру короткий разбег и прыгаю на ближайшую льдину, совсем крошку: она опасно кренится, но я снова отталкиваюсь и через секунду оказываюсь на следующей, чуть побольше. Чайки над головой заходятся в визгливом, почти младенческом, крике. Больше не оглядываясь назад, я сигаю с одной льдины на другую, краем глаза отмечая впереди, за Кировским мостом, широкий разлив Невы, блеск Петропавловского шпиля. Сердце гулко стучит в груди, шея под колким шарфом вспотела от испуга. Совсем рядом, даже прыгать особо не надо, оказывается следующая льдина, я делаю широкий шаг и, неловко переместив вес тела, замираю — одна нога здесь, другая — там, с ужасом глядя, как две льдины расходятся подо мной в разные стороны. Я пытаюсь убрать ногу обратно, но край одной из них кренится... Еще миг, я соскальзываю под воду и от неожиданности сразу ее хлебаю — ледяную, с привкусом керосина, но тут же выныриваю, отфыркиваясь, на поверхность. Держась руками за край льдины, пытаюсь подтянуться, чтобы на нее забраться, но ноги бессмысленно сучат под водой, ощупывая выпуклую изнанку, валенки и мальчиковое, перепавшее от Лешки пальто на ватине вдруг становятся ужасно тяжелыми, тянут на дно. Пальцы скользят по льдине — уйдя под воду под моим весом, она стала гладкой, словно полированной. И тут я вижу руку. Его руку. Прямо перед собой. Он смотрит на меня все с той же улыбкой и ничего не говорит. Только улыбается.

— Мальчишка тонет! Милиция, милиция! — глухо слышу я сквозь пробку из стылой воды в ушах. Это кричат люди на мосту. А потом внезапно становится темно — будто наступило солнечное затмение. Но нет — мы просто заплыли под темную громаду Кировского моста, успеваю понять я. Теперь нас никто не видит. Я поднимаю глаза на перекошенное улыбкой лицо дяди Толи: пожалуйста, пожалуйста, пожалуйста...

Его протянутая рука сжимается в кулак.

МАША

Бежать можно было только вверх по ступенькам. Глупо загонять себя в крысиный угол — но потребность укрыться оказалась сильнее логики. Не давая себе времени отдышаться, они поднимались все выше. И так добежали до узкой лестницы, идущей от площадки последнего, пятого, этажа — на чердак. Дверь на чердак оказалась закрыта на огромный амбарный замок, по центру приклеена какая-то бумажка.

— Подожди меня здесь, — оставив согнувшуюся от боли Ксюшу держаться за бок, Маша, тяжело дыша, поднялась по чуть пружинящим под ее шагами металлическим ступеням и прочла: «Руферам! Ключ — в 12 квартире. Один заход на крышу — 100 руб.».

Маша сбежала вниз и огляделась — 12-я квартира, оснащенная схожей с чердачной стальной дверью, располагалась как раз на пятом этаже. Подмигнув еще ничего не понимающей Ксюше, нажала кнопку звонка. Открывшему дядьке было лет пятьдесят. Над ремнем, придерживающим линялые джинсы, нависло неопрятное пузо.

— Здрасте, — на них с Ксюшей пахнуло колбасой. — И не лень вам зимой шататься, бешеные? Холодно же!

— Хотим увидеть любимый город во все времена года, — бодро отрапортовала Маша, вынимая из кошелька двести рублей. — А не подскажете, где потом можно будет спуститься?

Мужик спрятал деньги в джинсы:

— Тут, в двух крышах, — он махнул рукой. — Наверху — налево. Там гостиница, слезете и — прямо в коридор — они на чердаке мансарды оборудовали, а гостей пускают на крыши фоткаться.

— Отлично, — кивнула ему светски Маша. — Вы не закроете за нами замок?

Дверь лязгнула у них за спиной. Маша подмигнула Ксюше:

— Нам, похоже, повезло.

Ксюша неуверенно улыбнулась, оглядывая пустой пыльный чердак, обломки старых кирпичей под ногами и ржавые железные стропила. Недовольно зашебуршали в дальнем темном углу тутошние постоянные обитатели — голуби. Любители неформально полазать по крышам приставили к слуховому окну доску, дальше — пара деревянных ступеней, и вот они уже вылезли на крышу. Покрытый красной краской скат оказался весьма крутым. К тому же, подумала Маша, непрекращающийся дождь и заморозки превратили жестяную поверхность в почти вертикальный каток.

Ксюша стояла, завороженно глядя вниз, в глубину двора-колодца, где кажущаяся такой маленькой сверху старуха все кормила своих птиц.

— Я боюсь, — ветер мгновенно сдул с Ксюшиной головы платок, черные густые волосы облепили бледное от страха лицо. — Маша, мы слетим отсюда в два счета.

— Глупости, — Маша показала рукой в перчатке на железное ограждение по периметру крыши, высотой максимум по колено. — Смотри, даже если скатимся...

Ксюша посмотрела на нее в ужасе, да Маша и сама уже поняла: перелететь через оградку ничего не стоило. К тому же сама хлипкость конструкции особенного доверия не внушала: здесь, в Северной столице, коррозия делала свою работу быстрее, чем коммунальные службы. Всего-то и разницы — полететь в «колодец» одному или вместе с оторванной оградкой.

— Жди меня здесь, — кивнула ей Маша и, держась за чуть покореженные ребра склепанных листов железа, поползла на четвереньках вбок, переставляя аккуратно по очереди руки и ноги. И вскоре с удивлением обнаружила, что красное покрытие, словно ржавчина, предотвращало скольжение. Да и сама крыша пусть и гремела, но явно была не так давно отреставрирована. Маша повернула голову туда, где у выхода с чердака стояла, зябко обхватив себя руками, виолончелистка. «Бедняга, — подумала, виновато вздохнув, Маша. — Вот куда нас уводит женское любопытство. Ни тебе Страда, ни сольного концерта в филармонии. Тут не только руки, тут голову можно сломать». А вслух сказала, почти крикнула, перекрывая гудящий в ушах ветер: — Ксюша, надо идти. У нас впереди всего-то две крыши. За десять минут доберемся.

Вместо ответа та лишь по-детски помотала головой: нет!

— Ксюша, — вздохнула Маша. — Они никуда не ушли. Они караулят нас внизу. И стоит той старухе закончить кормить голубей...

Ксюша неловко опустилась на живот — лицо у нее было крайне несчастное, но решительное. Медленно, похожие на двух крабов, они двинулись вперед. Обползая вентиляционную трубу, Маша почувствовала запах бефстроганов с чьей-то кухни и развеселилась: хорошо, что Любочка заставила ее, как обычно, плотно позавтракать, а то от таких ароматов недолго и ослабеть, выпустив из исцарапанных рук и так ненадежный скат. Еще, несмотря на совсем не туристические обстоятельства, ей ужасно хотелось оглядеть город, но вместо захватывающего вида с высоты птичьего полета она видела перед собой лишь птичий же помет и крошащиеся останки голубиных яиц.

Они перебрались уже на следующую крышу — спасибо плотной питерской застройке, — когда увидели их: двух мужчин, выбирающихся из чердачного лаза. Ксюша охнула и стала с такой быстротой перебирать руками, будто заиграла некое Allegro Passionato. Еще чуть-чуть — и вот уже впереди плоская крыша с табличкой «Хостел Питерец». «Тебя-то нам и надо, дружок!» — Маша кивнула на табличку Ксении, но та от ужаса была мало способна соображать.

«Ааааа!» — раздался крик сзади, и, оглянувшись, Маша с замиранием сердца увидела, как один из преследователей, поскользнувшись, покатился по красному скату вниз, в последнюю секунду затормозив ступнями об оградку. Минутой позже второй громила, матерясь и нещадно гремя жестью, сел на пятую точку и начал осторожно сползать к коллеге. Маша кивнула: это их шанс, и, уже не обращая внимания на преследователей, они перелезли на плоскую крышу «Питерца» и побежали к мансардному окну с выходом в коридор хостела.

* * *

Быстро отчитавшись Любочке: с ней все хорошо, она неподалеку, вернется завтра-послезавтра, Маша положила телефонную трубку на рычаг и вздохнула. Это был чертовски длинный день. Раскалывалась голова, ныли ноги и руки. Можно было бы дойти до ресепшен и попросить таблетку аспирина, но сил не было даже на это. Они лежали, каждая под своим одеялом, на супружеской кровати — решив, по некотором размышлении, не снимать два номера. Выбор гостиницы тоже оказался не самым простым — на острове отелей было так мало, что вычислить двух девушек не представляло никакого труда. А то, что им необходимо вернуться на Котлин, казалось Маше слишком очевидным. Таким очевидным, что должно было прийти в голову и их преследователям. Поэтому за сегодняшний день они успели уже дважды пересечь Дамбу. И завтра им предстоит сделать это снова, потому что в архиве г. Кронштадта она отыскала копию трудовой книжки Аллочки Аршининой, впрочем, уже не Аллочки — Аллы Анатольевны. Тут же фигурировало последнее место работы — Верхний Александровский маяк.

— Где это? — Маша разложила поверх одеяла карту Кронштадта. Карта и подробный гид по маякам — вот что она поручила купить Ксюше в сувенирных лавках, пока сама корпела над архивными записями.

— Тут, — ткнула Ксюша в точку в подбрюшье острова. — Форт Ушаков. Старейшее, между прочим, сооружение. Ровесник Питера, Петром же и построен. Всего здесь восемнадцать фортов, вытянутых цепочкой через Невскую губу и призванных защищать нас от шведов.

— Ну, — Маша задумчиво листала страницы туристического справочника, — шведы нам уже давно не грозят.

— Шведы — нет, но с немцами в Великую Отечественную они тоже неплохо справлялись, — защитила честь Петровых фортов Ксюша. — Но все равно, конечно, многие перепрофилировались. Один, к примеру, уже в XIX веке стал противочумной лабораторией. Туда никого не пускали, да и не выпускали особо. А между островом и городом циркулировало только одно суденышко по прозвищу «Микроб».

— Мрачноватое местечко, — прокомментировала Маша фотографии черного от копоти форта.

— Это да. Мрачноватое, — кивнула Ксюша. — Но стильное. Там, кстати, одно время даже рейв-вечеринки устраивали. Говорят, было весело.

Маша с иронией взглянула на Ксюшу: рейв-вечеринки? Интересно, кто же из ее преданных классической музыке друзей мог поделиться с ней впечатлениями?

— А на месте Александровского форта хотели позже устроить тюрьму, но постеснялись.

— С чего бы? — хмыкнула Маша, радуясь, что не промочила за день шерстяные носки и теперь согревала ими ноги под одеялом.

— Ну как? Неудобно все-таки. Гости подплывают к столице Российской империи, и что они видят в первую очередь?

Маша усмехнулась:

— Да, не самая лучшая символика. Так что там с Ушаковскими маяками?

— Их два. Нижний и Верхний. Верхний — до недавнего времени действовал. Нижний — уже много лет ржавеет и разрушается. Вообще, судя по всему, все эти форты — а они, между прочим, памятники архитектуры XVIII века, сейчас никому не нужны и потихоньку ветшают. Теперь туда ездят исключительно за угрюмой романтикой, и то самые стойкие из туристов.

— На лодках?

— Чаще всего. Хотя зимой, бывает, и на лыжах. Это уж если совсем вдикую.

— Был бы уже лед... — Маша еще раз взглянула на темную вереницу фортов на голубом фоне залива. — Да, лыжи бы многое упростили.

Она отложила карту в сторону, вытянулась под одеялом: надо будет попытаться найти частника с лодкой. Сладко зевнула: после полного опасными приключениями дня спать хотелось зверски. И, прежде чем провалиться в счастливое забытье, услышала Ксюшино сонное рядом:

— Я не умею на лыжах. Как в школе норматив не сдала, так на них и не вставала...»

ЛЕРКА. 1960 г.

> Старый барабанщик,
> Старый барабанщик,
> Старый барабанщик
> Крепко спал.
> Он проснулся,
> Перевернулся,
> Встал и снова заиграл.
>
> *Барабанная речевка*

Ветер шумит, бьет кулаком в окно. Лерка вздрагивает, как девчонка, — еще чуть-чуть, кажется ему, и ветер разобьет стекло, посыплются прямо на кровать огромные острые осколки. И ранят Лерку. Может, смертельно. Тогда папа и мама помирятся над его окровавленным телом, а его с почестями похоронят. Сводный отряд барабанщиков пойдет по городу, а за ними покатится в гробу сам Лерка, прикрытый красным бархатным знаменем с золотыми кистями, что висит в пионерской комнате. Отряд барабанщиков, мечтает Лерка, свернувшись калачиком и крепко жмурясь, будет очень красивым: белые перчатки, алые барабаны — горят на солнце металлические ободки, деревянные палочки выбивают дробь. Эта дробь, в которой он стал тренироваться и дома, и в школе, будто заслоняет страх, поселившийся у него в голове. Марши, строевые приемы, речевки. Вот и сейчас — он уже почти готов встать и пойти в туалет, но одна мысль о темном коридоре, как горло смыкается в ужасе: нет и нет! Лучше описаться прямо тут, и пусть мама вывесит простыни над плитой на кухне, и все в квартире поймут, что он сикало, последний трус, ему все равно! Все стало другим. Сначала погиб в ледоход глупый Колька, и Лерка по нему так скучал! Даже сам от себя не ожидал. Колькина мамка почернела лицом и почти перестала выходить из комнаты, а его мама с тетей Лали по очереди готовили для нее обеды, оставляли под дверью. Леркина мама тоже изменилась — и это было даже страшнее Колькиной внезапной смерти. Лерка даже не понимал, в чем тут дело, — будто вдруг потухла, как пионерский костер после отбоя. Не учит, как раньше, задорно поблескивая железным зубом, соседок рецепту «тряси задом».

— Так, девочки, сначала морковку с лучком хорошенько нашинкуйте, туда же разбавьте соус томатный. И рыбку обжарьте, да так и укладывайте в кастрюлю: слой овощей, слой рыбки. И овощей не жалейте — с них самый сок и маринад.

— А почему «тряси... задом»? — чуть смущенно спрашивает серьезная тетя Ира.

— Так ну как же? — вновь сверкает мамка железным зубом. — Мешать-то енто дело никак. А ну как подгорит? Значит, что?

Все хозяйки смотрят на мать, как на фокусника. Даже тетя Лали. И мама хватает кастрюлю и хорошенько встряхивает ее содержимое.

— Видали? — хохочет она. — Трясу!

Картинка так явственно встает у Лерки перед глазами, что он чувствует, как щиплет в носу: сейчас разнюнится. Мама больше не готовит «тряси задом». И не смеется. Папа смотрит на нее, как на моль, вылетевшую из шкафа, и приказывает: делай то или это. И мама, которая раньше бы и половником замахнулась, и прикрикнула, теперь молчит. И Лерка чувствует, что это все он, он виноват. Он рассказал папке про то, что мама — немецкий шпион! И невозможная мысль приходит ему в голову: ну и что, что шпион, да хоть бы и сто раз шпион! Это же мама, его мама... — Лерка чувствует, как горячие слезы стекают по щеке прямо в ухо и щекочут, только Лерке ни капли не смешно. Лерке вообще кажется, будто они с Ленкой стали невидимыми, а Алеша с Томой — наоборот, словно разом повзрослели. Алеша серьезный, собранный, моет полы и в свою очередь, и почему-то за тетю Зину. Ходит сам в магазины, вынес из дома — не предложил ни ему, ни Ленке — Колькины игрушки. Где они теперь, эти игрушки? Какой мальчик в них играет? Вчера Лерка проходил мимо их комнаты и видел сквозь щелку, как тот уговаривает мать покушать: сам ее кормит, как маленькую. А та, как маленькая же, мотает головой. Еще интереснее — с Томой. Пару дней назад они с тетей Верой услышали звонкий хлопок и одновременно выбежали из своих комнат в коридор.

А в коридоре стоит деревенский Мишка и держится за алеющую щеку. Напротив него — Тома, и у нее не одна — две щеки горят. Глаза блестят, широкие брови сдвинуты в одну линию.

— Больше — никогда, — говорит она Мишке странные слова. И уходит, хлопнув дверью своей комнаты.

Лерка, как болванчик, вертит головой: с Мишки на тетю Веру. Оба молчат. Тетя Вера — бледная, губы сжаты. Не хотел бы Лерка в такую минуту быть ее учеником! Вот и Мишка — смотрит в пол. Вдруг тетя Вера срывается с места обратно в комнату и выходит оттуда через минуту, неся на руках шубу из блестящего черного меха. Даже в тусклом свете коридорной лампы мех переливается, как живой. Лерка делает шаг вперед, тянется ладонью, чтобы погладить волшебного зверя. Но его никто не замечает.

— Вот, — говорит она, бросая шубу Мишке на руки. — Иди. Продавай. Не продешеви. Только чтобы и ноги твоей больше в нашем доме не было!

И Мишка и правда — пропал.

— Не прижился в городе, — ни на кого не глядя, ответил, надевая в прихожей ботинки, доктор. — Вернулся к себе.

Папка ничего не сказал, только качнулся пару раз с пятки на носок и просвистел футбольный марш.

Лерка вздыхает, приоткрывает один глаз. На кровать из окна льется серый свет. Утро. Лерку отпускает: со светом ему не так страшно. Можно думать о любых страшилках — даже о том скелете, которого им с мальчишками пришлось показать участковому после того, как девчонки увидели со двора череп в подвальном окне. То-то визгу было! Только вот шутки не вышло, потому что череп был не медицинский, а-та-но-ми-чес-кий, — а настоящий. Полдвора тогда оцепила милиция, и машина приехала с красным крестом — хотя череп-то уже давно мертвый. Пацаны залезли на дровяной сарай, чтобы оттуда хорошенько разглядеть, как будут скелет выносить. А толстого Лерку, как всегда, не пустили, и он все прошляпил. Хотя нет, не все. Он увидел, как билась, рвалась посмотреть на скелет — и зачем ей это понадобилось? — тогда еще живая старушка Ксения Лазаревна. И обмякла на руках милиционеров, только когда те ей раз десять повторили: «Да пацан, пацан это!» Тогда Ксения Лазаревна успокоилась и пошла сквозь толпу к дому. И уже у парадной столкнулась с дядей Толей. Дядя Толя — пиджак наброшен на майку, тюбетейка на голове — курил. Но рука с сигаретой так и ходила ходуном, и губы дрожали на не бледном, а просто-таки синем от ужаса лице. Большой уже, взрослый, подумал тогда Лерка чуть свысока, а скелета испужался!

— Не волнуйтесь, — сказала ему старушка: видно, тоже заметила, как тот трусит. — Это мальчик.

И пошла себе дальше. А дядя Толя повернулся было за ней следом, но увидел Лерку и вместо этого потрепал его по голове. Ладонь у него была ледяной.

Лерка поежился от этого воспоминания и, взглянув на будильник на табуретке, решил все-таки встать. Стянул со стола, где, прикрытые блюдцем, лежали остатки вчерашней колбасы, один кругляш, надел рубаху и брюки... Как вдруг в дверь позвонили. Два раза — значит, к ним. Лерка посмотрел на всех троих, «своих», спящих вместе на широкой тахте под ковром с оленями — чуть посвистывая во сне тоненьким носиком, лежала «у стеночки», под отцовским широким боком, Леночка. Рядом выводил глубокие рулады распахнутый рот отца, усы воинственно топорщились в потолок. Мать спала, отодвинувшись от папки на самый краешек, по-детски положив ладонь под щеку. На лице застыло такое жалостливое выражение, что Валерка не выдержал, погладил ее по щеке кончиками пальцев. В дверь опять позвонили, и он выбежал в коридор, открыл, встав на цыпочки, замок. На пороге стоял высокий человек в форме. Лицо у него было строгое, жесткий подбородок чисто выбрит. Это не гость, сразу понял Валерка. И не родственник. Сердце, подпрыгнув, ушло в пятки. Это за мамкой пришли! От папки узнали, что она — шпионка! И сейчас поведут пытать! Валерка попытался было захлопнуть дверь — дать матери хоть чуть-чуть форы, чтобы она смогла сбежать! Связаться со своими!

Но человек успел быстро всунуть ногу в блестящем сапоге в проем двери.

— Вот что, пацан. Проводи-ка ты меня к соседу твоему. Анатолию Сергеевичу Аршинину.

КСЕНИЯ

Ксения проснулась оттого, что услышала снаружи шаги. На часах в углу телевизора высвечивались цифры: 5.15. Рановато и совсем еще темно. Некоторое время она прислушивалась к ним — быстрым шагам совсем не сонного человека. А потом молча растолкала завернутую, как куколка насекомого, в тонкое гостиничное одеяло Машу.

— Андрей... — завозилась, перевернувшись на другой бок, Маша.

— Извини, — прошептала ей прямо в прикрытое русой прядью ухо Ксения. — Это не он.

— Что? — Маша рывком села на кровати, уставившись на нее почти безумным взглядом.

— Кто-то ходит там, снаружи, — виновато сморщилась Ксюша. — Может, конечно, глупости...

Но Маша выпростала уже ноги из-под одеяла: спала она в носках и футболке с длинным рукавом. Сделала пару шагов к окну и, не отодвигая плотной занавески, выглянула наружу.

— Есть там кто? — выглянула у нее из-за плеча Ксюша.

Маша хмурилась в темноту, потом качнула головой, одной рукой нащупала сложенные рядом на тумбочке джинсы.

— Одевайся, — прошептала она.

Наклонилась, чтобы надеть ботинки.

И Ксения увидела их. Выпавший за ночь снег еще не успел привычно стаять — прямо под окнами шла цепочка темных следов. Ксения испуганно сглотнула и бросилась к стулу, где развесила свой немудреный наряд.

А через минуту уже оказалась за Машиной спиной — та стояла, прижав ухо к хлипкой двери.

— Пошли, — Маша беззвучно опустила ручку, и они вышли в коридор, освещенный только одиноким «ночным» бра слабого накала. Одноэтажная гостиница была выстроена буквой П, в стилистике придорожных американских отелей, а их комната находилась как раз в самой короткой, перпендикулярной части. Маша на секунду замерла, решая, куда — налево или направо — им стоит повернуть, и, наконец, взяв Ксюшу за взмокшую от ужаса ладонь, двинулась влево.

Как только это у нее получается? — думала Ксюша, пытаясь отвлечься от бешено стучащего в висках сердца. Быть такой спокойной? Или это только видимость? Или опыт, которого Ксюша никак не могла приобрести за исполнением баховских фуг в родной Консе?

И тут Маша больно сжала ей руку, а Ксюша резко остановилась, прислушиваясь.

— Да. Две девки, — раздался сонный голос с ресепшен. — Расплатились за одну ночь. Номер...

Но Маша уже бежала в обратном направлении, не заботясь о тишине. Они было миновали дверь своей

комнаты, и Маша снова встала как вкопанная. Ксюша
с удивлением проследила за ее взглядом: огнетушитель. Красный огнетушитель на белой стене.

— Встань за моей спиной, — скомандовала Маша.
Потянувшись, сняла баллон с кронштейна. Ксюша
сделала шаг назад, а Маша встряхнула, перевернув,
баллон, сорвала желтую пластмассовую пломбу и вы-
дернула чеку.

— Вдохни, пока можешь, — приказала она. — Я не
очень умею пользоваться этой штукой.

«А с виду и не скажешь», — хотела было возразить
Ксюша, но не успела: Маша нажала на рычаг и напра-
вила шланг вперед, в темноту коридора. Ксюша едва
успела набрать в легкие воздух — из шланга с шипе-
нием хлынул белый дым.

А Маша толкнула дверь их комнаты.

— Что за чертовщина?! — раздался голос из номера дальше по коридору.

— Безобразие! Спать не дают!

— Пожар!

— Обратно? Зачем обра... — попыталась было поинтересоваться Ксюша, но Маша, захлопнув за ними
дверь, уже бросилась к окну.

— Я не прыгну, — сглотнула Ксюша, неверяще глядя на Машу, рвущую на себя заевший шпингалет.

— Еще как прыгнешь! — процедила Маша сквозь
зубы. — Их тут как минимум двое. По одному на каждый выход.

Рама наконец поддалась, в комнату хлынул морозный воздух. Где-то совсем рядом на дереве зачирика-
ла утренняя птица, прошелестела на недалеком шоссе шинами машина.

Маша забралась на подоконник, села на корточки
и соскользнула вниз, мягко спружинив о молодой
снег. Подняла к Ксюше бледное в темноте лицо:

— Не теряй времени!

Ксюша чуть не плакала: а если она поскользнется и упадет — что с ней, прямо скажем, в последнее время нередко случается? Ведь рука, ее рабочий инструмент, только начала заживать, и что же теперь — опять рисковать?

— Все нормально, граждане, никакого пожара, расходимся по своим комнатам, — услышала она за дверью в коридоре. А в следующую секунду в замке повернулся ключ. «Администратор гостиницы сдал нас с потрохами», — вот что успела подумать Ксюша, и, тщетно пытаясь скопировать Машин мягкий прыжок, полетела в сторону пахнущего свежестью снега.

МАША

Ингигерда — шведская принцесса, вышедшая замуж за Ярослава Мудрого, получила в приданое земли, которые мы привыкли считать Ленобластью. Говорили, что Ингигерда была умнее великого князя, своего супруга, и это — несмотря на данное тому прозвище. Принцесса возглавляла войска, мирила древнерусских князей и, наезжая с визитом в Новгородскую республику, поддерживала тайную любовную связь с изгнанным норвежским королем Олафом. Говорят также, что в честь ее и были названы эти земли Ингрией, или Ингерманландией. Так звал их и Петр, возведший здесь форты и огненные батареи, чтобы защищать свой новорожденный город с моря. Петербурхъ — именинник. Младенчик-уродец, искусственное существо с большой головой и нежизнеспособным тельцем. Кажется, вот-вот и сам он погрузится в трясину малярийных болот, а наутро рассеется морок, развеется туман — и нет его, Петра творения. Нет и не было. Останутся лишь хлипкие березовые стволы да чавкающая, пускающая пузыри торфяная топь. Никакого Питера. Одна сплошная Ингерманландия.

Сквозь запотевшее автобусное стекло Маша видела ставшую за последние дни привычной серую гладь залива, на которую хлопьями сыпал снег. Почти неразличимы сквозь эту густую снежную канитель островки бывших оборонных фортов. Хотелось спать — не спасала даже принятая на грудь огромная чашка кофе в придорожном кафе-заправке, куда они, окоченевшие, добрались по идущему вдоль шоссе перелеску. Время оказалось уже совсем приемлемым для завтрака — часов семь. В кафе толпились завсегдатаи: водители фур, они же — любители обжигающей яичницы. Один из них и подбросил девушек до автобусной остановки...

В автобусе Ксюша — очевидно, от пережитого испуга — разговорилась с интеллигентно выглядящей дамой лет шестидесяти в пальто с лисьим воротником и двумя набитыми снедью полиэтиленовыми пакетами, предусмотрительно зажатыми на полу между ног.

— Это вам с Купеческой гавани надо, с южной части острова. Там такая красота — маяк белый, деревянный, сами увидите. Все рядом с ним фотографируются. Потом еще — бывшие Рыбные ряды. Ну и Голландская кухня — где готовили для морячков. На деревянных-то кораблях разводить огонь не разрешалось.

— А почему кухня — голландская? — проявила вежливый интерес Ксюша.

— Так русские-то по трактирам кашеварили. А голландцам наша стряпня на постном масле поперек горла стояла. Вот и питались отдельно.

Ксюша вежливо кивала. Маша же отвернулась к окну — думать о том, что вскоре вновь придется выйти не просто под снег, а сесть в катер и плыть по этим стальным стылым волнам в сторону последнего места работы Аршининой, не хотелось.

Но все оказалось еще хуже — на продуваемом пирсе не нашлось ни одного зазывалы, предлагающего туристам совершить экскурсию по романтически разваливающимся фортам Кронштадта. Что, собственно, и не удивительно: и не сезон, и непогода. Почти потеряв надежду, Маша подошла к неопрятному старику в ветровке, смолящему сигарету на скамейке в Петровском парке: не знает ли он кого-нибудь, готового свозить их в Ушаковский форт?

— Чего там глядеть-то? — сплюнул мужик в сторону.

Маша проследила, куда упал желтоватый плевок, и вновь повернулась к собеседнику: маяк. Им интересен маяк.

Старик смерил ее чуть презрительным взглядом: туристьё неугомонное! Сурово кивнул:

— Ладно, довезу.

Моторная лодка оказалась явным самоделом — хлипкая, фанерная, от заведенного мотора ее колотило крупной дрожью. Испуганная плавсредством Ксюша спрыгнула бы обратно на берег — но было поздно: покрытая серой творожистой массой — смесью снега и льда — вода к прыжкам не располагала. Старик, глядя в расширенные от ужаса глаза виолончелистки, отдал им пахнущее папиросами старое одеяло — прикрыться. Жестом показал: «С головой, с головой!» И, отвернувшись, уже не отрывал глаз от вздымающегося над водой лодочного носа. Маша прижалась боком к Ксюше. Разговаривать было невозможно — рев мотора и ветра с Балтики гудел в ушах одной монотонной нотой. Вскоре поверх шерстяного одеяла небо накидало им еще одно, снежное. Они постепенно согрелись, впав в подобие забытья или транса: перед глазами продолжал косо лететь снег, а за этим рваным ритмом встала серая стена — это залив слился с небом.

Вдыхая запах мокрой шерсти, Маша же все думала о том, что такое — работа при маяке. Одиночество. Однообразие и труда, и пейзажа за окном. Дни проходят, как перебор четок, как смена волн, бьющихся о берег. Перед смотрителем небо да море. Между ними точка — человеческая душа: один на один с Богом. Почти монашеская жизнь. Да нет, больше того — отшельническая. Какие качества необходимы тому, кто сознательно выбрал эту профессию? Замкнутость, угрюмость? Меланхолия? Но ведь, судя по рассказам той же Тамары Зазовны, маленькая Аллочка вовсе не была задумчивой букой, а напротив — живым, балованным ребенком. Будущей красивой и кокетливой девушкой. Что же это за тайна, спрашивала себя Маша, ради которой стоит обречь себя на такое существование? И вдруг, слушая рев мотора и ветра, дрожа всем телом в такт лодке, Маша впервые за все это время по-настоящему испугалась. Сердце сжалось, когда сквозь взвесь соленых брызг и хлопьев снега перед ней встали сложенные из грубых валунов серые стены. Форт Ушаков.

КСЕНИЯ

Не удивительно, что она выпивала! — думала Ксения, оглядываясь по сторонам. Она, Ксюша, тоже бы начала. Что за забытое Богом и людьми место! Полуразвалившиеся казематы бывших казарм, какие-то ржавые бочки валяются на берегу уже явно не первый десяток лет. Сам форт круглый, как ватрушка, мощная каменная кладка местами черна от сажи. Сверху на крышу нанесло с полметра земли: там перебирает на ветру стеблями высохшая трава, гнутся тонкие голые березки. Битый кирпич валяется под ногами. Войдя под арку ворот, они увидели внутреннюю гавань. Сформированная с помощью бастионов и куртин, сверху гавань с фортом напоминала гигантского краба. Вода тут уже изрядно подмерзла: усмиренная тяжелыми стенами форта волна не разбивала едва успевший схватиться первый лед.

У южной оконечности стоял первый створный маяк — где и служила Алла Анатольевна. А у западной располагался второй — уже лет сто не используемый по назначению. Ежась и с нежностью вспоминая об оставленном в лодке старом одеяле, Ксюша пыталась вспомнить, что успела прочесть об Александровских маяках. Что-то про защиту глубоководного фарватера от Котлина до Петербурга. Очевидно, как только гавань в Ушакове перестала использоваться, отпала и необходимость во втором маяке, указывавшем курс для входа в порт. Остался только так называемый Верхний маяк. Ксения залюбовалась красно-белой башней, еще более яркой на фоне безнадежно-серого неба. Красавец-маяк! Возможно, дело в пропорциях, к которым в начале XX века еще относились с почтением, даже когда строили нечто индустриальное? А может, в нашу эпоху спутниковых систем навигаций одинокая башня на берегу, что, противясь морской стихии, льет в ночи спасительный свет, — это еще и очень романтично?

— Пошли, — вырвала ее из размышлений Маша. — Дни короткие, скоро опустятся сумерки, и мы ничего не увидим.

Сумерки! Ксения вздрогнула: быть застигнутыми здесь ночью? Одна мысль об этом внушала такой ужас, что она почти бегом припустила вслед за Машей в сторону красной башни.

Тяжелая железная дверь держалась всего на одной петле, тоскливо поскрипывала на ветру. Да и краска, так празднично выглядящая издалека, вблизи оказалась облезлой, свисающей неопрятными клочьями. Кладовка в цокольном этаже была девственно пуста — то ли туристы разворовали все на сувениры, то ли кто-то хозяйственный вывез оставшийся инвентарь. Пахло влажной пылью и мазутом. От цоколя наверх, в маячную комнату, шла ажурная винтовая лестница. Обвиваясь вокруг ствола башни, она занимала все пространство до каменной стены. На каждом из пролетов были прорублены глубоко утопленные в мощную стену оконца. Нижнее, правда, оказалось забито какими-то досками, зато верхние исправно пронзали башню снопами хилого зимнего света. Ксения, не привыкшая к физическим нагрузкам, быстро замедлила темп — лестница оказалась крутой, да и, бросая взгляд вниз, между чуть дрожащих ступеней, она то и дело ежилась: маяк старый, никто его давно не ремонтирует, стоит одной ступеньке хорошенько проржаветь, и... Но Маша шагала уже где-то над ее головой, неуклонно преодолевая ступень за ступенью, все выше и выше, и Ксюша, вспомнив — сумерки! — и пытаясь отладить сбившееся дыхание, старалась от нее не отставать.

Вахтенная комната традиционно располагалась прямо под фонарем — круглое помещение со сводчатым потолком. Стол, стул. Никаких тебе кроватей или, на худой конец, раскладушки — очевидно, чтобы предотвратить сон на рабочем месте. Над столом, на стене, обшитой потемневшим деревом, висела пара ободранных листков. Маша, склонив голову, уже изучала их содержание.

— Похоже на карту района и таблицы с указанием времени восхода и захода солнца, — кивнула она, опершись на облупившуюся столешницу. Ксения отодвинула стул — безликий, канцелярский предмет почти монашеской обстановки — и с облегчением на него опустилась. Вытянула гудящие ноги — боже, а им еще спускаться! Маша продолжала внимательно осматриваться. Как по Ксюше, ничего в этой комнате не было, а если что и было, то уже захвачено в качестве сувениров теми же туристами. Кроме того...

— Даже если и имелась у нее какая-то тайна, почему ты думаешь, что тайник здесь, а не в том домике в деревне, где она жила последние годы?

— Потому, — Маша села на корточки и стала осматривать пыльный пол в потертом линолеуме, — что это место для нее — убежище. Оно само по себе — тайник, в который Аллочка себя добровольно заточила. Одинокое строение на островке с разрушающимся фортом. Никаких деревенских соседей, любопытных подружек-алкоголичек...

Маша сантиметр за сантиметром скрупулезно ощупывала линолеум — ничего. Потом подошла к стене и стала обстукивать деревянные панели, двигаясь от двери к столу, за которым, внимательно на нее глядя, сидела Ксюша. Тук-тук. Тук-тук. Тук-тук. Они переглянулись. Звук был совсем другим. Ксюша вскочила и вместе с Машей отодвинула стол от стены.

— Тут, — Маша почти ласково провела рукой по дощечке. Беспомощно огляделась — чем бы подцепить? Ксюша дернулась, открыла сумку и, покопавшись во внутреннем кармане, вытащила пилку для ногтей.

— Никакого кокетства. Профессиональная деформация, — улыбнулась она в ответ на вопросительный Машин взгляд. — Виолончель требует коротко подстриженных ногтей.

Маша кивнула, аккуратно провела пилкой по краю доски, нащупала щель и поддела. Дощечка с легким стуком упала на пол. Ксюша сглотнула, глядя в приоткрывшуюся нишу: два кирпича старой кладки были аккуратно выдолблены. На их месте лежал холщовый мешочек в рыжей кирпичной пыли.

— Открывай, — хрипло сказала она Маше.

МАША

— Иди вперед, — Маша разочарованно сунула содержимое мешочка в карман. — Спускайся спокойно, а я здесь еще раз все осмотрю на всякий случай.

Ксюша взглянула на нее с явным сочувствием, но Машу этот жалостливый взгляд только разозлил: да что ж такое! Не может быть, чтобы все усилия, побеги по дворам, крышам и лесам Ленобласти привели вот к такому — бессмысленному — сувениру! Не ожидая, пока Ксюша выйдет за дверь, она снова начала простукивать оставшиеся неохваченными панели, уже от стола — к двери, по часовой стрелке. И так сосредоточилась на звуке, с которым резонировало старое дерево, что не услышала, как спустилась вниз Ксения. Проделав финальный «тук-тук» рядом с дверным проемом, Маша мрачно вздохнула. Ничего. Что ж — последний раз оглядела она круглую комнатку, пора уходить. Скользя рукой в перчатке по неровным от ржавчины перилам, она сбегала по ступенькам вниз, мимолетом кинув взгляд в окошко: сумерки они все-таки упустили. Темнело в пустынном форту, похоже, быстрее, чем в городе. И тут внизу раздались легкие птичьи переливы — заскучавшая без дела и явно испуганная надвигающейся ночью Ксюша насвистывала что-то из оперы. Маша с улыбкой прислушалась: ну конечно, «Сердце красавицы склонно к измене». Несколько банальный выбор для профессионального музыканта, но... Пробегая мимо очередного окошка, Маша увидела и саму виолончелистку. Точнее, Ксюшину макушку, прижатую прямо к красной облупленной стене. Но вот свист, приятнейший, оперный, доносился совсем с другой стороны. Что за?.. Не рассчитав скорости при внезапной своей остановке, Маша чуть не скатилась кубарем с лестницы.

Господи, да когда же она поумнеет?! Их уже ждут внизу — спокойно, особо не прячась. Остров оказался ловушкой, идеальной ловушкой, если быть честной. Никто не поможет, никто не узнает. Бессмысленно звать на помощь — да и как позовешь? Уже которые сутки они с Ксюшей без телефона — на всякий случай, чтобы их нельзя было вычислить... «Ты могла бы купить какую-нибудь дешевую трубку с СИМ-картой», — сказала себе Маша, медленно, ступень за ступенью, отступая подальше от игривого свиста. Могла, но не купила — как-то оказалось не до того. И вот что им теперь делать?! Ксюша успела выйти из маяка явно до прихода «свистуна» и теперь боится подать ей знак — да и как подашь? Маша лихорадочно прикидывала варианты и заметила в свисте паузы, показавшиеся ей поначалу странными. Будто неизвестный делал вдох, а потом выводил очередную трель. Снова вдох... Ну конечно! Он курит. Приканчивает сигаретку, прежде чем начать подниматься по бесконечным ступеням Маше навстречу. Маша вновь выглянула наружу — а что, если она прыгнет? Выпрыгнет из окна — в воду залива? Безумие, но что еще ей остается? Вряд ли эти ребята просто хотят побеседовать о событиях давно минувших дней — труп старухи Пироговой это наглядно продемонстрировал. Здесь глубоко, — успокаивала себя Маша, — не зря же поблизости пролегает фарватер? И если спрыгнуть с самого низкого этажа... Стоп! Первая площадка с забаррикадированным досками окном. Темная дыра,

ниша в широкой стене. Сумерки, ее черный пуховик. Осторожно, стараясь не издать ни единого звука, Маша начала спускаться навстречу свисту. Пять
ступеней, десять, вот и площадка нижнего этажа.
Каким маленьким ей показалось сейчас это окошко:
она, наверное, обезумела, если решила, что сможет
в нем поместиться. Свист внизу прервался.

— Ну что, идем? — раздался мужской голос. — Не
хочу просидеть здесь всю ночь...

Внизу с тошнотворным скрипом открылась дверь.
Маша подтянула ноги, сжавшись в комочек и укрыв
русую голову капюшоном. Лицо оказалось прижа-
тым к коленям, она старалась не дышать. Сумерки —
вот единственное, что могло ее спасти. Время между
волком и собакой — как встарь называли этот час
французы. Все кошки становятся серы, все предметы — расплывчаты. Ты еще доверяешь своему глазу,
но в смутном, как тусклый жемчуг, воздухе все обман-
чиво, как в забытьи, граничащем с кошмаром. Маша
чувствовала, как пот заливает лоб. «Если они решат
воспользоваться фонариком, я пропала». Луч фонаря
легко выхватит деталь. Выступающий носок ботинка
или блеск молнии на пуховике выдадут ее с головой.

Стонали, дрожа под тяжелыми шагами, ржавые
ступени. Сквозь удары собственного сердца Маша
слышала их прерывистое дыхание, потом — запах
табака, лосьона после бритья. Кто-то протарабанил
ножищами по железной площадке рядом, стал подниматься дальше. Но второй...

— Может, зря поднимаемся, нет их тут?! — сказал
хриплый голос прямо Маше в ухо.

— Да где им еще быть-то?! — ответил первый. — Да
и мужик с лодки сказал, они на маяк приехали. Давай
двигай, совсем немного осталось.

— Ха, — загремела, завибрировав под тяжестью
второго, площадка. — Там еще ступеней пятьсот!

Второй тоже начал подниматься наверх. Маша медленно выдохнула, будто толчками выпуская из себя воздух. У нее получилось — они прошли мимо: теперь надо дождаться, пока между ней и преследователями будет хотя бы четыре пролета — так они не смогут ни разглядеть ее внизу, ни расслышать за шумом своих шагов. Она осторожно высвободила ноги, чуть повела плечами и — замерла. Лодочник. Старик, одолживший им одеяло. Ждет ли он еще на пирсе? «Девушки хотели маяк посмотреть». — «Маяк? Отлично, мы их тогда и заберем. Сколько они тебе обещали за проезд? Держи давай. И чеши отсюда на свой Котлин». Маша представила себе этот диалог так явственно, будто он происходил у нее на глазах. Они остались без лодки и без возможности покинуть остров. Сердце оборвалось — их ждала зимняя ночь, заброшенный форт и игры в прятки. Игры, исход которых абсолютно ясен.

ОН. 1960 г.

...за город! В дальние и ближние места! И это, конечно, самый популярный отдых в Ленинграде!

Журнал «Огонек», 1959 г.

Старуха была ни при чем. Зря он переживал. Если бы тогда, в апреле, она рассказала, что знает, в Большом доме, его бы уже давно поймали. И расстреляли. Впрочем, это еще вполне может случиться. После он все думал, прикидывал без конца: а не сел бы он в тот день на троллейбус? Не решил бы пробраться поближе к дверям, а остался в глубине салона? Пронесло бы? Случайной ли на самом деле была эта встреча или еще одно звено той цепи: оплошность с Аллочкой, найденный в подвале труп, визит неизвестного военного к ним на квартиру неделей раньше, когда звонили Пироговым, а видеть хотели — его?

— Передайте прокомпостировать, — попросил его мужчина в шляпе, который вошел на Невском возле Театра комедии. И замер с талончиком в руке.

— Мы знакомы? — спросил он у мужчины, одновременно потревожив тетку в пуховой кофте у себя за спиной:

— Прокомпостируйте, гражданка!

Но мужчина ничего не ответил, а только смотрел, и тогда он стал пялиться на него в ответ. Они уже подъехали к Дому книги, когда он понял, КТО стоит перед ним. Но лейтенантик узнал его первым — впрочем, какой он теперь лейтенантик? Уж давно поди вырос в звании! Несмотря на допущенную ошибку. Да и как не проявить к лейтенанту снисходительности? В чем только душа держалась в ту далекую зиму? У него самого мало что осталось от юношеских щек — постарел, подрастерял в румяной свежести. А этот, после войны-то, гляди-ка, напротив, отъелся.

— Вы выходите? — спросил он.

— Я? — старый знакомец не отводил от него взгляда. — Нет.

Но, конечно, вышел. И шел за ним, не особо скрываясь, по Мойке, потом по Антоненко и Плеханова. Как он ни плутал, пытаясь «потеряться», сбить лейтенантика со следа, удалось ему это только на Пржевальского, в близких к Сенной проходных дворах. Мертвый от усталости, он добрел до дома, с ужасом осознавая, что его преследователь стал сильнее, опытнее. А он, напротив, постарел. Устал бояться. Дома в коридоре столкнулся с нарядной Пироговой.

— А мы сегодня с Алексеем Ермолаичем в БДТ пойдем, — сообщила ему соседка, пока он снимал в прихожей ботинки. Громко и четко, как диктор Ленинградского радио. Он поднял на нее взгляд: высоко взбитые волосы, синий, слишком обтягивающий костюм. Легкий запах алкоголя. Последнее время Пирогова ходила как в воду опущенная. Но тут, очевидно, встряхнулась: то ли билеты так подействовали, то ли выпитая втихаря, для настрою, рюмочка коньяка. Впрочем, ему-то какая разница?

Он равнодушно кивнул:

— Прекрасно.

— На Брехта. Вы, Анатолий Сергеич, знакомы с его творчеством?

Он покачал головой — от ее голоса звенело в ушах, а ему сейчас головная боль ни к чему. Следовало подумать. Завтра суббота, выходной...

— Немецкий... — не унималась соседка.

Скрипнула дверь у Бенидзе — не глядя на Пирогову, из комнаты с полотенцем через плечо выплыла Лали.

— Драматург, — закончила Пирогова в явном удовлетворении, одернула сбившийся на объемном животе слишком короткий жакет. Кивнула соседке в спину, припечатав: — Мы с Алексеем Ермолаичем заранее взяли билеты. Лебедев и Юрский в главных ролях.

«Вот и отлично, — подумал он. — Чем меньше сейчас народу в квартире, тем лучше. Удачно, что Зина уехала с детьми к матери на Псковщину — не придется объясняться. Итак, завтра суббота», — прикрыл он дверь своей комнаты. — По радио обещали теплую погоду, а это значит, что все ленинградцы, от мала до велика, соберут рюкзак с зубной щеткой, теплым одеялом, алюминиевым раскладным стульчиком и удочкой, наденут кеды или резиновые сапоги с дождевиками — это на всякий случай, — прихватят суточную норму бутербродов и устремятся на вокзалы, с боем брать загородные электрички.

Он сможет легко затеряться среди них, взяв самое необходимое.

Он прошел на кухню, где бубнило со стола Пироговых вечное радио: «Сократились некоторые виды тяжелых преступлений, таких как умышленные убийства, разбойные нападения, квалификационные кражи. Если в 1950-м раскрываемость была 83,8%, то уже в 55-м году она составила 92%. В своей работе сотрудники милиции постоянно опираются на широкую общественность, и прежде всего на ее активную часть — членов бригад содействия милиции...» Он сглотнул и не выдержал — выключил радио. У него водились кое-какие деньги: проводник был многим нужным человеком. Уехать в Среднюю Азию или во Владивосток? Потеряться. Купить новые документы. Пусть объявляют в общесоюзный розыск. Страна большая. Нет, покачал он головой, на вокзалах и в аэропорту его будут караулить. Лучше сначала выехать из города и снять себе времяночку где-нибудь на финском направлении.

Да, так он и сделает. А пока — соберет рюкзак. Лишняя пара белья и кальсон. Шерстяные носки и одеяло. Консервы. Сухари и сушки. Сахар — кусковой. Все остальное он купит завтра. Доедет автобусом с Манежной площади до какой-нибудь станции, чтобы не показываться на Финляндском вокзале. А уж оттуда — как получится.

КСЕНИЯ

Ксения стояла почти в полуобмороке — ни отойти от стены, ни бежать прочь, к лодочнику на пристань, она без Маши не могла. А как предупредить ее — не знала. Как вдруг почувствовала руку на своем плече и чуть не вскрикнула: «Маша!»

— Тихо! — широкоскулое лицо светилось в сумраке. А глаза казались темными, как ледяная вода залива рядом.

Ксения кивнула и дернулась в сторону тропинки, ведущей к форту.

— Не туда, — Маша схватила ее за рукав и посмотрела наверх, в сторону комнаты смотрителя. Ксения моргнула — Маша права. На дорожке, идущей по узкому молу, их слишком хорошо видно — даже в сумерках. Но не ждать же, пока их преследователи выйдут из башни? От беспомощности Ксюша чуть не расплакалась.

— Пошли, — Маша начала спускаться вниз, к заливу. Взглянув вперед, Ксения поняла, что та хочет сделать, и ужаснулась: к западу от маяка находился узкий вход во внутреннюю гавань. Перебравшись через него, можно было оказаться на другой «клешне» форта-краба и добраться вдоль бастионов и куртин к основному, круглому зданию, а уж оттуда — к пристани, где их ждет...

— Лодочника там уже нет, — будто услышав ее мысли, Маша обернулась, подойдя к обледеневшей кромке воды, — нам нужно отыскать лодку, на которой приплыли эти двое, и попытаться убраться отсюда раньше, чем они нас обнаружат.

Ксюша молча смотрела на нее, оглушенная новостью: нет лодочника?! Найти и украсть лодку? А потом отплыть в темноту в непонятном направлении?

— Двигайся скользя, — ровным голосом продолжала Маша, ощупывая ногой лед впереди. — Как только услышишь треск, сразу уходи с опасного участка. В самом крайнем случае — ложись на живот и ползи.

— Этому тоже учат в полиции? — запнувшись о мерзлый корень, Ксюша почти кубарем скатилась к воде.

— Нет, — Маша глядела на нее серьезно, без улыбки. — Этому научил меня отец на зимней рыбалке. Пока еще был жив.

— Мне очень жаль, — нахмурилась Ксюша, смутно вспомнив о какой-то давней и очень страшной истории в семье Караваев.

— Время еще есть, — Маша бросила взгляд на маяк. — Сейчас они как раз спускаются. А с дороги нас если и будет видно, то только тогда, когда мы уже окажемся ближе к тому берегу.

— Ясно, — сказала Ксюша, глядя на тот самый, противоположный берег. Чего ж тут неясного? Метров пятьсот. Метров пятьсот, покрытых тонким слоем льда. Безумие.

— Поэтому не торопись. Я пойду первой. Ты — строго за мной.

Ксюша скоро приноровилась к Машиному шагу — та будто скользила на невидимых лыжах. Она внимательно смотрела себе под ноги, обходя сугробы и вмерзшие в лед ветки, чутко ловя ухом легкое потрескивание в ледяных глубинах. Вот они пересекли воображаемую середину, вот уже стали почти различимы в свете умирающего дня прокопченные камни старого бастиона на другой стороне...

— Стой! — вскрикнула Маша, и в ту же секунду Ксюша услышала показавшийся ей оглушительным треск, и — никого впереди.

— Маша! — наплевав на осторожность, заорала она. И тут увидела, как Маша, задыхаясь и отплевываясь, появилась над водой: одна голова в намокшем капюшоне.

«Лечь на живот», — вспомнила Ксюша и поползла к полынье. Маша, одной рукой держась за кромку льда, второй стянула с шеи шарф. Ксюша, не задавая вопросов, сняла и скрутила жгутом свой платок. Маша бросила ей край шарфа, Ксюша поймала.

В этой страшной пустоте, под покрывающимся ранними звездами небом ее холодные пальцы будто забыли о своей всегдашней неловкости. Четко и быстро, словно настраивая знакомый до боли инструмент, она связала вместе мокрые концы двойным узлом. В ушах шумел адреналин с ветром. И треск — еще она слышала треск — прямо под собой. Ей казалось, что сердце бьется медленно, невозможным образом растягивая каждую из могущих стать смертельными, секунд: Маша тянула за шарф, а Ксюша медленно отползала от страшного края со своей тяжелой добычей. Вот показались Машины плечи, вот она видна по пояс, еще несколько сантиметров... Воздуха не хватало, саднило легкие, наконец Маша отпустила шарф, перевернулась, кашляя, на спину, а Ксюша все так же судорожно сжимала в горящих ладонях свой край платка. Маша осторожно встала на четвереньки: с пуховика и брюк стекала вода.

— Эй! — раздался мужской голос с того берега. — Стоять!

— Пошли, — хрипло сказала, подавая ей мокрую ледяную руку, Маша, — вот теперь надо поторопиться.

МАША

Маша сидела на верхней полке сауны и тяжело дышала. Выйти из этой истории, не простудившись, у нее явно не получится. Но она жива. Они обе живы, черт возьми! Им повезло: во-первых, их преследователи пришвартовали свою лодку на боковом, «малом» причале — очевидно, из соображений конспирации. Бежать до него оказалось гораздо ближе, чем до причала центрального. А люди Носова не рискнули повторить их с Ксюшей подвиг во льдах и были вынуждены огибать по берегу весь форт.

346

Во-вторых, конструкция лодки оказалась самой элементарной — отбивая зубами барабанную дробь, Маша сумела завести мотор, а Ксения отыскала пару шерстяных одеял в носовом отсеке. Водоотталкивающий пуховик не успел промокнуть «до основанья», джинсы она выжала и вместо них повязала на талию клетчатые одеяла, мгновенно став похожей на гордого шотландского горца. Для начала, пытаясь не обращать внимания на мечущиеся по берегу матерящиеся фигурки, они отплыли на безопасное расстояние от берега. Мертвая башня бездействующего маяка освещалась нынче мощным небесным фонарем — стояло полнолуние. Ветер расчистил небо и присмирел: волны вяло бились о борт лодки. Сосредоточенно хмурясь, Маша пыталась вспомнить карту с планом местности на стене в комнатке смотрителя. «Рано или поздно, — сказала себе она, — держась прямо по курсу кораблей, выходивших в свое время из гавани, мы наткнемся на Дамбу». Очень просто. И очень страшно отплывать от твердой земли.

Минут пятнадцать она сходила с ума от беспокойства, пытаясь не дать понять и так испуганной Ксюше, насколько не уверена в благополучном разрешении их заплыва. А потом, благодаренье Богу, увидела их. Цепочку высоких, заметных издалека фонарей, что сориентировали их на местности не хуже навигатора. Под обеспокоенным взглядом Ксюши, норовившей снять с себя последнее, чтобы ее хоть как-то согреть, они причалили к пустынной набережной, поймали первую же машину, попросив отвезти в сауну. Оригинальная просьба, но, лишь взглянув на Машу, водитель не стал задавать вопросов, а просто вынул из-под сиденья полиэтиленовый пакет, приказав расстелить под попой — только пятен ему тут не хватало! И включил печку. А еще получасом спустя, хорошенько поплутав по темным островным улицам, они таки нашли ее. Сауну. Даже не сауну — целый банный комплекс: вот вам, девоньки, ежели приспичило. Так они с Ксюшей и провели последние два часа: переходя из русской парилки с раскаленным жаром и дубовым веником в восточный хаммам. И даже в инфракрасную кабину с глубоким прогреванием наведались. Одного только избегали — бассейна. Хотя администратор заведения, дама в блондинистых кудрях, продавая им веники, крайне его рекомендовала: новейшие очистительные системы, вода как слеза... Нет, вежливо улыбнулась Маша, воды ей на сегодня, пожалуй, хватит.

Нарезав так кругов десять, они высушили волосы, забрали у администратора любезно взятые на просушку вещи и, абсолютно обессилев, провалились в мягкие кресла в холле.

— Тебе надо выпить, — откинув голову, выдохнула Ксюша. — И мне надо выпить.

— Мне — как пострадавшей, — усмехнулась Маша. — А тебе-то что?

— Мне — от стресса, — покачала головой Ксюша. — Все эти приключения — и ради чего?

Маша вздохнула, полезла в карман пуховика. Вот оно — бессмысленное содержимое холстяного мешочка. Детские ботиночки красного цвета. Вода, налившись в карманы, размочила нежную кожаную подошву. Маша отодвинула язычок и прочла потертую надпись внутри: золотое тиснение, изящный наклон. Familie Walther Kinderschuhfabrik.

— Какая тонкая кожа... — Ксюша повертела в руках ботиночек. — Похоже на лайку. Мне, знаешь, однажды достались перчатки от прабабушки. Длинные, так красиво облегали руку. Я их посеяла, конечно...

Маша не слушала ее, глядя прямо перед собой остановившимся взглядом. Заметив это, Ксюша осеклась:

— Что?

Маша посмотрела на нее, погладила пальцем тонкую, чуть потрескавшуюся от времени красную кожу:

— Думаю, тебе стоит позвонить маме...

КСЕНИЯ

— У тебя есть шанс реабилитироваться, — так и сказала она матери. — Мне нужна бабушкина фотография.

Та самая, которую она нашла в толстой тетради с записями, да так и забыла о ней, бросив на старой квартире. Четвертая карточка с достославного Нового года. Четвертый кадр их фотокомикса. Все остальные фото остались у Ксюши в коммуналке, и светиться там не стоило. Она переехала к Маше и даже успела выспаться на диванчике на Любочкиной огромной кухне. Вчера ночью, только добравшись до дома, Маша взялась звонить в Москву своему Андрею. Трубка так орала, что даже Ксюша, нарочито глядящая в окно, услышала что-то вроде «сколько можно вляпываться!» и «сейчас же возвращайся срочно в Москву!». Бросив исподтишка взгляд на Машу, она увидела, что та, страдальчески морщась, отодвинула во время пламенной тирады трубку от уха, а потом говорила тихим, ровным голосом — убеждала, просила. И на следующий день, выглянув в окно, Ксюша заметила стоящую рядом с их домом машину полиции.

— Надолго нам такую охрану не предоставят, — улыбнулась Маша на вопросительный Ксюшин взгляд. — Кроме того, с носовскими возможностями никакая полиция ему не помеха.

— И что же делать? — поежилась Ксюша, кутаясь в предоставленную Любочкой длинную шерстяную кофту.

— Быстро пытаться понять, что за история с этими красными ботиночками. — Маша, покусывая русую прядь, уже сидела перед ноутбуком. — Ужасно неудобно, что я не знаю немецкого. Придется все переводить через автоматический переводчик, а там сам черт ногу сломит.

— Ха! А я вам на что? — вплыла в кухню Машина бабушка: бархатный халат, аккуратный пучок белоснежных волос на голове. — У меня немецкий шел вторым языком в университете. Давайте-ка только прежде заварим еще кофе.

* * *

За время Ксюшиной прогулки в метро кобальтовый облупленный кофейник опустошался дважды. Вновь усаживаясь рядом с этими двумя столь разными по темпераменту и характеру и между тем такими близкими друг другу людьми, Ксюша невольно вспоминала свою встречу с матерью: и сердце сжималось от жалости и — глухого раздражения. Виноватое лицо, слишком обтягивающее полную фигурку несуразное пальто... «На той станции метро, где я училась в музыкалке», — сказала она по телефону. Звонила на мамину трубку — но мало ли, вдруг и она прослушивалась? При встрече не разговаривали. Ксюша быстро прошла мимо, мать сунула ей в руку конверт. Конспираторы несчастные. И смех и грех, как говорила ее бабушка.

А Маша даже не попросила у Ксюши с таким трудом добытую фотографию, а посадила за стол к свежесваренной чашке кофе и выдала нарытую за время ее отсутствия информацию. И Ксения послушно внимала, понимая: Маша, проговаривая вслух, структурирует полученные сведения, пытается нащупать нужное им зерно.

— Итак, фирма «Вальтер», позже — «Семья Вальтер», являлась, как бы мы сейчас сказали, обувным брендом класса люкс. Причем, что редкость для того времени, специализирующейся на детской обуви.

— Башмачки действительно красоты необыкновенной, — Любочка вертела в руках ботиночек. В бодром свете дня он светился у нее в ладони, как маленький костер. — Игрушка, а не башмачок.

— И не только красивые, — Маша кивнула на Любочку. — Благодаря какой-то утраченной технологии обработки кожи эти ботиночки «росли» вместе со своим хозяином или хозяйкой. То есть, я так понимаю, чуть-чуть растягивались, при этом качество и прочность кожи оставались очень высоким.

— Ха! — усомнилась Любочка, поставив ботиночек, как некий артефакт, на широкий подоконник. — Рекламный трюк.

— Возможно, — кивнула Маша. — Впрочем, начиная с 1942 года рекламировать было уже нечего: маленькая фабрика прекратила свое существование. Причины подробно описаны: семья Вальтер уехала из страны, но не это для нас существенно...

— Для нас существенно, что ботинки могли быть куплены только до войны. И только в Германии, — нахмурилась Ксюша. — Тогда не совсем понятно, как они попали к нашей Аллочке или даже к ее родителям: воспитательнице детсада и железнодорожнику, поскольку даже Анатолию Сергеевичу до войны было лет — сколько? Пятнадцать? Восемнадцать?

— Совершенно верно, — села напротив Маша. — Зато у нас имеется один обитатель коммуналки, который ездил в Германию, и как раз до войны.

— Муж Ксении Лазаревны?

Маша кивнула.

— Предположим, тот не пожалел командировочных: купил ботиночки для своей единственной внучки. Такие красивые и удобные. Не сравнить с той ужасной обувью, в которой ходили советские дети и до, и после войны. К тому же в момент повального дефицита его должно было греть рекламное обещание, что ботиночки вырастут вместе со своей маленькой обладательницей. Получается, их можно носить дольше...

— Внучка Ксении Лазаревны погибла в блокаду, — размышляла вслух Ксюша. — Ксения Лазаревна оставила себе на память эти ботиночки. А в какой-то момент, умилившись маленькой и хорошенькой соседкой Аллочкой, подарила их ей — пусть лучше еще послужат какому-то ребенку, так? Все сходится!

— А для самой Аллочки эти ботиночки были счастливым напоминанием о беззаботном детстве, — невесело усмехнулась Маша. — Вот почему вчера, с риском для жизни, мы обнаружили их в тайнике на заброшенном маяке.

— Да, — помрачнела Ксюша. — Не получается. И еще — посмотрите.

И она полезла в сумку, где лежал конверт с фотографией. Выложила ее на стол. Странно, но у всех присутствующих на этой кухне в первый момент будто перехватило дыхание. Нет, еще не от высмотренной детали, а от этих далеких лиц. Незнакомых людей, про которых волею судеб они уже знали так много. Будто неизвестная родня из прошлого: Бенидзе, Аршинины, Аверинцева, Пироговы, Лоскудовы, Коняевы и — Ксения Лазаревна.

— Но мы ее уже видели! — разочарованно протянула Любочка. — Это та же самая фотография — из «Ленинских искр». Боюсь, что с последнего раза на ней ничего не изменилось.

— Изменилось, — тихо сказала Маша. — Мы изменились. Наш взгляд. Смотри.

Любочка, нацепив очки, склонилась над карточкой. Ксюша выглянула из-за ее плеча и ахнула.

Ксения Лазаревна с невыразимым ужасом смотрела влево и вниз. И нет, не на макушку, как им раньше казалось, Леши Лоскудова. А на то, что было скрыто этой макушкой. На ножки сидящей у матери на коленях маленькой девочки. Ножки, обутые в красные ботиночки.

ОН

Мать созналась не сразу — и как же он ненавидел, когда она ему врала! Но убивать ее не имело смысла — ей было уже хорошо за семьдесят, кроме того, она не пила — а значит, не могла проговориться, как сестра, по пьяному делу. Впрочем, даже если бы такая экстравагантная мысль пришла ей в голову, это можно было бы легко списать на старческий маразм.

— Хоть слово скажешь — отдам в дом престарелых, — предупредил он на всякий случай.

Домов престарелых «для бедных» мать боялась пуще чумы: облупившиеся стены, забитая канализация, забытые старики, лежащие в собственных экскрементах... Спасибо, не надо: маму-Зину вполне устраивала усадьба «Отрада» — большой светлый дом на берегу речки, белоснежные простыни, улыбчивый персонал. О нет, за маму можно было не беспокоиться.

— Долго ж еще они нас «пасли», гляди ж ты, — мать добавила грязное ругательство — в старости она совсем перестала себя контролировать: обожала поесть, будто утешала за бесконечные диеты с целью «сохранить форму» в молодости и зрелости. И сразу же раздалась квашней. Каждые полгода-год он привозил в «Отраду» новые комплекты одежды — все бóльших размеров.

— Тебя тоже вызывали в Большой дом? — сморщился он от едкого дыма материных сигарет, отвел полную морщинистую руку в сторону окна.

— Вызывали, — она упрямо выдохнула в сторону сына. — Когда тот пропал. Но я так рыдала, залила им в кабинете весь стол молоком — не успела сцедиться перед уходом, что они пожалели, видать... Отпустили. Так я и не знала ничего, пока сестра твоя ко мне не заявилась с требованием правды, — она усмехнулась. — Лахудра. Вот уж кто любил твоего папашу, так это...

— Я знаю. Продолжай.

— Да нечего рассказывать. Капитан — не гэбэшный, а милицейский, опознал его — совсем случайно, на улице. Тогда, лет пятнадцать назад, присутствовал при задержании, а папаша твой — молодой еще был, здоровый, дал стрекача. Тот, лейтенантик, за ним побёг, но упустил, питанье-то разное, — мать захихикала, а он поморщился.

— Опознал — и что? Стал следить?

Она равнодушно пожала пухлыми плечами под шелком халата:

— Наверное. Не просто же так Аршинин в бега ударился. Видать, просек что к чему. Не дурак был, папаша-то твой. Выживать умел, — она опять захихикала, и он поморщился от отвратительного подтекста.

— Хватит, — сказал он холодно. И мать сразу поняла: дальше шутить не стоит, он на грани — чутье в ней все-таки было звериное. И сразу сменила тон.

— Хороший капитан. За мной тоже ходил — это когда Аршинин пропал. Я было решила, что нравлюсь ему как женщина. Улыбалась, как дура, блузку с воланом пошила из старого платья крепдешинового. А капитан, видать, рассчитывал, что я к мужу его приведу — в тайное, значит, логово. А я повертелась перед ним, повертелась, а потом нашла себе Носова, — она расхохоталась. Когда мать смеялась, голос ее звучал как в молодости — серебряным колокольчиком. Он на секунду будто окунулся в детство — не на этот ли смех запал его отчим? Но тут она сложила из толстых пальцев объемистую фигу: — Ничего он от меня не получил, ни-че-го.

Он с усмешкой взглянул на мать: вот ведь — не отца же она, в самом деле, защищала, ведь и не любила его, судя по всему, по-настоящему. Но обида полувековой давности жгла сердце — как это тот капитанишко посмел не отреагировать на ее женские чары?!

— А старуха — откуда в этой истории появилась старуха? — решил он все-таки поставить точки над «i».

— А она-то тут с какого боку? — искренне удивилась мать. Он внимательно на нее посмотрел: вроде не врет.

— Аллочку (черт, он так и не смог избавиться от этой манеры называть ее ласкательным, детским именем) вызывали уже в Большой дом. После того как твой незадачливый капитан передал им всю информацию и получил по голове за то, что не побежал с ней к гэбистам раньше, упустив военного преступника, они нашли в регистрационной книге запись: старуха из вашей коммуналки приходила на Литейный. Прождала следователя около часа, а когда тот пришел, сказала, что плохо себя чувствует и зайдет попозже. Тогда этому никто не придал значения, но...

— Да сдрейфила она, — устало сказала мать. — Вот и все.

«Вполне может быть, — подумал он. — А может, так ненавидела Комитет и комитетчиков, что не решилась доверить им свою тайну».

— А ты? — вдруг совсем тихо произнесла мать, и он насторожился — такой вкрадчивый голос был у нее редкостью.

— Что — я? — нахмурился он.

— Ты Аллочку — сам?

Он похолодел, преодолевая себя, поднял глаза и заглянул в ее глаза: одно дело — древняя тайна, которая сейчас заинтересует только журналистов, работающих с черным пиаром. А другое — собственная дочь, кровиночка. Хватит ли тут сдерживающих элементов в виде угрозы государственного дома престарелых?

— Са-а-ам, — не дождавшись ответа, протянула мать. И он увидел, как некогда красивые губы пошевелились и сложились в легкую улыбку. — Так я и знала.

Он замер. А потом начал говорить. Медленно, чтобы у нее было время подумать.

— Хотел тебя, кстати, предупредить. Все деньги я завещал благотворительным фондам. Неплохой пиар, согласись... Так вот: что бы со мной ни случилось... Попади я в тюрьму, умри — тебе не достанется ничего. Ты сама знаешь, что это значит.

Ни один мускул не дрогнул в материном лице. Оно оставалось спокойным, умиротворенным.

— Правильно сделал, — она чуть качнулась в своем удобном кресле-качалке в стиле ретро. Будто кивнула головой. И хотя этот ответ мог означать согласие с его идеями благотворительности, но он понял: мать поддержала его совсем в другом решении.

А он снова стал дышать и впервые подумал, что, пожалуй, его родители стоили друг друга.

МАША

Все самое страшное в этом городе завязано на 900 днях. Как же она раньше не догадалась? Бабка говорила ей: в блокаду я окончательно стала атеисткой. Многие люди перестали верить. Невозможно верить в Бога, который допустил такое. Подобные испытания калечат дух, даже если ты смог преодолеть страх и голод, голод и страх. Пусть ты никого не предал, даже себя. А истории героизма, так уж повелось, всегда соседствуют с историями человеческой низости, будто людская природа не терпит перекоса в одну сторону и требует обязательного равновесия плюса и минуса.

В блокаду милиция была перегружена работой — Маша часами читала, читала, читала отчеты и сводки. И не было им конца. Существовало три основных направления: поддержание общественного порядка, работа в системе МПВО (местной противовоздушной обороне) и борьба с уголовными преступлениями. В школах и домохозяйствах создавались группы. Бригадмил, добровольцы-общественники. Граждане от 16 и до 60 учились обращаться с оружием. Улицы патрулировали, предприятия, занятые в военной промышленности, охраняли с особенным тщанием. Вокруг города с началом войны была создана заградительная линия из личного состава милиции с контрольно-пропускными постами. Шпионов было не так много, как их представляла помешанная на шпиономании пропаганда, но и у немецкой, и у финской разведок существовала своя сеть агентуры в городе. Фашистские ракетчики подавали световые сигналы с чердаков и крыш, из окон пустующих квартир, указывая самолетам цели для бомбометания. Активизировались и распространители вражеских листовок. В город устремился целый поток людей с оккупированных территорий: Прибалтики, Карелии, Ленобласти. И вместе с эвакуированными в самом начале войны в Ленинград просочились преступники всех мастей: часть из них была освобождена из прифронтовых лагерей и тюрем и использовалась немцами в своих целях. Эвакуация, начавшаяся на крупных предприятиях, порождала панику, многие из заводского начальства нагревали руки на «хищении социалистической собственности» — речь шла об огромных по тем временам суммах. Другие, уверенные, что скоро немцы войдут в город, срочно скупали драгметаллы и валюту — на миллионы рублей. Плюс — предметы первой необходимости: керосин, мыло. И продукты, с целью спекуляции, — еще до того, как сомкнулось кольцо блокады, задолго до начала голода... В середине июля 41-го была введена карточная система — и поднялась уже новая волна злоупотреблений на местах — сокрытие товаров от переучета и присвоение неучтенных продуктов. Маша ошарашенно вчитывалась в цифры: Ждановский, Петроградский, Красногвардейский райпищеторги... По всему городу началась эпидемия воровства. Воровства, ставшего прелюдией разбоя уже в блокадные дни. Стихийно возникавшие грабительские группировки нападали на машины с хлебом, на булочные. Милиционеры, сотрудники УГРО, сами с прозрачными от истощения лицами и распухшими от голода ногами умудрялись ловить грабителей. И, по законам военного времени, просто отстреливали, как бешеных собак, без суда и следствия. Впрочем, как отмечалось даже на сухих страницах официальных документов, часто воры не были «чуждым нашему народу элементом», а просто доведенными до предела людьми, с «поплывшей» от голода и отчаяния психикой. Отчаяние — спутница безумия... Читая бесстрастную сводку блокадных событий, продолжая делать записи своим ровным почерком отличницы, Маша чувствовала, как смыкается в беззвучном рыдании горло. Маленькая Любочка представлялась ей и она сама — в описываемых обстоятельствах. Бабка ее — выдержала, выдюжила. А она? Смогла бы? И снова отвечала себе — нет. Ее психика сделана не из таких крепких материй. Любочкина же душа виделась Маше сотканной из волшебных эльфийских металлов серебристой кольчугой. Тонкой и прочной, неподвластной ни сказочным стреле и мечу, ни реальным ужасам военного времени. Любочкино неистощимое чувство юмора, ирония, оптимизм... «Боже мой, — думала Маша, — какой силой надо обладать, как дорого он дался людям того поколения, этот оптимизм».

И продолжала читать... Убийцы, воры, спекулянты, мародеры. Вся нечисть, поднявшаяся в затемненном — будто просто бесконечных зимних ночей недостаточно — городе. Окруженном черной ратью. Умирающем от голода.

«Мастера одной из типографий, Богданов, Калугин, Черепанов и Семенов, пользуясь отсутствием надлежащего контроля над уничтожением лишних и бракованных экземпляров, похитили 400 комплектов продовольственных карточек...»

«Кассир-инкассатор счетной конторы номер 9, Василеостровского района, Евтеев, организовал преступную группировку из семи человек и похитил только за четыре месяца 1944 года 264 комплекта продовольственных карточек, включая в списки умерших и эвакуированных граждан».

«Управхоз домохозяйства Петроградского района присвоил...»

«Группа мошенников отдела торговли Выборгского райпищеторга пустила в оборот...»

Маша перестала записывать, лишь пробегала глазами бесконечную сводку осажденного города. Все преступления были связаны с Его Величеством Голодом. Но это было не то, что она искала. Близко, но не оно.

Как вдруг: «Помощник Первого секретаря горкома А. Кузнецова, Н. Дмитриев несут личную ответственность перед Смольным за создание специальных отрядов, борющихся с каннибализмом...» Маша замерла, вспомнив. Подвал дома на канале Грибоедова.

Подвал, где нашли в 1959-м труп ребенка. Как кричала и рвалась туда Ксения Лазаревна, — рассказывала Маше Тамара Бенидзе. А потом выяснилось, что это мальчишеский скелет. Мальчик, а не девочка. Девочка. Пропавшая внучка.

АНДРЕЙ

— Но вы же взрослый человек и сами понимаете... — вздохнул сидящий напротив плечистый мужчина. Бековский Павел Николаевич. Про таких говорят — «хорошо сохранился». И правда хорошо — военная выправка, прямой взгляд голубых глаз, гладкая кожа, а седые виски его только красили. Почему-то Андрей чувствовал себя неуютно в присутствии этого, как тот представился, «военного историка». Но ради Маши он готов был привести в движение любые свои связи и даже — вытерпеть общение с неприятными типом. Маша вышла на след.

— Точнее, пустоту, — поправилась она вчера по телефону. — Такую, знаешь, знакомую, гулкую. И на хорошую тему.

Андрей вздохнул:

— Какую на этот раз?

— Каннибализм, — негромко произнесла Маша в трубку, а он подавился чаем. Откашлявшись (Маша терпеливо пережидала), вытер рукой рот.

— Что? — он все еще надеялся, что ему послышалось. Но нет. Не послышалось. Документы по этой теме засекречены — открыта только часть архива. Та, что с военных дней отсутствует в свободном доступе, перевезена в Москву и хранится в Центральном архиве ФСБ на Лубянке.

Вот почему сейчас Андрей сидел напротив ухоженного мужчины средних лет, спокойно объясняющего ему, что в свете общей «героизации» Великой Отечественной правда никому не нужна. Да и вообще — когда она была нужна, эта правда? И знаете почему?

— Потому что правдивая история — это дань уважения своим гражданам? — сощурился Андрей.

— Кхм, примерно так, — кивнул Бековский. — Итак, про правду. Блокадники ее знали, конечно. Но говорить и вспоминать о пережитом опыте, который в свете послевоенных лет казался фантасмагорическим кошмаром, не хотели. А их дети, а теперь уже и внуки, правнуки живут по советским пропагандистским картинкам.

Они помолчали — два умных человека, понимающих «что к чему».

— Но ведь, если на чистоту, для НИХ не людоедство было самым страшным, — не уточняя, кто такие «ОНИ», пояснил Павел Николаевич.

— Что же может быть страшнее? — искренне удивился Андрей.

Бековский хмыкнул.

— Страшна была та ненависть, на которую были способны обессилевшие люди. Это называлось «отрицательными настроениями». Граждане за время советской власти привыкли к своему полному слиянию с государством, к его отеческой заботе. Отучились от какой-либо экономической самостоятельности. А уж тем более в условиях блокады! И вот, эти люди вдруг почувствовали себя сиротами, потому что поняли, что государству на них глубоко наплевать. Оно использовало оголодавших людей, пока те еще были способны работать, бодрило очередной дозой бравурной пропаганды, бросало ничтожный паек. А потом спокойно наблюдало, как маленький человек умирает от голода.

— Что ж, маленького человека можно понять, — усмехнулся Андрей, чувствуя себя все более неуютно. —

Из партийного начальства, насколько я знаю, никто не умирал.

— Не умирал, — мягко согласился с ним Бековский. — Но могли. И не от голода, а от голодных бунтов. Их и боялись, перлюстрируя почту. С этой же целью и вылавливали в самые лютые, блокадные дни по доносам стукачей честных людей, смевших вести недозволенные речи, и отвозили умирать в Кресты.

— А людоеды?

— А что — людоеды? — пожал плечами Павел Николаевич. — Каннибализм — это нормальная практика в массовый голод. Вспомните Голодомор на Украине в 30-е, голодающих Поволжья в 20-х, Великий китайский голод во времена Мао Цзедуна, а Северная Корея, уже в 90-е? Думаете, там обошлось без людоедов?! Бог мой, да об этом и в летописях древнерусских писали, и в Европе случалось сплошь и рядом, когда осаждали тот или иной город. А крестоносцы?

— Давайте все же ближе к теме, — попросил его Андрей.

— Пожалуйста. Блокадный Ленинград — один из редких примеров массового голода, где каннибализм не получил широкого распространения. А этого можно было ожидать, исходя из количества заключенных в кольцо жителей и из протяженности блокады — почти 900 дней. Да, были люди — чаще всего просто сошедшие с ума неграмотные женщины, жившие на окраинах, рядом с кладбищами. Мечущиеся в поисках протеиновой пищи для своих детей. Вы поймите, ведь трупы лежали повсюду: обернутые в простыни, оставленные на лестницах, на улицах. Они постоянно попадались на глаза, были в «зоне доступа», и это провоцировало психически слабых людей на...

— То есть речь не шла об убийствах с целью каннибализма? — перебил его Андрей.

Собеседник его помолчал. Постучал кончиками пальцев по полированной столешнице. Поднял глаза на Андрея:

— Конечно, были и такие. Существовали банды, чаще всего их расстреливали на месте, без суда и следствия, с полной конфискацией имущества. Члены банд завлекали ослабевших граждан под предлогом обмена на продукты в свои квартиры, воровали детей.

— Вот, — кивнул Андрей, — с этого момента поподробнее, пожалуйста.

— Поподробнее я не хотел бы, — Бековский пододвинул к Андрею тоненькую бумажную папку. — Вот тут собраны интересующие вас докладные, справки, фотографии тех, на кого все-таки завели дела. А я, пожалуй, оставлю вас на полчаса, кхм, для вашего же удобства.

Андрей вздохнул с облегчением, едва за Бековским закрылась дверь, развязал завязки на анонимной папке. На секунду замер, прежде чем ее открыть: ужасно захотелось покурить. Но курить здесь было нельзя.

Сделать это получилось, только выйдя на улицу. Там же удалось и продышаться: загазованный воздух столицы показался ему наполненным океанской свежестью. Ту пару часов, что Андрей провел над старыми документами, он старался не дышать.

Выкурив половину сигареты, Андрей набрал Машин номер.

— Есть новости? — Машин голос был сосредоточен, но из него, слава богу, совсем исчезла та неловкость, которая так мучила их в последнее время. И Андрей впервые порадовался, что взялся помогать ей в новом деле. Работа. Как всегда, их отношения спасала работа.

— Мне кажется, я нашел его, — сказал он.

МАША

Они сбегали, конечно. Грех было не сбежать им, отъевшимся — еще как отъевшимся! — от своих немощных голодных преследователей. Их вели на расстрел — неясно, почему не сделали это на месте. Может, имелись свидетели из женщин и детей. Не хотели при них. Вывели, связанных, на лестничную площадку. Потопали вниз по обледенелым ступеням. Маша посмотрела указанный в докладной записке, выведенный старомодным, с завитушками, почерком, адрес. Малая Охта. Забила адрес в Гугле — боже мой, как пересекаются эпохи — сейчас там новостройки класса люкс с видом на воду, раньше же набережную окаймляли сталинские ансамблевые корпуса — длиннющие здания, ряды колонн и огромных окон. Массовая жилая застройка для рабочих Невской заставы. Частично сохранившиеся, а большей частью — разрушенные во время бомбежек дома. Нева совсем рядом, но измученным голодом людям трупы не дотащить и туда. Нет уж, пусть дойдут до реки сами. Там и расстреляем. Скинем людоедов с набережной вниз — пусть унесет с половодьем, и дело с концом. Вот о чем думали уставшие и уже ничему не удивляющиеся милиционеры. Но все случилось иначе. Шипитько, Антонова, Ковалев и последний — Супаревич, молодой мужчина с ясным и круглым, как с советских плакатов, лицом, как раз выходили через высоченную арку в сопровождении двух милиционеров. Попадая в пространство арки, ледяной невский ветер дул с утроенной силой, сбивал с ног. И тут: «Супаревич толкнул лейтенанта Аронова и бросился в сторону проспекта. Не имея возможности оставить арестованных Шипитько, Антонову и Ковалева, я отправил в погоню за преступником лейтенанта Аронова, но после падения он стал припадать на одну ногу. Физически крепкий преступник вскоре скрылся из виду». Расстреляв тех, кто не смог убежать, милиционеры вернулись в квартиру, которую каннибалы выбрали своим штабом, произвели обыск — там и нашли документы на имя Супаревича, объявили в розыск. Вот она лежит перед Машей, та военная листовка. «Внимание! Разыскивается опасный преступник. Рост: 164 сантиметра, глаза светлые, лицо круглое, волосы прямые, короткие, шатен, губы тонкие. Возраст: 24 года. Особые приметы: нет». Маша вздохнула. Какие там приметы! Что они успели рассмотреть в той страшной темной квартире: окна, выбитые артобстрелами, заложены мешками или фанерой, электричества нет? И потом — за те десять минут, пока выходили со двора на набережную, где гулял сквозняком злой январский ветер?! И, боже мой, кто в осажденном, занятом вопросом выживания городе имел силы искать преступника, пусть даже и «опасного»? Но фотография на листовке, взятая с паспорта Супаревича, где ему не больше семнадцати — лопоухий юнец, по-детски пухлые щеки... Из этой фотографии можно было кое-что извлечь.

— Понял я, — вздохнул Андрей, услышав ее просьбу. — Пойду найду Саню. Объясню, что просьба — твоя.

— Мне нужно несколько вариантов, понимаешь? — извиняющимся тоном продолжила Маша. — Старение происходит по-разному, у каждого — свой морфотип. Кто-то раздается лицом вширь, глаза заплывают, появляется второй подбородок. Кто-то — наоборот, с возрастом теряет жировую прослойку на лице. Скулы выходят на поверхность, возникают круги под глазами, лицо как бы высыхает. Лысина, опять же: либо на затылке, либо увеличивающие лоб залысины. То есть мне недостаточно, чтобы он скачал дурацкую программку из Интернета с однотипным фильтром, понимаешь?

— Ты и правда думаешь, что Саня бы до этого опустился? — хмыкнул Андрей.

Маша улыбнулась: конечно, нет. Пора избавляться от манеры контролировать профессионалов.

— Он по тебе скучает, — хохотнул Андрей, перезвонив Маше вечером того же дня. — Говорит, как ты ушла в отпуск, ничего интересного ему не поручают. Мол, одна имелась на всю Петровку барышня с фантазией, и та укатила в Питер.

Маша вздохнула: она не была уверена, что это комплимент.

— Значит ли это, что он согласился мне помочь? — осторожно поинтересовалась она. Если Маша — барышня с фантазией, то Саня-программист, однозначно, юноша с норовом, высоко ценивший свое время и силы.

— Не только согласился, но уже сделал. Лови у себя на имейле. — Маша не успела передать Сане свою вечную благодарность, как Андрей продолжил: — И имей в виду: я еду в Питер.

— Хорошо, — улыбнулась Маша. — Напиши, как возьмешь билет.

Параллельно она уже начала скачивать полученный от Андрея тяжелый файл с фотографиями. Картинок с Супаревичем оказалось около десяти. Пухлощекий Супаревич с тройным подбородком, Супаревич с жилистым горлом и острыми скулами, с бородой и с усами, с мешками под глазами и глубоко отпечатавшимися носогубными складками... Не отсмотрев до конца, Маша отправила картинки на печать и, пока старый бабкин принтер выплевывал страницу за страницей, отошла к окну посмотреть, стоит ли еще полицейская машина. А отодвинув плотную зимнюю штору, ахнула: все было белым-бело. Белым окаймлены окна и скат крыши нежно-бирюзового дома напротив. Белым спеленут наконец затвердевший лед канала. Между ним и протоптанными следами на тротуаре — черная вязь решетки. Белесое, как жирный масляный крем, зимнее небо над качающимися на ветру желтыми фонарями. Машина, тоже присыпанная снегом, стояла на месте и казалась уютной и логичной деталью окружающего пейзажа. Маша вздохнула, чуть более облегченно, чем хотела, и вернулась к столу с еще теплыми черно-белыми листками. Она ждала этого, но все же вздрогнула, отыскав уже столь знакомое лицо среди прочих, кажущихся лишь его неестественной копией.

— Ксения! — позвала Маша. И, когда та вышла из комнаты, протянула ей лист. — Вот он.

Ксения подняла на Машу чуть растерянный взгляд:

— Откуда у тебя эта фотография? Из семейного архива?

И тут уж Маша не смогла отказать себе в удовольствии выложить перед Ксюшей очередной пасьянс. Три карточки: Аршинин за новогодним столом, листовка с молодым Супаревичем и рядом — состаренная версия его же от Сани-программиста. Ксения тяжко, как-то по-старушечьи, опустилась на стул, а Маша рассказала все, о чем ей поведал Андрей: и про организованную банду людоедов, заманивавших людей под предлогом обмена вещей на продукты в дом на Малой Охте, и про охоту на оставленных без присмотра детей.

— Аршинин — или, наверное, стоит его теперь называть Супаревичем? — был членом этой банды. Он наверняка припрятывал добро с трупов. Ботиночки — странный выбор, конечно, — задумалась Маша на секунду, но потом мотнула головой, отметая лишние мысли. — Ясно одно: у него должен был храниться целый набор документов убитых им людей. И Супаревич взял личность некоего Аршинина, более-менее подходившего ему по возрасту.

— Ксения Лазаревна опознала ботиночки: редкие, почти уникальные, — вскинула на нее глаза Ксюша.

Маша пожала плечами.

— А тот, наверное, от шока не смог хорошо соврать: де, обменял их на каком-то вокзале. Старуха начала его подозревать.

— И он избавился от нее, — подвела итог Ксения.

Маша кивнула.

— А потом прошло много лет, и сын Супаревича узнал о тайне, за которую можно было убить, и... И все бы ничего, если бы он был обычным гражданином. Но он стал олигархом. Олигархом, собирающимся идти в политику, — Маша грустно усмехнулась. — Боюсь, сколько ни вкладывай в предвыборную кампанию, но сыну чудовища — блокадного людоеда — не стать главой города на Неве.

— Внук людоеда, — вдруг сказала Ксюша.

— Что? — осеклась Маша. — Ты хотела сказать — сын?

— Нет, — покачала головой Ксюша. — Внук. Мой Иван. Внук Ленинградского людоеда.

И вышла из комнаты.

КСЕНИЯ

Как же горько она плакала! Себе говорила — ну не стыдно?! Вот бабушка умерла — то были законные слезы. А так убиваться из-за малознакомого мужчины, с которым всего-то и случилось — поцелуи в подъезде? Но слезы то и дело текли из глаз, а в голове стучало: Иван, Иван, Иван... Ну как же так, Иван?

И еще — глупо было признаться, но, несмотря на гостеприимный дом Машиной бабки, она ужасно, ужасно тосковала по своей новой — старой квартире. Скучала по самой коммуналке, с которой — так уж она чувствовала — у нее связано столько воспоминаний (датируемых той эпохой, когда ее самой и на свете-то не было!). Скучала по виду из окна. И по дребезжащему антикварному лифту с травяным орнаментом. И по той пологой лестнице, где они с Иваном... Нет. Про Ивана-то как раз думать нельзя. Проглотив очередной ершистый ком в горле, Ксения поднялась этим утром ни свет ни заря — даже такая ранняя пташка, как Любочка, еще не вышла из своей комнаты. А уж про Машу и говорить нечего. Застелив свой «гостевой» диван, Ксения поставила на конфорку чайник — в проживании на огромной кухне, которая поочередно играла роль то столовой, то гостиной, то избы-читальни, были свои плюсы. Внутри этого пространства, не скрипя дверьми и никого не тревожа, можно было позавтракать, и... Ксенина мысль запнулась: она приоткрыла занавеску узнать, какая погода. И увидела некую странность в окружающем пейзаже. Машины полиции не было. Лишь черный след подтаявшего тротуара под фонарем — там, где стоял автомобиль. Еще совсем темно, только на фасаде дома чуть левее горит вывеска итальянского ресторана. Ни шелестящих по ледяной каше машин, ни обходящих кучи грязного снега торопливых пешеходов. Пустой свободный город. Свободный! Не дав себе ни на секунду задуматься, Ксюша бросилась в прихожую: вдела руки в куртку, сунула ноги в ботинки, кое-как намотала на шею платок. Вороватым жестом прикрыла за собой дверь. Тихо щелкнул замок.

Она бегом спустилась по лестнице. Толкнула дверь парадной. Улица встретила ее влажным холодом. На голову упала противная ледяная капля — будто пытаясь привести ее в чувство: может, не стоило сбегать? Маша сказала, это опасно. Ксюша тряхнула головой: ну что с ней случится? Спустилась же она в метро на встречу с матерью? И ничего страшного не произошло. А она просто заедет на минуточку домой. Просто поглазеет из своего окна, просто посидит в коридоре — совсем чуть-чуть! И вернется обратно. Да Любочка с Машей могут даже не заметить ее отсутствия! И Ксения махнула рукой, призывая завернувший на набережную грязный «жигуль». Назвала адрес и всю дорогу смотрела на проплывающие перед глазами звенья решетки канала Грибоедова: бесконечно повторяющийся эллипс, будто упрощенный рисунок греческой вазы идеальных пропорций. Он оказывал на Ксюшу гипнотическое действие, убаюкивал ее неспокойную совесть. Вот они свернули в переулок. Машина притормозила перед ее подъездом.

— Приехали, — повернулся к ней лицом водитель: южный красавец лет двадцати. Ксюша радостно улыбнулась, протянула обещанную купюру, выпрыгнула из машины на мокрый тротуар. Подняла глаза на свой балкончик на последнем этаже. Осталось только набрать код, войти и, не потревожив старого скрипучего лифта, взлететь по широким ступеням на последний этаж. Туда, где все также не горит свет — да и кто его, кроме хозяйки, починит? А пока хозяйка отлично обойдется без света, она и на ощупь сможет открыть свою дверь — не впервой! Продолжая улыбаться, Ксюша преодолела последний лестничный пролет, вынула из кармана связку ключей.

И вдруг почувствовала, как на щиколотке сомкнулась чья-то рука.

ОН. 1960 г.

«Природа одарила Зеленогорск великими благами, необходимыми для организации массового отдыха ленинградцев. Мягкий морской климат, пересеченная местность, покрытая высокоствольным сосновым лесом, прекрасные пляжи с мелкозернистым песком, чистый прозрачный воздух — все эти богатства в сочетании с удобными транспортными связями привлекают сюда бесчисленное множество людей».

Газета «Ленинградская здравница», 1962 г.

На следующий день, переждав решивших высадиться в Белоострове дачников, он сел на зеленогорскую электричку. Можно было бы доехать и напрямую — но он уже был испуган — все искал в толпе своего лейтенантика. Сам Зеленогорск, бывший финский Териоки, всегда ему нравился — в нем, несмотря на прошедшие с северной войны два с половиной десятилетия, еще чувствовался «заграничный» дух. Чистенький финский курорт, высаженные вдоль Приморского шоссе высокие ели, взморье с каменистым пляжем. Еще один пляж — «Золотой», в мелком песке, — располагался напротив центральной аллеи Парка культуры. Они с Зиной, бывало, приезжали сюда в дом отдыха, ходили в перестроенный из лютеранской кирхи кинотеатр «Победа», сиживали в местном ресторане «Жемчужина». «Жемчужина»... — задумался он. «Жемчужина» и директор заведения Николай Дементьич. Вот кто, пожалуй, мог ему помочь в его новом замысле. Выходя из электрички, он перекинул рюкзак на другое плечо — мысль о побеге в западном направлении, побеге, который навсегда освободит его от всех милицейских капитанов нашей необъятной Родины, не давала ему заснуть ни накануне, ночью, ни утром — в поезде. Обойдя высокое, простреливаемое насквозь июньским солнцем здание вокзала со стеклянным куполом, он не выдержал — купил в киоске прямо на платформе «Яичный пломбир», вкуснейшее мороженое, местная достопримечательность. В его нынешней ситуации одна радость и осталась — побаловать себя едой. Поэтому, доев мороженое, он сразу отправился в «Жемчужину» — изысканную деревянную виллу в стиле модерн. Там отказался от коронного блюда — жирного свиного ромштекса в панировке — в пользу окрошки: домашний квас, рыночная сметана. Поглядел из широкого окна в парк. В листьях старых деревьев танцевали на легком ветру с залива пятна золотистого света, кисейная занавеска чуть колыхалась, впуская летние сладкие запахи: цветущая липа, жасмин. Он закрыл глаза: нельзя сейчас расслабляться. Никак нельзя.

— Вы только поглядите, кто к нам пришел! — услышал он гулкий бас. — Давненько мы вас тут не наблюдали, давненько!..

— Здравствуйте, Николай Дементьич, — открыл он глаза и улыбнулся толстому мужчине в светлом льняном костюме.

— Вы позволите? — хозяин заведения уже отодвигал стул против, — Жара-с! Наконец-то!

Николай Дементьич вынул из кармана носовой платок, промокнул блестящую лысину. Сделал знак официанту, и тот без вопросов принес начальству кружку кваса и так же беззвучно удалился.

— Мне нужна от вас ответная услуга, — тихо сказал он толстяку, и тот, одним гулким глотком втянув в себя все содержимое кружки, внимательно уставился на путейца.

— Анатолий Сергеич, все, что сумею, — кивнул он, сразу смахнув, как крошки со стола, наносное добродушное выражение лица. — Вы же помните, я ваш должник.

— Одному человеку нужно переправится через границу, — сказал он. — Помните, вы как-то рассказывали о проводниках?

— Господь с вами, Анатолий Сергеевич, — нахмурился директор, казалось, вовсе не удивившийся вопросу. — Так это ж когда было? В двадцатых. Тогда от Белоострова до границы было рукой подать — верст пять, не больше: через реку Сестру вброд переправился — и, считай, у финнов. О ту пору это коммерция была. Свои люди имелись — и в пограничной страже, и в Петрограде на Николаевском вокзале из проверяющих документы, — он усмехнулся. — Сервис был такой, что проводники даже сухое белье предоставляли после переправы, чтобы, значит, не дай бог не застудиться... А сейчас!..

Николай Дементьич махнул пухлой, большой ладонью, поглядел в окно, будто вспоминая — с ностальгией — те далекие времена. Впрочем, сколько ему сейчас — шестьдесят, шестьдесят пять? Вполне мог застать.

— Что ж... — его собеседник уже поднимался из-за стола.

— Нет, подождите, — остановил его директор ресторана. — Дайте-ка мне пару дней, поразузнаю по своим каналам. Встретимся... — он на секунду задумался. — В пансионате «Взморье» послезавтра, часов в одиннадцать. Знаете, у них там отличная бильярдная...

* * *

В бильярдной, впрочем, Николая Дементьича не оказалось. Кроме двух подвыпивших компаний за последним столом гонял шары паренек лет двадцати.

— Сыграем, дядя? — кинул тот на него быстрый взгляд из-под тяжелых, будто сонных, век.

Он сразу все понял. Молча взял кий, долго, слишком долго для человека, рвущегося начать игру, мелил свой кий.

— Разбивай уж, — лениво склонил голову на плечо паренек.

Он ударил: от нервозности ли, или от отсутствия опыта, кий соскочил. Пара шаров лениво покатилась по зеленому сукну. Прочие остались стоять на месте.

— Да, дядя, — усмехнулся паренек. — Этак мы с тобой немного наиграем. Пойдем-ка посмолим на воздухе, покалякаем.

Молча вышли — паренек на пару шагов впереди — из пансионата. По узкой тропе, освещаемой фонарями с прибрежного шоссе, выбрались к заливу. Вечер выдался безлунный и безветренный. Они подошли к самой кромке кажущейся масляянисто-черной, как сырая нефть, воды. Кроме тихого, почти интимного шелеста прибоя и вкрадчивого шевеленья сосновых веток за спиной — ни звука.

— Значит, так, — закурив папиросу, сказал паренек, — доедем паровозом до Приморска. Оттуда мой человек ночью перевезет на лодочке до Большого Поля. Он у них свой, родня. От Поля доведу тебя до немецких блиндажей под Чулково. Дам компас, карту, там уже все расписано: что-куда. От блиндажей тебе пилить еще километров сорок, дядя. Уже самому, прямиком до погранзаставы.

— А дальше? — он посмотрел в непроницаемое небо.

— Обойдешь по карте, — сплюнул в набегающую волну паренек. — Дальше — КСП.

— Что?

— Контрольно-следовая полоса. Погранцы проходят двенадцать километров до стыка со следующей заставой. Потом обратно. На все про все — четыре часа. Тебе должно хватить, — паренек злобно зыркнул в его сторону. — Ты, дядя, границу-то переходить собираешься или так, побаловаться с нами решил?

— Сколько? — глухо спросил он.

КСЕНИЯ

— Господи, что ты тут делаешь?! — она икнула от испуга, а он уже схватил ее за плечи и встряхнул, как мешок с картошкой.

Заорал:

— Какого черта ты пропала, а?!

— Не кричи, пожалуйста, — закрыла она ему ладонью рот. — Хотя бы пока я не закрою дверь с другой стороны.

Она на ощупь открыла замок, прошла внутрь. Включила пыльную лампочку Ильича под потолком. Рабочие выровняли и покрасили стену в коридоре, резко пахло свежей краской. Ноги приставали к покрывающему пол строительному полиэтилену. Она пропустила Ивана, медленно закрыла дверь, не решаясь повернуться к нему лицом: что сказать?

Но он и не ждал, пока она повернется, обхватил ее медвежьими лапами, выдохнул в ухо:

— Я тут с ума сходил. Думал, тебя похитили или убили... Или ты меня разлюбила, что, впрочем, еще хуже.

Он тихо рассмеялся. Чувствуя комок в горле, она против воли улыбнулась: в любви они друг другу не признавались, а вот поди ж ты — оба были уверены, что так оно и есть.

— Я звонил на твой мобильный, звонил по прежнему месту жительства, — продолжал он. — Караулил твою мать, караулил своего отца... А потом решил, что если ты где-нибудь и появишься, то тут. И стал караулить на лестнице...

Ксюша положила ладонь сверху на его руку, виновато погладила и попыталась развернуться к нему лицом:

— Иван, нам надо поговорить...

Пустая, банальная фраза.

— Конечно, надо, — поцеловал он ее в шею. — Еще как — надо. И еще один поцелуй — дыша теплом ей в затылок. — Вот еще чуть-чуть, — развернул он Ксюшу к себе, закинул ее руки себе за голову и поцеловал быстро и мягко в губы. — И поговорим.

По-ли-э-ти-лен. Ксюша осторожно дотронулась пальцами до покрытой строительной крошкой пленки. Она лежала голая на своей зимней куртке, впечатавшись спиной в жаркий Иванов бок. Одной рукой он обхватил Ксюшу поперек груди, медленно поглаживая ее гладкое и влажное плечо, явно очень довольный собой и всем происшедшим на полу в коридоре. Зря они это сделали. Как она сможет возвращаться обратно после того, как перейден и этот Рубикон? Ведь теперь ясно, что вовсе ей ничего не казалось, а так и есть: они будто идеально пригнанный друг к другу пазл. Как могла бы сказать Ксюшина не стесняющаяся избитых формул сентиментальная мать: созданы друг для друга. Ксюша почувствовала, как к глазам вновь поднимаются слезы. И, пытаясь не дать им вылиться наружу, крепко сомкнула веки.

— Слушайте, Ксения, а не выйти ли вам за меня замуж? — спросил, тоже перекатившись на бок и обняв ее уже обеими руками, Иван. — Я мужчина привлекательный. Ты тоже — хоть куда...

Ксения чувствовала, как он улыбается.

— Деньги, конечно, хирурги зарабатывают не бог вести какие, но на жизнь хватит. Машину купим, квартиру... — он на секунду задумался. — Ты, наверное, тут жить захочешь? Тогда мою можем сдавать. А?

И он чуть-чуть встряхнул ее, еще крепче прижимая к себе. Ксюша помотала головой, стараясь не разрыдаться.

— Нет? — все еще не понял он. Господи, да им было так хорошо вместе, что ему и в голову не приходило, что она может отказаться! — Что «нет»? Не будем сдавать или будем жить в другом месте?

Преодолевая ее сопротивление, он развернул ее к себе лицом, и она почувствовала, как одеревенели резко ставшие чужими руки.

— Вот те на, — растерянно протянул он, отодвигаясь. — Прости. Похоже, я вовсе не такой заманчивый жених, как мне самому казалось.

Ксения помотала головой:

— Дело не в тебе.

— Не во мне? — она услышала, как он нервно роется в кармане в поисках зажигалки. — А в чем же? В неблагоприятном астрологическом прогнозе? В тяжелой экономической ситуации? Или ты с детства обещана другому?

Он невесело усмехнулся, закуривая. Зашуршала одежда.

— Ну, ты хоть взгляни на меня, — вдруг попросил он. — Или я уж так тебе неприятен?

И она открыла глаза. Он стоял, возвышаясь над ней, взъерошенный, торопливо натягивая свитер. А она, разомкнув веки, высвободила наконец все непролитые слезы.

— Эй, ты чего?!

Лицо Ивана, секунду назад еще независимое и отстраненное, перекосилось от жалости. Он бросился перед ней на колени, прижал к себе еще крепче, чем во время их любовных объятий.

— Что случилось-то, а?

Он баюкал ее, шепча на ухо что-то ласковое и бессмысленное, ее доктор, ее единственный мужчина. Найденный и потерянный навсегда, и все из-за тайн этой чертовой квартиры! И вот он еще рядом, такой теплый, еще ничегошеньки про себя не понимающий... И Ксюша рыдала сладко, безудержно, жалея себя и завидуя его незнанию, его невинности.

Сколько времени прошло у них в такой неуютной позе? Пока Ксюшин плач, достигнув кульминации, не перешел от форте к пианиссимо, а потом и вовсе стих. Он ждал, а она все не могла решиться.

— Иван... — наконец начала она, — твой отец не просто следил за нами с Машей. Он хочет нас убить.

— Глупости, — погладил ее по плечу Носов-младший. — Ты его демонизируешь, и абсолютно зря. Знаешь, я тут, пока тебя разыскивал, с ним впервые подробно пообщался по телефону: он нормальный мужик, Ксюш.

Ксения вздохнула: боже мой, как же сложно!

— Твой отец, — начала она почти шепотом, но постепенно голос окреп, — большой бизнесмен с не очень чистыми руками и политическими амбициями.

— Когда это нечистые руки мешали в политике? — усмехнулся Иван, погладив ее, как маленькую, по голове. — О'кей. Я понимаю, что ты не хочешь такого деда нашим детям, но и не надо, забудь. Обойдемся и без него, нет, правда...

— Мы думаем, это он убил свою сестру. Твою тетку.

— Есть доказательства? — холодно заметил Носов-младший.

— Нет, — невесело усмехнулась Ксюша. — Конечно, нет. А еще нет никаких документов о твоем деде, Анатолии Аршинине. Тебе это не казалось странным?

— Не казалось, — Иван отпустил ее, чтобы дотянуться до пачки сигарет. И хотя Ксюша сейчас почему-то злилась на него, она почувствовала внезапное сиротство оттого, что он, пусть на секунду, но отодвинулся. — Я вообще им мало интересовался. Мне вполне хватало расплывчатых семейных преданий.

Ксюша молчала, глядя в пол.

— Ну? — не выдержал он. — И отчего, по твоему мнению, мой отец утопил мою тетку и хочет убить еще до кучи и тебя с твоей Машей?

— Твой дед... — начала Ксюша и опять запнулась.

— Мой дед — что? — чуть не зарычал он.

— Он блокадный людоед, Ваня.

МАША

Она проснулась от свистка и не сразу поняла, что это надрывается на кухне чайник. Чай по утрам пила у них только гостья — они с Любочкой пробавлялись кофием, но свист не унимался, и Маша вынула себя из постели. В дверях кухни она столкнулась с заспанной Любочкой, пропустила ее вперед выключить газ, и в наступившей блаженной тишине они с облегчением взглянули друг на друга.

— Воды в чайнике осталось — на донце. Еще чуть-чуть, и пожар.

Пожар был Любочкиной главной фобией, ее, как она выражалась, «бзиком». Она неодобрительно поморщилась и полезла в буфет за кофемолкой.

— А где Ксюша? — зевая, Маша вытянула ноги под стол.

— Думала, ты в курсе, — удивленно обернулась на нее бабка.

Маша помотала головой, встала, на всякий случай дойдя до ванны с туалетом — свободных. Хм. Ксения знала, что на улицу ей выходить нельзя. Маша кинула привычный взгляд вниз, на набережную, — пусто. Наверное, Ксюша попросила полицию сопровождать ее? Что само по себе правильно, но почему она не поделилась своими планами с Машей? Они с Любочкой сели завтракать, но у Маши кусок не лез в горло, и бабка это заметила.

— Не мучайся. Позвони и узнай, что случилось, — отодвинула она от себя пустую кофейную чашку.

— У нас уже неделю как нет сотовой связи. Живем по старинке, — пожала плечами в ответ Маша.

— Но твои полицейские друзья, я полагаю, отчитываются о том, где находятся?

Маша посмотрела в бабкины яркие, несмотря на возраст, глаза, улыбнулась:

— Все же в нашей семье уровень интеллекта падает от поколения к поколению.

Бабка встала, похлопала ее по руке:

— Просто ты плохо позавтракала. Мало выпила кофе и еще не проснулась окончательно.

— Пост у дома номер сорок три? — уточнил голос дежурного, до которого она смогла дозвониться только минут через пятнадцать. Кофе в ее чашке остыл. — Он снят.

— Снят? — похолодела Маша. — Как давно?

— Со вчерашнего вечера. С двадцати двух часов.

Спрашивать почему — было бессмысленно. Ей бы в лучшем случае выдали удобную ложь про нехватку кадров.

— Что? — Любочка стояла рядом, смотрела обеспокоенно.

— Ничего, — успокаивающе погладила Маша бабку по тонкой морщинистой руке. — Мне нужно идти.

— Ты же сказала, что это опасно? — взвилась Любочка.

— Было, — Маша отвела глаза, делая вид, что выискивает подходящую обувь. — А сейчас уже нет.

Бабка, полная подозрений, выразительно молчала. Но объяснять, что один из здешних олигархов сделал так, что у них отобрали пусть слабенькую, но защиту, и в доме теперь стало так же опасно, как и на улице, Маша не хотела.

— Куда ты? — только и спросила Любочка.

— В коммуналку, — не нашла в себе сил изворачиваться Маша.

— Так я и думала, что она туда побежала. Не выдержала. — И добавила привычное: — Чертова квартира.

АНДРЕЙ

Андрей не сказал Маше только одного: он не просто собирался в Питер. Он собирался в Питер на следующий день. Выйдя из нового здания аэропорта, взял такси. Адрес Любови Алексеевны был ему давно знаком. Раньше Андрей никогда бы не решился показаться пред ее светлые очи, но теперь он уже получил самый большой отказ из возможных, и чего ему было бояться? Как говорится, внуков вместе с Любовью Алексеевной ему уже не крестить, — он мрачно усмехнулся, называя водителю такси тот самый адрес. «Нет, — размышлял он, пялясь в предрассветные сумерки. — Тут надо думать о том, как увезти Машу в Москву». Не к нему — с ним уже все понятно, кому он нужен? Но подальше от господина Носова, соревноваться с которым бессмысленно и крайне опасно. Что из того, что Маша раскроет имя злодея? Это знание никого не спасет: у нашего олигарха такие друзья-подельники сидят в столице, что они раздавят Машу, не задумываясь, если даже сам Носов не сумеет сделать этого в Петербурге. Но в глубине души он знал одно Машино невозможное качество — это ее бессмысленное, отвратительное бесстрашие. «И что хуже всего — ведь не от глупости, — качал Андрей головой в темном салоне, не замечая насмешливого взгляда шофера в зеркало заднего вида. — Нет, не от глупости, а от ума. От какого-то внутреннего восприятия себя в этом мире, которое не позволяет остаться в общем ряду и не сделать шага вперед, обозначив себя простой мишенью». И наряду с глухим раздражением, которое это бесстрашие в нем вызывало, он не мог не восхищаться им и не пытаться, пусть даже против Машиной воли, спасти ее. И проговаривал, проговаривал про себя те аргументы, которые могли убедить ее бросить старое, никому не нужное дело — ведь что это было? Хобби, развлечение в отпуске? Вот пусть все так и останется... В крайнем случае, сказал себе Андрей, расплачиваясь с водителем, он привлечет тяжелую артиллерию в виде бабушки, которая должна же волноваться за внучку, разве нет?

Дверь ему открыла дама лет восьмидесяти, и он, хоть и подготовил себя к культурному шоку — меж провинцией и блистательным Санкт-Петербургом, — все же оробел. Любовь Алексеевна, она же, как Маша ее ласково называла, Любочка, худая, с идеально прямой спиной, одетая в ярко-синий брючный костюм тонкой шерсти, говорила по телефону, одновременно делая ему знак войти — рукой с зажатой в ней сигаретой. Она не спросила его, кто он, просто просканировала голубыми, совсем не старушечьими глазами, и отошла внутрь квартиры, оставив растерянного Андрея разбираться с замком. Он, против воли, прислушался:

— Душа моя, вы же помните, еще у Соссюра: в языке нет положительных членов системы, существующих независимо от нее. То, что отличает один знак от других, и есть все то, что его составляет.

Андрей вздохнул: он не понял ни слова. А Любочка вскоре распрощалась и вышла к нему:

— Вы — Андрей, — сказала она, и это было утверждением, не вопросом. И добавила: — Как же я рада вас видеть!

Через полчаса они уже расположились на кухне, так много раз описанной Машей, что ему казалось, что он и сам здесь не раз бывал и пивал из большой кружки кофе, налитый из старого кобальтового кофейника. Непонятно как, но беседа плавно перешла на тему их с Машей отношений. Почему он решил рассказать сидящей перед ним парадной незнакомой старухе о своем неудачном предложении? Возможно, дело в усталости от перелета? А может быть, ему просто давно хотелось выговориться, а Раневская не всегда оказывался идеальным собеседником?

— Андрей, отсутствие настойчивости у мужчины — это еще хуже, чем отсутствие потенции, — вдруг отрезала Любочка (вот уже минут десять, как он называл ее про себя именно так), пододвигая к нему тарелку с бутербродами. — Вы понимаете, о чем я?

Андрей почувствовал, что краснеет. А Любочка, довольная произведенным эффектом, подмигнула, поднимая в приветственном жесте чашку с кофе.

— Э... — попытался скрыть смущение Андрей. — А где Маша сейчас?

— Убежала за своей подружкой-виолончелисткой в ту квартиру. Полицейский кордон с нас сняли, так что теперь девушки почувствовали себя свободными, как ветер...

Андрей замер с бутербродом в руке, осторожно положил его обратно на тарелку.

— Любовь Алексеевна, вы меня простите, не буду рассиживаться. Очень хочу поговорить с Машей.

И увидел, как Любочка сузила глаза, проследив за отложенным бутербродом: ну, конечно. Пренебрежение к пище. Блокадный синдром. Вряд ли когда-нибудь Машина бабушка простит ему такую бестактность. Но Андрею было уже наплевать, он торопливо натягивал кроссовки у двери.

— Вы уверены, что безудержная страсть — единственная причина вашей поспешности? — Любочка уже стояла рядом, смотрела внимательно. Андрей, продолжая глядеть в пол, мотнул головой: мол, да, мы, молодежь, так не сдержанны в чувствах, тут уж не до политесов.

— Хорошо, — улыбнулась Машина бабка, подавая ему шарф. — А то я боялась, что вам столь быстро наскучило мое общество.

Захлопнув за собой дверь парадной, Андрей виновато вздохнул: что-то ему подсказывало, что Любочку так просто не провести. Он запахнул куртку, огляделся по сторонам в поисках такси: над мостовой клубился сизый, наполненный ледяной влагой воздух. Сумерки грозили так и не перейти в световой день. «Отвратный климат! — подумал Андрей — И глобальное потепление явно не помогает решить здешнюю проблему с погодой. Проблему, которой уже лет этак триста».

Машину он сумел поймать только на Невском и, смутно ориентируясь в питерской топонимике, вскоре понял, что везут его кругалями, через Садовую. Въезд в переулок оказался перекрыт грузовиком, и Андрей отпустил такси: пошел пешком, невольно глазея по сторонам. Городской пейзаж вокруг был не слишком утончен. «Этот квартал будто заговоренный, — рассказывала ему Маша по телефону, стараясь отвлечь от мыслей о неудачном сватовстве. — Сколько раз пытались его облагородить и при царе, и при коммунистах, и уже при нынешней власти. Но вот будто какое-то проклятье лежит на Сенной площади и ее окрестностях: вечно у нее расхристанный, чуть кабацкий вульгарный вид...» Андрей с усмешкой читал надписи: «Винный супермаркет», магазин «Матреша», ортопедические товары «Умный сандаль». Красота! Вот, почти напротив нужного ему дома, полуподвальный «Салон красоты» и магазин белья производства Белоруссии. А между ними — темная, как звериный лаз, арка, ведущая в двор-колодец. Трое стояли под сумрачным сводом и курили. Алкаши? Андрей пригляделся. Не похоже. Не та стать: высокие, ни разу не сутулые. Что-то неуловимо знакомое — широко ли расставленные ноги, или то, как натягивалась кожа курток на объемистых плечах, — заставило Андрея замедлить шаг, а потом и вовсе перейти дорогу, чтобы, делано заглядевшись на уродливые манекены, демонстрирующие дешевое белье, притормозить рядом со странной группкой под аркой.

— Ребят, закурить не найдется? — Андрей уже держал наготове сигарету.

Мужики переглянулись. Старший полез в задний карман джинсов за зажигалкой. Андрей не торопясь прикурил, кивнул в знак благодарности. Благодарить было за что — он увидел то, что хотел. Стараясь не бежать, он дошел до нужного ему подъезда. Позвонил в домофон. Ему ответил смущенный, кажущийся почти детским голос.

— Добрый день. Это Андрей Яковлев. Маши случайно?..

И услышал щелчок открываемой двери одновременно с вежливым:

— Очень приятно, Ксения. Будьте добры, проходите, пожалуйста.

Андрей ухмыльнулся: подружка-виолончелистка, как пить дать! Перебор с вежливостью на фоне московской деловитости, заставляющей скорее обрезать фразы, чем добавлять им витиеватости, казался запредельным анахронизмом. Просто интеллигентный динозавр какой-то!

Правильно оценив допотопный лифт, Андрей бегом поднялся по лестнице. В дверях стояла Маша, сосредоточенная и бледная. И очень красивая. Забыв о том, что собирался сейчас же, вот прямо немедленно, выводить ее из дома, Андрей заграбастал ее в охапку. Маша прильнула к нему, прошептала интимно в ухо:

— Ты видел тех, в арке?

Андрей кивнул:

— Я даже заметил у них кобуру.

— Что будем делать? Их же минимум трое.

— Для начала зайдем в дом, — и он впервые ступил внутрь квартиры, о которой так много слышал. И не просто закрыл за собой дверь, а методично запер все засовы: какие-то древние, еще не снятые с коммунальной поры. А закрыв, почувствовал на себе чей-то взгляд и обернулся: на него в легком недоумении смотрела высокая, похожая на удивленную птицу девушка.

— Вы всегда так запираетесь, впервые придя в гости? — спросила она не без иронии.

— Что ты хочешь? — подошел к ней со спины огромный мужик с круглым, как блин, добродушным лицом, обнял за плечи. — Москва. Тяжелая криминальная обстановка формирует странные привычки.

Андрей заметил, что виолончелистка руки не сбросила, просто на секунду закрыла глаза.

— Очень смешно, — протянул ладонь Андрей, — Яковлев. Андрей.

— Иван. Носов, — пожал тот ему руку своей теплой мягкой лапищей.

Андрей переглянулся с Машей: та пожала плечами. Не спрашивай. Мужик верно истолковал его взгляд, мрачно усмехнулся:

— Да. Я тот самый внук людоеда.

Андрей кивнул: значит, он в курсе. Что ж. Так даже проще.

— А еще вы сын человека, который послал группу хорошо вооруженных мужчин, чтобы положить тут всех, похоронив вместе с нами вашу маленькую семейную тайну.

— Глупости, — ответил Носов, но как-то неуверенно.

— К сожалению, это правда, — сосредоточенно кивнула Маша. — Я тоже их видела.

— Я позвоню ему, — полез здоровяк в карман куртки. Андрей не без удивления заметил, что рубашка у него местами не застегнута, а на брюках — строительная пыль и следы краски, будто он и ночевал здесь, на полу.

— Уверены, что имеете на своего отца такое серьезное влияние? — зло усмехнулся Андрей. — Или просто хотите его предупредить?

Глядя Андрею в глаза, Носов опустил телефон.

— Хорошо. Что нужно делать?

«Можно ли ему доверять, с такой-то семейной традицией?» — прикидывал Андрей. Носов понял. Но никак не пытался его убедить. Стоял набычившись, крепко держа свою виолончелистку за руку.

— Вы же хирург? — наконец спросил Андрей. Тот кивнул. — С ножом обращаться умеете?

— Что?.. — начала Ксения, еще шире распахивая и без того огромные глазищи.

— Шутка, — улыбнулся Андрей одними губами. — Мы ни с кем не будем сражаться: белый день на дворе. Центр города. Мы просто попытаемся уйти без шума.

— Без шума не выйдет, Андрей, — Маша сосредоточенно на него глядела. — Тут нет выхода через двор ни на канал, ни на другую улицу. Только в тот же переулок, через арку рядом с парадной.

Он знал, что она хочет сказать: никакой центр и белый день не остановит маски-шоу, настроенные на убийство. Слишком большой человек играет. Можно позвонить в Москву и вызвать «своих» ребят — из тех, которых местное начальство не отзовет сразу по приезде. Но для этого им нужны основания вломиться в квартиру — то есть тот самый шум. А теперь внимание, вопрос: сколько у них времени? Как два мрачных клоуна, они с Машей одновременно посмотрели на часы. Ночь спустится на этот город часа в три. Сумерки — еще раньше. У них полчаса. Максимум — час.

— Тут есть выход на черную лестницу, — прижимаясь к объемному боку Носова-младшего, вдруг сказала виолончелистка. — Она была заложена, но мы во время ремонта освободили проем, чтобы мусор выносить.

— Отлично, — кивнул Андрей. — Значит, вы трое сейчас — ноги в руки — выходите туда. Спускаетесь вниз и ждете.

— А если они все равно оставят кого-то караулить на улице? — возразила Маша спокойно.

— Я постараюсь, чтобы не оставили, — он положил руку ей на шею, перебрал истосковавшимися пальцами гладкие теплые волосы на затылке. — Вперед. Ты отвечаешь за своих питерских подопечных.

Маша что-то хотела сказать, но вместо слов только кивнула виолончелистке с хирургом: идите. И, когда те пошли по коридору в сторону кухни, быстро обернулась, взяла его за отвороты куртки, прижала к себе и поцеловала крепко-накрепко, что называется — на совесть, как ему и мечталось все эти бессмысленные в ее отсутствие дни. Он сжал ей руку, до боли, а она лишь улыбнулась, не отрывая от него невозможных прозрачных глаз, кивнула и пошла догонять остальных. Хлопнула дверь — туда он еще наведается, чтобы забаррикадировать черную лестницу. А пока...

ОН. 1960 г.

Ночь впереди,
Снег на пути,
Зорче вдаль, машинист, гляди,
Удачи тебе в пути!

Из песни «Машинист».
Композитор А. Пахмутова,
слова К. Гребенникова
и Н. Добронравова. 1960 г.

Уже два глухих, пасмурных дня он сидел один в разрушенном блиндаже, жег костер и ел запасы: их, впрочем, можно было пока не экономить. Паренек — «Зови меня Михой, дядя» — снова и снова объяснял ему проход через лес. Старые блиндажи были схожи с доисторическими пещерами, там имелись потемневшие от старости и сырости матрацы и самодельная — из ведра — печка. Топить, впрочем, следовало аккуратно — дым мог выдать их местонахождение. А так — все удобства, и он не раз размышлял о людях, ночевавших до него на старых матрацах: сумели ли они добраться до вожделенной Суоми, и если да, то как сложилась их судьба? Ему снилась Зина, склонившаяся полной молочной грудью над новорожденным Колькой. Рубиновые сережки, подаренные на рождение сына, поблескивали в ушах. У него самого на коленях сладкой тяжестью спала Аллочка, так ревновавшая отца к мальчику. Почему-то во сне она все так же была в своих красных ботиночках. Просыпаясь от утреннего озноба и натягивая чуть влажное одеяло на голову, он все пытался вспомнить, почему не спалил те ботиночки в огне блокадной буржуйки? Но они были так хороши: и цветом — алым, и нежнейшей на ощупь кожей. Таких было не отыскать ни у частников, ни тем более в советских обувных. Думал ли он, что однажды отдаст их своей дочери?

Нет, конечно. Скорее они стали вроде как посланием из другой жизни, где все могло быть иначе. Может, и не уходить никуда? — никак не мог решиться он. Жить тут потихоньку? Добираться время от времени до ближайшего поселка, покупать еще снеди... Не рисковать?

На третий день он проснулся и увидел солнечный луч, лежащий ковриком у входа. Вышел наружу и подивился лесному превращению: тот будто стал живой, теплые золотистые пятна плавали в пронизанном птичьим пением и запахом нагретого солнцем мха воздухе. Это был знак, пора было сниматься с якоря. Он быстро перекусил, собрал в рюкзак пожитки, окинул прощальным взглядом нутро блиндажа.

А затем отправился в путь. Вокруг стоял смешанный лес, цеплялась сучьями за ветровку ель, шептали над головой что-то нежное березы. Он переступал через поваленные деревья, ворошил палкой густой папоротник под ногами — а ну как попадется гадюка? А иногда наклонялся и срывал горстью — вместе с листочками — чернику или голубику. К обеду он подошел к тихому, спрятанному меж скалистых берегов ручью. Тот оказался совсем неглубоким, медовым от лучей пронизывающего его до близкого песчаного дна солнца. Перекусил хлебом и вяленой рыбой. Посидел чуть-чуть на мшистом валуне, сверяя компас и карту. И, перейдя вброд ручей, снова углубился в лес. Постепенно тот стал сплошь хвойный, все больше сосны, а потом он и вовсе вышел на открытое место: под ногами пружинил сфагнум и кукушкин лен, целыми колониями цвел багульник. Над мелкими белыми соцветьями роились пчелы, множество пчел. «Откуда они здесь взялись, с каких далеких лугов прилетели?» — улыбнулся он. Но постепенно улыбка превратилась в гримасу. От запаха и гула множества насекомых закружилась голова. Он шел, спотыкаясь, жужжание слилось в одну протяжную ноту, то приближалось, то становилось глуше. Хотелось прилечь на матрац из мягкого мха и забыться сном. Он с силой потер лицо, мечтая лишь об одном — выйти наконец из этого заколдованного места. И почти побежал к виднеющимся на горизонте тонким березовым стволам, сквозь которые нестерпимо било в глаза огромное закатное солнце. Преодолевая уже последнюю сотню метров, вдруг услышал: — Стой! — И, приставив ладонь козырьком ко лбу, увидел ее — постовую пограничную вышку. А на ней — прорисованную по контуру слепящими лучами маленькую тень.

— Стрелять буду! — услышал он и тут же почувствовал рядом с левой щекой горячий свист пули. Он осторожно дотронулся пальцами до залитой кровью щеки и, уже не задумываясь о направлении, с оглушительным треском ломая сухие сучья, бросился вперед.

АНДРЕЙ

Андрей осмотрелся. В первой комнате справа, похоже, недавно снесли перегородку. Строительный полиэтилен покрывал потолок — очевидно, для защиты старой лепнины. Переставляя заляпанный краской стул с одного места на другое, Андрей карманным ножом разрезал пленку. Ее конец теперь свисал до полу. Тяжелые, тусклые из-за строительной пыли обрывки полиэтилена превратили комнату в подобие современного театрального декора, этакий лабиринт из колышущихся листов. Быстро, будто играючи, Андрей прошелся со своим стульчиком и ножичком по всей квартире — вжик! вжик! вжик! — с осенним шелестом опуская за собой все новые полиэтиленовые занавесы. А попутно собирая: строительный нож, дрель и даже — ого! — гвоздезабивной пистолет с силиконовой насадкой. Любопытная альтернатива его собственному «макарову» — вот как чувствовал, что тот придется ему в Питере весьма кстати. Насвистывая нечто, отдаленно напоминающее «Наша служба и опасна, и трудна!», Андрей вновь оглядел, вернувшись ко входу в квартиру, первую комнату и заметил прямо над входом приоткрытые дверцы — опаньки! Неужто антресоль? Подставил стульчик, подтянулся на руках: за дверцами и правда обнаружился оклеенный старыми обоями закут в метр длиной, навроде кладовки. Если не считать пожелтевших от времени газет, закут был девственно пуст, и, очевидно, тоже предназначался на слом: зачем будущим богатым хозяевам эта примета бережливого коммунального времени? Да-да-да, — внимательно оглядел закут Андрей. — А нам он может еще пригодиться, господа хорошие. Он подошел к окну, за которым небо из светло-серого стало превращаться в темно-серое, снял ботинки, аккуратно поставив их носками к двери за последней из полиэтиленовых занавесей. Бесшумно ступая по полу, пошел к щитку у входной двери — отключать электричество. И — замер. В противоположном конце квартиры раздался грохот. Маша! Андрей бросился, поскальзываясь в носках на полу, в сторону кухни. Рванул на себя дверь и приставил пистолет к затылку находящегося там человека.

— Ты что тут делаешь, хирург?

Носов развернулся всей тушей, на лбу блестели капли пота:

— Шкаф двигаю, чтобы закрыть проход на черную лестницу, — буркнул он.

Андрей выматерился, опустил пистолет.

— Ты помнишь, что я сказал вам делать?

— Помню, — отряхнул руки хирург. — Но я так понял, что мужчин внизу больше двух. А ты — один.

— Ты точно хирург, а не математик? — усмехнулся Андрей. — Или, может, у тебя есть оружие? И ты умеешь им пользоваться?

Носов-младший угрюмо молчал. И Андрей вдруг развеселился: чем-то ему был симпатичен этот медведеподобный мужик: хочет ответить за фокусы своего сумасшедшего отца, по милости которого они все здесь оказались? Да пожалуйста. Выглядеть героем в глазах своей похожей на испуганную галку виолончелистки? Ради бога.

— Держи, — протянул он ему гвоздезабивной пистолет. — Что такое, знаешь?

Носов взял пистолет, пожал плечами. Андрей вздохнул: ясно.

— Это — пневматический пистолет. Стреляет гвоздями. Старый образец — повезло тебе. Прижимной скобы нет, так что проблем попасть в ребят у тебя быть не должно. Стрелять надо в руку, держащую оружие. И в ноги. Попадешь?

— Я хирург, — наконец ответил этот чудик. — С точностью у меня действительно проблем нет.

— И на том спасибо. Теперь так. Пока я не отключил свет, изучи диспозицию. Я буду в первой комнате справа — привлеку внимание. Ты — окажешься у них в тылу. Будь уверен, прежде чем стрелять, что у тебя есть путь к отступлению: ванная, коридор, на худой конец — балкон. Чип или Дейл попытаются прийти на помощь. Это ясно?

— Ясно, — кивнул хирург.

— Тогда снимай свои ботинищи, — усмехнулся Андрей. — Выставишь носки из-за шкафа. — И на удивленный взгляд Носова-младшего пожал плечами: — Тупой обманный маневр, но всегда работает.

* * *

Они принялись за дело ровно по часам: замок хлипкий, да и новая хозяйка еще не озаботилась серьезной стальной дверью. Андрей, сидя у себя на антресоли, даже расстроился: шум пока получался смешной. Пару раз постучали, поняли, что не откроют, ударили топором и вынесли замок с мясом, ясное дело. Через приоткрытые дверцы он слышал шаги: двое крупных мужчин в тяжелых армейских ботинках. Они не переговаривались — очевидно, объяснялись жестами и осматривали каждую из комнат, шелестя полиэтиленом, но стараясь издавать минимум звуков. Вот один из них подошел к той комнате, в которой укрывался Андрей, на секунду остановился на пороге и сделал шаг вперед.

— Привет! — свесился Андрей головой вниз, столкнувшись нос к носу с мужчиной, давеча давшим ему прикурить. И нажал на курок. Пиу! — выплюнул свинец «макаров». Пуля, посланная в упор, пробила куртку и бронежилет. Мужик упал, как подкошенный. Андрей нырнул обратно. Шаги второго замерли. Стоит в коридоре — понял Андрей. Выжидает. Осторожно взял пожелтевшую газету из кипы рядом, затаив дыхание, смял тонкий, хрупкий от времени лист. Приоткрыл дверь и бросил бумажный ком в противоположный угол комнаты. Шевельнулся дальний полиэтиленовый занавес. Та-та-та-та-та-та! — разнеся пленку в лохмотья, прошила полиэтилен очередь из коридора. Дождавшись последнего выстрела, Андрей нырнул вниз и выстрелил наугад, ориентируясь на звук.

— Аааа... — заорал неизвестный.

Попал. Отлично. Значит, у них есть еще пара минут до того, как сюда догадается подняться третий участник компании. Андрей мягко спрыгнул на пол, перешагнул через раскинувшего руки мертвого рейнджера, не замедляя движения, вынул из раскрывшейся ладони в черной перчатке пистолет с глушителем. В почти полной темноте коридора увидел лежащего на животе человека. Тот стонал. Продолжая держать его на прицеле, Андрей подошел к нему почти вплотную, сел на корточки. И услышал тихий щелчок над ухом и насмешливое:

— Привет!

ОН

Если хочешь, чтобы дело было сделано хорошо, сделай его сама, — говорила супруга одного американского президента, почившего от рук убийцы. Весьма спорное утверждение, если учесть, из какого места растут руки у большинства. Нет, дела в идеале надо доверять профессионалам. Но — в идеале же! — и держать руку на пульсе.

Пульс бился рядом с этой коммуналкой, разросшейся в его кошмарных снах до замка Франкенштейна. Будто детская страшилка: на черной-черной улице, в черном-черном доме, глядящем в мертвые воды черного-черного канала, в черной-черной квартире, как ведьмы в мрачной готической башне, сидят эти две неясные девицы и держат, как в древней сказке, возможную газетную «утку», а в утке — яйцо правды, а в яйце — смерть его. И ничто их не берет! Вот почему сегодня он отпустил водителя с охранником, отключил телефон и пришел подышать миазмами трущобной Сенной площади и этого самого черного-черного канала — бывшей болотной, петляющей речки Кривуши. Подтянутый мужчина средних лет. С чуть оттопыривающимся карманом. Получить разрешение на ношение оружие — не бог весть какая задача. Умение стрелять он поддерживал время от времени в тире: хорошая разрядка, полезный навык. Он прошел, просканировав стоящего на шухере у входа громилу, в дверь парадной, пропуская перед собой милую барышню в спортивной форме. В ушах у барышни были наушники — даже в шаге от нее он уловил бьющие, как отбойный молоток, ритмы. Не задумываясь, она зашла вместе с ним в лифт. Не вздрогнула, как он, когда раздался первый выстрел. Просто не услышала. Он вышел на темную площадку перед квартирой. Запнулся о щепку на полу, равнодушным взглядом окинул изуродованную топором полуоткрытую дверь. Прислушался. Пам-пам-пам-пам! — раздалась сдавленная глушителем очередь. И, после минуты молчания, еще один выстрел: одиночный, как удар хлыстом. Кто-то закричал, тяжело упал на пол. Никуда не торопясь, он снял обувь, брезгливо поставив на грязный пол ногу в тончайшем итальянском носке: шелк, шерсть и кашемир. Вынул из кармана пистолет, аккуратно взвел курок и медленно пошел вперед. Он увидел его не сразу — мешали мутные лохмотья висящего тут и там строительного пластика. Но тот же пластик помог подойти незаметно — отличная маскировка. Так, выглянув из-за полиэтиленовой занавеси, он оказался как раз за спиной у невысокого парня в кожаной куртке и джинсах. Парень щупал пульс одного из громил, тяжело дышащего на полу. Другой валялся чуть дальше — на входе в комнату.

— Привет, — он приставил ствол к коротко стриженному затылку. Парень замер. Интересно, кто он, этот рыцарь на белом коне? Впрочем, какая, к черту, разница! — Где барышни? — вдавил он пистолет чуть дальше в затылок.

— Здравствуйте, Николай Анатольевич, — спокойно сказал тот. — А их здесь нет.

— Есть, дружок. И не очень далеко. Иначе бы их заметили на выходе. — Он вздохнул. Очередной туповатый упрямец. Попробуем с другой стороны: — Давай-ка посчитаем до трех, да? Раз... — Он подождал чуть-чуть, но неизвестный товарищ, положивший только что двух из его людей, если и сдастся, то только на счете «три». Так что продолжим, не делая больших пауз: — Два...

Он уловил за спиной легкое движение, повернул голову и услышал шорох, будто чей-то шепот: пшт, пшт, пшт, пшт. Секунду, еще ничего не понимая, он смотрел на пронзенные гвоздями кисти своих рук. Выпал и с сухим скучным звуком упал на покрытый пленкой пол пистолет. И сейчас же, ориентируясь на этот звук, выстрелил уставший ждать под дверью, третий из подосланных им убийц. Он ведь сам, давая им задание, уточнил — из тех, кто в квартире, в живых никого не оставлять. И, успев усмехнуться иронии судьбы, упал, вслед за своим оружием, на пол. И уже не видел, как, прикрываясь его телом, целится в темноту коридора неизвестный парень в джинсах.

КСЕНИЯ

Господи, как же ей было страшно! Выстрелы глухо звучали за стеной, на черной лестнице было темно, холодно и сыро. Пахло крысами. Сплошная достоевщина. Но страшней всего то, что Иван бросил их тут и отправился, безоружный, обратно в квартиру. И лицо у него в тот момент было безмятежно-спокойное. Пугающе отрешенное. Будто всю жизнь не хирургом работал в районной больнице, а каким-нибудь коммандос в горячих точках. Ксюша еще что-то причитала, пыталась схватить его за руку, повторяя, что он не может, не имеет права вот так оставлять их тут, одних. Но Маша выдохнула и кивнула: иди. И держала Ксюшу, пока не захлопнулась дверь и она не услышала звук передвигаемой тяжелой мебели.

— Это оттого, — Ксюша, оставшись в темноте, нащупала Машину руку, — что я отказалась замуж за него выходить. Он доказать мне решил...

Машина узкая ладонь дрогнула в ее руке. Ксюша всхлипнула, по-детски шмыгнула носом.

— Его убьют, а я буду виновата! Что я за идиотка такая?! Зачем себя накрутила? Какая, к черту, разница, кто там был его дедом! Он-то ведь совсем не такой, да?

Маша молчала. Ксюша прислушалась: из квартиры не доносилось ни единого звука. «Это хорошо? — хотела она спросить у Маши. — Или наоборот?» А Маша вдруг сказала, но что-то совсем непонятное:

— Что это у твоего Ивана с руками?

— Что ты имеешь в виду?

— Розовые пятна. Лишай? Экзема?

— Я... — впервые задумалась на эту тему Ксюша. — Я не знаю. Вряд ли что-нибудь заразное, нет? Иначе кто б ему дал оперировать?

— Да, — Машин голос звучал тихо. — Это может быть и витилиго. А если это витилиго, то все вообще лишено смысла...

Ксюша уже открыла было рот, чтобы потребовать объяснений — не время и не место говорить загадками, — как раздались выстрелы. Один, второй... Ксюша зажмурилась и чуть не заскулила: Иван, Иван, Иван. А в квартире снова все стихло.

— Я могла сделать его счастливым, — прошептала она, стараясь не разрыдаться. Думала, сказала про себя, а получилось — вслух. — Как я прощу себя, если уже слишком поздно?

— Пойдем! — резко потянула ее за руку Маша. Нащупывая ступеньки, они стали спускаться вниз. Где-то на улице истошно завыла полицейская сирена. Это жители дома наконец услышали выстрелы. — Скорей! Мы должны его застать!

Маша уже бежала вниз, а Ксюша ужасно боялась навернуться и упасть. Вспотевшая от страха ладонь отказывалась скользить по старому дереву перил.

— Маша, подожди меня! — крикнула она.

* * *

Его вносили на носилках в машину «Скорой помощи». Ксюша даже не сразу поняла — кто этот полуседой хорошо одетый мужчина с залитыми кровью грудью и руками. Главное, не Иван. И не Андрей.

— Он умирает, — сказала Маша. — Он умирает и даже не понимает, насколько все было бессмысленно.

Но Ксюша ее не слышала. На нее обморочной волной накатило облегчение: Ваня жив. И Машин Андрей жив. Она села на поребрик, обхватила острые колени руками и стала ждать. Кто-то накинул ей на плечи теплую куртку. Но она даже не повернула головы, чтобы поблагодарить, а продолжала гипнотизировать дверь парадной. Вот сейчас он выйдет, думала Ксюша. А она скажет: прости меня. Мне на все наплевать стало в этом мире, даже на музыку, когда я поняла, что ты можешь умереть. Потому что ты и есть — моя музыка. Просто спускайся уже скорей из этой чертовой квартиры!

МАША

Алексей Иванович, казалось, был рад ее видеть. Достал из чуть покосившегося древнего буфета все те же чашки с крупным рисунком, что и во время их первой встречи на этой хрущевской кухоньке. Выложил на тарелку пряники, которые Маша с детства на дух не переносила. Чай пить тоже не хотелось, но Маша понимала, что их беседе потребна та обстоятельность, которая дается соблюдением всех ритуалов. А чаепитие, как альтернатива водкопитию, одно из необходимых условий для признаний. Так что она кивнула на предложение положить себе пару ломтиков лимона, привычно отказалась от сахара и схватилась, как за спасательный круг, за ненавистный пряник. Как начать? Ведь он, очевидно, ничего не знает...

— Есть какие-нибудь новости? — спросил хозяин дома, помешивая сахар в крепком, цвета вересково-го меда чае. И Маша, не отдавая себе в том отчета, загляделась на его руки — старчески-костлявые, туго обтянутые сухой кожей в розовых пятнах.

— Алексей Иванович, — подняла она на него глаза. — Помните, вы одолжили мне пластинки, из тех, рентгеновских снимков на костях?

Лоскудов кивнул.

— Чего вы, наверное, не помните, что одну из пластинок вы использовали в качестве аудиодневника. В том самом, 59-м.

Старик замер. Аккуратно положил ложечку на блюдце. Маша неловко улыбнулась, посмотрела на ненужный липкий пряник у себя в руке и стала говорить, все быстрее и быстрее.

— Там вы признаетесь, что испытываете чувство к какой-то женщине в квартире. Логично было бы предположить, что это Тамара, но я видела, как вы на нее смотрели. Вы... Вы никогда не любили ее, Алексей Иванович. Только она — вас. — Маша бросила быстрый взгляд на Лоскудова: он сидел, уставившись на сцепленные замком пятнистые руки, и Маша снова опустила глаза на пряник. — Но в квартире в то время проживали еще две молодые женщины — Ирина Аверинцева, бабушка Ксении. И Зина Аршинина. Ирина в тот момент была невестой и, по воспоминаниям Ксюши, очень любила будущего деда. И я почему-то подумала, что именно Зина являлась предметом, ваших, э... чувств, — Маша перевела дух.

— Вы все правильно подумали, — Лоскудов грустно усмехнулся. — Но, как вы знаете, Зина была крепко замужем.

— Да. Знаю. — Она не выдержала и снова взглянула на его руки: — Это же витилиго, Алексей Иванович?

Тот поднял на нее удивленный взгляд, кивнул.

— Достаточно редкое кожное заболевание, — снова заторопилась Маша. — Природа его до конца не изучена, подозревают сбой нейроэндокринных и аутоиммунных факторов меланогенеза. Я бы не стала спрашивать, но дело в том, что витилиго передается по наследству...

И услышала что-то вроде стона напротив: старик сидел, белый как полотно, хватая ртом воздух. Маша испугалась, заметалась по миниатюрной кухоньке, открыла дверцу буфета, где с облегчением обнаружила знакомый с детства, еще по бабкиному серванту, натюрморт: блюдце, рюмочка, корвалол. Сорок или пятьдесят? Пожалуй, пятьдесят. Она капала капли, боясь сбиться, разбавила остатком теплой воды из чайника, подала старику. Тот выпил залпом, постепенно начал дышать ровнее и чуть порозовел. Маша боялась продолжить.

— Она сказала, что избавилась от ребенка, — первым прервал молчание Лоскудов. Голос его был спокойным. — А когда наконец объявила всем о беременности, объяснила мне, зеленому, на пальцах, почему ЭТОТ — точно от мужа.

— У вас был сын, — тихо сказала Маша. Она могла добавить: он скончался сегодня от огнестрельного ранения, не совместимого с жизнью, и, стыдно признаться, я этому рада. Но вместо этого сказала: — И есть — внук. Прекрасный хирург и замечательный человек.

А старик, напротив, вдруг улыбнулся такой мальчишеской, полной чистой радости улыбкой, что у Маши защипало в глазах.

— Боже мой, Машенька, спасибо! Ведь это же счастье! Неожиданный подарок судьбы! — он вынул из кармана домашних брюк огромный носовой платок и трубно высморкался. — Простите. Но ведь всю жизнь — один, как сыч!

— Почему? — вырвалось у Маши. Это был абсолютно нескромный вопрос, но как удержаться? Почему такой умный, добрый человек столько лет оставался один?

А старик, напротив, вдруг перестал улыбаться. Эта смена погоды на лице была столь внезапной, что Маша испугалась.

— Потому что однажды, Машенька, очень давно, — усмехнулся он, — одна дама показала мне, на что способны женщины в принципе. И с тех пор каждый раз, когда у меня случался роман с какой-нибудь милой, славной девушкой, я прикидывал: а эта — смогла бы? И в результате, вконец измучив себя такими вопросами, всегда отступал, — он покрутил в руках чайную ложечку, виновато поглядел на Машу. — Ибо кто может знать — наверняка?

Маша вздохнула:

— Что она сделала, Алексей Иванович?

Но Лоскудов только жалко улыбнулся и покачал головой: не спрашивайте.

КСЕНИЯ. КОНЕЦ

Она сидит, прислонившись к стене, и оглядывается по сторонам. Медальон с Терпсихорой над камином — разбит. От музы танца остался лишь кусочек развевающейся на нездешнем ветру туники, обнаженный локоть да головка в профиль. Вместо всего остального — темная дыра. Рядом на стене — след от пули. Там же — отпечаток кровавой пятерни. Надо будет снова штукатурить, белить.

— У меня есть знакомый реставратор, — кивая в сторону медальона, говорит Иван. — Я ему вырезал желчный пузырь.

Ксюша улыбается, нащупывает его руку.

— У тебя другие-то знакомые есть? Которым ты ничего не вырезал?

— Есть, — кивает он устало. И целует ее в висок. — Но мало.

Потом, кряхтя — все-таки этот выход в супергерои дался ему нелегко, — встает и приближается к камину. Подбирает с каминной полки алебастровый осколок: то ли грудь музы, то ли живот.

— Обидно, — говорит Ксюша, у которой нет сил даже подняться. Теплые волны облегчения плещут вокруг, нежно убаюкивают. — И в блокаду при бомбардировках не пострадал, и в коммунальную эпоху никто на него не покусился, а тут — на тебе. Шальная пуля.

Но Иван хмурится и лезет в черный, открывшийся зев. Ксюша молча смотрит, как он вынимает оттуда связку писем: их штук пятьдесят, перетянутых простой бечевкой. Несет их Ксюше, садится рядом. Она, хмурясь, смотрит на пачку в руках. На ней нет пыли. Конверты не пожелтели в своем тайнике, чернила не выцвели. Будто их отправили на прошлой неделе. Но почерк — прекрасный, каллиграфический, такому не учили даже в советской школе. Гимназический почерк. Дореволюционный. Эта завитушка над заглавной Г и залихватский хвостик маленькой «Д», идущий не вниз, а вверх и влево в адресе: канал Грибоедова. Конверт был распечатан. Ксения осторожно вынула тонкий листок, исписанный тем же изысканным почерком.

«Ненаглядная моя Ксюшенька, — прочла она и вздрогнула — это письмо хранилось для нее? Ей предназначается? — Ты и представить себе не можешь, как мне без вас тоскливо. Умом понимаю, что должен выполнять свой долг перед Родиной, но в снах часто вижу тебя, Сонечку и Лилечку и, стыдно сказать, — просыпаюсь в слезах».

— Письма из Германии. Судя по датам на почтовых штемпелях — все от 40-го года, — услышала она голос Ивана и будто очнулась — выдохнула. Ну, конечно! Ксения Лазаревна. В память о которой, как она теперь подозревает, и настояла назвать ее бабушка. Муж Ксении Лазаревны — летчик, откомандированный в нацистскую Германию, перенимать опыт. Сонечка — погибшая в войну дочь. Лиля... — Ксюша сглотнула, вспомнив маленькие красные ботиночки — подарок, привезенный из той поездки для единственной внучки. К концу войны никого из них уже не было в живых. Конечно же, Ксения Лазаревна сохранила письма. Адреналин от находки пересилил усталость — Ксюша встала, осмотрела разрушенный тайник с внутренней стороны — нашла что-то вроде крючка-«собачки». Наверное, еще дореволюционное изобретение. Кто были родители Ксении Лазаревны? Средней руки коммерсанты? Квартал-то не престижный, но близкий к рынку... Наверное, когда не было времени отнести крупную сумму наличных или драгоценности в банковский сейф, алебастровая Терпсихора и несла свою вахту. Кто мог тогда представить, что однажды камин окажется в местах «общего пользования» и мимо будут сновать все коммунальные обитатели?

— Она была научный редактор, — сказала Ксюша вслух. — Часто работала дома. Могла забрать письма, когда хотела. Но все равно — зачем их держать в тайнике? Кому они могли быть интересны, кроме нее самой?

— Смотри, — протянул ей Иван один из конвертов. — Тут вырезана марка. Одна из двух. И тут. И тут.

Ксюша молча перебирала конверты: рядом с красной маркой с профилем фюрера и надписью DEUTSCHES REICH кто-то вырезал маникюрными ножницами маленький прямоугольник.

— А есть те, где не вырезали? — спросила она Ивана, и тот вытащил несколько конвертов с двумя марками. Тут уже наблюдалось некоторое разнообразие в профилях: молодая девушка с гроздью винограда в волосах. Поверху надпись: Repub Franc.

Дама с полной шеей в чем-то вроде диадемы. По окружности: Postage, Mauritius, One Penny.

Еще одна леди, уже в полупрофиль, корона на голове, колье и серьги: Canada Postage, Twelve Pence.

Зеленоватый мужик в кафтане: Republica de Panama...

Ксюша съехала спиной по стене на пол, плюхнувшись рядом с Ваней.

— Мне нужно набрать Машу. Срочно.

ОН

Пусть над нами пролетят года,
Помнить мы будем всегда,
Помнить...
Встречи, спящий Летний сад,
И в час вечерний Ленинград.

*Из песни
«Вечерний Ленинград», 1959 г.*

Пули срывали ветки рядом, он петлял, как заяц, забавно вскидывая вверх ноги, только бы не споткнуться и не упасть — тогда конец. Вскоре выстрелы затихли, зашло солнце, но небо оставалось светлым — оно останется таким еще долго, часов до одиннадцати. Ему послышался собачий лай — если они пустят по его следу овчарок, значит, все пропало. Он заставил себя притормозить, вынул карту. Где-то здесь, совсем недалеко, должно быть озерцо: одно из тысяч озер, что отражают небо в бывших чухонских лесах. Нужно отыскать его во что бы то ни стало... Надо лишь перенастроить компас, а руки дрожат. Но вскоре он сумел чуть выровнять дыхание, расправил, присев на корточки, на коленях карту. Озеро могло быть только в одной стороне. Экономя силы, он сбросил рюкзак, прихватив с собой только складной нож и хлебную горбушку, и потрусил через лес. Не прошло и получаса, как он выбрался на пологий берег лесного озера. Ему показалось, что он оказался в театральных декорациях к какой-то сказке. Отражая остывающее после заката небо, озеро лежало ровным серебристым блюдечком: тихо-тихо, будто ждало его. Замерли по краям, словно часовые, темные высокие ели. Он сглотнул, на секунду замерев, а потом встал на четвереньки и жадно стал пить прохладную, отдающую торфом воду. Затем разделся, обмотал рубаху чалмой вокруг головы, жгутом из штанов привязал на спину сапоги. Медленно, стараясь производить минимум шума, вошел в озеро. Плавал он неплохо, да и вода приятно холодила разгоряченное бегом тело. Но далеко заплывать все же не рискнул: добравшись до середины, свернул влево. Вышел, отряхнулся, как пес, выжал штаны, вылил из сапог воду. Застегнул оставшуюся сухой рубаху. Чай, не замерзнет — лето. Он был еще напуган, но плаванье не утомило, а напротив, придало бодрости. «Ничего, — сказал себе он, съев из горсти запрятанную в карман и теперь размоченную в озерной водице ржаную горбушку. — Накося выкуси, мы еще и не так выживали». Смутно вспомнилось: мертвый город, скованный льдом, найденная в завалах обвалившегося после бомбардировки старого дома чумазая девочка. Всплыло воспоминание, как обрывок распадающегося белого тумана, и пропало. Надо настроить компас и идти вперед, к такой уже близкой границе. Он в аккурат успеет подобраться к ней в темноте. Светает рано — не стянут они за такой короткий срок серьезные силы на отдаленном посту. А он как раз отдохнет и часа в три утра, с восходом солнца, станет свободным человеком. Он кивнул и сделал шаг вперед.

Поглощенный своими расчетами, он не сразу понял, где оказался: берег выглядел обычно — заросли камыша, листья кувшинки, ряска. Ногу засосало по щиколотку, но, с чавканьем вынув сапог, он сделал еще несколько шагов в указанную компасом сторону. И вдруг почувствовал, что уже не может пошевелить ногой: сапог было жаль, они еще отлично могли ему послужить. Он попытался вытащить из цепкой хватки сначала одну, потом другую ногу, перебрасывая вес тела вправо — влево, но добился лишь того, что отвратительная жижа поднялась до бедер. Палку свою он бросил, еще когда бежал, уворачиваясь от пули с пограничной вышки. Опереться, как это советуют делать на трясине, ему оказалось не на что. Пытаясь унять разрастающуюся в животе панику, он оглядел поверхность окружающего болота и увидел слева за спиной большую ветку. Его затянуло уже по пояс, но, развернувшись и изогнув спину, он мог бы... Со стоном откинувшись назад, он силился добраться до черной ветки — мертвой, как и все, что его теперь окружало. Мертвой казалась ему теперь стоячая вода заколдованного озера, мертвыми — темные силуэты елей на другом берегу. Черная от грязи рука тщетно пыталась ухватить узловатый ствол — всего в сантиметре от кончиков пальцев. Но он только глубже опускался на дно, откуда, обдавая его запахом распада, с утробным чмоканьем поднимались на поверхность гиблые пузыри. И, уже понимая, что все бесполезно, он наконец замер.

Вскоре лишь голова виднелась среди камышей. Маленькая птичка, болотная камышовка, опустилась на лысеющую макушку, издала свой жалостливый «чек-чек» и, почувствовав неладное, быстро взлетела вверх, в сторону еще такого светлого ленинградского неба.

МАША

Поезд несся сквозь снег. Иногда мокрые хлопья залепляли стекло, но вскоре слетали, оставаясь где-то далеко позади. Тогда в широком экране окна мелькал частокол из березовых стволов, прерываясь, как рулон неровно сшитого полотна, на полустанки. Маша положила трубку и вновь удобно устроила голову на плече у Андрея.

— Какие новости в Санкт-Петербурге? — лениво поинтересовался тот.

— Сказочный конец, — вздохнула Маша. — Получается, что под всеми этими легендами о старухиных сокровищах имелась реальная основа. Муж Ксении Лазаревны, известный филателист, покупал в Германии ценные марки и отсылал жене. А чтобы они не привлекали внимания при перлюстрации, наклеивал их рядом с действующей маркой прямо на конверт. Часть марок Ксения Лазаревна распродала во время блокады и после войны. Но кое-что осталось. Вот что она, получается, имела в виду, оговаривая, что Ирина Аверинцева все за ней унаследует.

— Значит, теперь твоя Ксюша — счастливая богатая наследница?

Маша пожала плечами:

— Она и ее мать, наверное.

— А тебе это, похоже, совсем неинтересно? — поддел ее, целуя в русую макушку, Андрей.

— Если бы мне это было интересно, — рассеянно смотрела в окно Маша, — я бы пошла в имущественное право, а не на Петровку.

— Ясно. Это ж не убийства, а так. Человеческие взаимосвязи, отношения. Кому они интересны?

Андрей выдохнул, дернув плечом, и чуть отодвинулся. Маша взглянула на него удивленно: что это он? Это было нелогично и несправедливо. Ее интересовали отношения, ведь все преступления вырастают как раз из этой материи. Она уже открыла рот, чтобы возразить, но Андрей продолжал смотреть в окно с таким настойчивым интересом, будто бескрайний березовый тын сменился вдруг джунглями Амазонии. Ну конечно, какая же она дура! — вздохнула Маша. Он пытается перевести беседу в интересующее его русло, а не выходит. Делает вид, что не ждет, а на самом деле — ждет. И такое независимое ожидание дорого ему дается. Хочет, наверное, схватить ее за плечи и потрясти хорошенько, но держит себя в руках и вот — в окно глядит. Маша почувствовала, что улыбается, слабея от нежности и желания провести рукой по короткой густой щетине на голове, уткнуться носом в плечо... Но — сначала слова. Решение она приняла еще там, на черной лестнице, слушая Ксюшины покаянные речи и вздрагивая с ней в унисон от каждого выстрела. Какие глупости — пора, не пора? Готова ли к детям — не готова ли? Да и будет ли она к ним когда-нибудь готова? И что такое это всегда отложенное на завтра «пора»? Тогда как прямо сейчас, здесь, перед ней мучается любимый человек — живой, хотя запросто мог бы сгинуть в этой, как ее называет Ксюша, «чертовой» коммуналке? И кому бы тогда она объясняла про абстрактное «пора»? И Маша обхватила Андрея обеими руками, вжавшись в его тепло и родной запах.

— Эй, — потерлась она щекой о его плечо. — Если ты еще не передумал. Я согласна.

* * *

Андрей заснул, откинув голову на синий бархат сиденья. А Маше для сна не хватало размеренного «винтажного» стука колес, как в детстве. Татам-тадам, татам-тадам. Она пожалела, что не взяла с собой книжку. От нечего делать повертела в руках бесплатный журнал, заправленный за багажную сетку переднего сиденья: глянцевые страницы захватаны предыдущими пассажирами, обязательные виды Петропавловки и Летнего сада с обязательной же, навязшей на зубах цитатой: «Я к розам хочу, в тот единственный сад, где лучшая в мире стоит из оград...» Бедная, измученная экскурсоводами Ахматова. Маша закрыла глаза, пытаясь восстановить в памяти продолжение стихотворения. Статуи, лебеди, царственные липы — вся прелесть старого сада. А дальше вдруг что-то совсем иное по настроению, что-то жуткое... В раздражении — и почему ей именно сейчас так захотелось вспомнить выученное в далеком детстве стихитворение?! — Маша полезла в Интернет на мобильном телефоне. Открыла нужную страничку, сразу вспоминая забытые строчки. Ну конечно, вот же он. Тот отрывок, что так страшил ее в юные годы:

И замертво спят сотни тысяч шагов
Врагов и друзей, друзей и врагов.

А шествию теней не видно конца
От вазы гранитной до двери дворца.

410

Маша вздрогнула, прочитав дату внизу: 1959 г. Улыбнувшись, снова перечитала стихотворение: не мудрено, что она побаивалась его девочкой. Загадочное шествие теней, прозрачных в светлой белой ночи, отходивших «сотни тысяч шагов» и ушедших, унеся с собой свои тайны. Шествие теней, тайны... Перед глазами, бледным отражением в окне поезда, почему-то стояло длинное лицо постаревшего мальчика — Алеши Лоскудова, который так и не смог никого полюбить, потому что однажды очень испугался. Испугался... Зины ли Аршининой? И чем же его так напугала воспитательница детсада? Тем, что с такой легкостью решила избавиться от их общего ребенка? Наверное, — кивнула отражению в окне Маша. Но неясное чувство недосказанности не отпускало. Если дело только в ребенке, почему он отказался об этом рассказывать? Ведь Маша знала, что ребенок выжил, значит, и преступления не было... Маша нахмурилась: а если все-таки было? Она выдохнула, затуманив толстое стекло, нерешительно подняла руку и написала на запотевшем участке окошка знак: m. Письменное Т — Толя, так они тогда решили совместным голосованием. Но ведь старуха упала, размышляла Маша, а тепло ее дыхания постепенно испарялось, знак исчезал. Ксения Лазаревна писала, зажав карандаш в сведенной судорогой руке, и воспринимала написанное со своего ракурса — снизу. А если смотреть оттуда, то... То получается не Т, а З. Не мужа она обвиняла, но жену. Вот чего так испугался Алеша Лоскудов. Он знал. Как она рассказала ему об этом? Наивно хлопая тяжелыми от туши ресницами? Роняя крупные слезы: мол, сама не понимала, что творила? Простая, славная, недалекая. Кто мог заподозрить такую? Да и тайна у Зины была — копеешная, не секрет вовсе, а так — секретик. Алексею в 59-м было больше шестнадцати. Ни статья за растление, ни статья за развратные действия не могла к ней относиться. Маша встряхнула головой — почему-то мысль о том, что убийца — именно воспитательница, а не страшный людоед, мучила ее, не отпускала. Смещение нормы, вот что. Когда можно пойти на убийство? Как дорого стоит жизнь другого человека? У Зининого мужа смещение произошло в блокадном городе, в лютый голод. А у Зины? Как этому найти объяснение, а, следовательно, и оправдание? Сейчас, после гибели Носова-старшего, — щурилась Маша на снег в окне, — Аршинина является одной из главных наследниц его состояния. Маша могла бы с ней встретиться, задать вопрос... Но надо ли?

Маша осторожно подлезла Андрею под руку, почувствовала озябшей рукой его ровное тепло. Он дернулся, приоткрыл один глаз, взглянул на окно с почти исчезнувшими следами ее каракуль:

— Что случилось?

Маша провела ладонью по стеклу, стерев и эти остатки. Конец. Все закончилось. Она освободилась от этой истории.

— Ничего не случилось. Спи.

А за высвобожденным от ее коммунального морока окном продолжали мелькать, сопротивляясь густому ветру со снегом, стылые стволы. Но падающие с небес, будто разом выпотрошенные каким-то нетерпеливым хозяином, накопившиеся за эту затяжную осень крупные хлопья летели и летели, облепляя все сущее, меняя его цвет и форму, будто преобразуя в нечто совсем иное. Загадочное, и, чем черт не шутит? — возможно, прекрасное.

Отдельное спасибо тем, кто помогал мне в работе над романом:

— девочкам послевоенного Ленинграда, так много вспомнившим о своем детстве: Лене (Елене Валентиновне) Гартвиг, Лене (Елене Викторовне) Фоминых, Марлен (Марлен Иосифовне) Герман;

— хранительнице музея повседневной культуры Ленинграда 1945—1965 гг. Наталье Александровне Баландиной;

— девочкам блокадного города, Дусе и Маше: моей бабушке Марии Викторовне и ее сестре Евдокии Викторовне Лазаревым;

— виолончелистам Евгению Прокошину и особенно — Кириллу Калмыкову;

— хирургу Зейнуру Османову;

— руферам Марии и Сергею;

— моему неизменному доброжелательному критику, сценаристу Анастасии Голотик.

И еще, помимо многочисленных авторов прекрасных мемуаров, вдохновивших меня на этот роман, отдельное спасибо:

— Людмиле Улицкой за прекрасный сборник послевоенных детских воспоминаний «Детство 45—53: а завтра будет счастье»;

— Карине Добротворской за книгу-свидетельство «Блокадные девочки»;

— Михаилу Черейскому за воспоминания «Дракон с гарниром, двоечник-отличник и другие истории про маменькиного сынка».

Литературно-художественное издание

ИНТЕЛЛЕКТУАЛЬНЫЙ ДЕТЕКТИВНЫЙ РОМАН Д. ДЕЗОМБРЕ

Дезомбре Дарья

ТЕНИ СТАРОЙ КВАРТИРЫ

Ответственный редактор *О. Рубис*
Редактор *А. Гедымин*
Младший редактор *П. Тавьенко*
Художественный редактор *А. Сауков*
Технический редактор *О. Лёвкин*
Компьютерная верстка *Л. Панина*
Корректор *Е. Холявченко*

ООО «Издательство «Э»
123308, Москва, ул. Зорге, д. 1. Тел. 8 (495) 411-68-86.

Өндіруші: «Э» АҚБ Баспасы, 123308, Мәскеу, Ресей, Зорге көшесі, 1 үй.
Тел. 8 (495) 411-68-86.
Тауар белгісі: «Э»
Қазақстан Республикасында дистрибьютор және өнім бойынша арыз-талаптарды қабылдаушының
өкілі «РДЦ-Алматы» ЖШС, Алматы қ., Домбровский көш., 3«а», литер Б, офис 1.
Тел.: 8 (727) 251-59-89/90/91/92, факс: 8 (727) 251 58 12 вн. 107.
Өнімнің жарамдылық мерзімі шектелмеген.
Сертификация туралы ақпарат сайтта Өндіруші «Э»

Сведения о подтверждении соответствия издания согласно законодательству РФ
о техническом регулировании можно получить на сайте Издательства «Э»

Өндірген мемлекет: Ресей
Сертификация қарастырылмаған

Подписано в печать 22.05.2017. Формат 84х108 $^1/_{32}$.
Гарнитура «Garamond». Печать офсетная. Усл. печ. л. 21,84.
Доп. тираж 3000 экз. Заказ 1313/17.

Отпечатано в соответствии с предоставленными материалами
в ООО «ИПК Парето-Принт», 170546, Тверская область,
Промышленная зона Боровлево-1, комплекс № 3А,
www.pareto-print.ru